Sous la direction de
Robert BASTERRA
Inspecteur général honoraire de l'Éducation nationale

GRAN VÍA

1re

Lauro CAPDEVILA
Professeur agrégé
Lycée Voltaire, Orléans

Patrick FOURNERET
Professeur agrégé
Lycée Louis-Pasteur, Besançon

Jean-Claude DUGUY
Professeur agrégé
Lycée Jean-Jaurès, Reims

Sylvie KOURIM-NOLLET
Professeur agrégée
Lycée Jean-Zay, Orléans

Joaquín LABRADOR
Professeur agrégé
Lycée Alain-Fournier, Bourges

Patrick LISSORGUES
Professeur agrégé
Lycée Saint-Sernin, Toulouse

Avec la collaboration de Manuel GARCIA
Professeur agrégé
Lycée français, Alicante

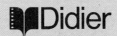
Didier

13, rue de l'Odéon - 75006 PARIS

Avant-propos

C'est animés d'un double souci que nous avons décidé d'offrir une édition remaniée de ce livre de Première. Il était en effet devenu nécessaire de *l'adapter aux nouvelles instructions*, des textes ayant été publiés dans le Bulletin Officiel de l'Éducation Nationale (spécial n° 10 du 28 juillet 1994), postérieurement à notre première édition. Mais nous avons saisi cette occasion, indépendante de notre volonté, pour aller vers *une clarification et une simplification de l'ouvrage afin de mieux répondre aux problèmes pédagogiques d'aujourd'hui.*

La structure générale du livre et la présentation des documents, appréciées par beaucoup d'élèves et de professeurs et qui leur sont familières, ont été préservées. Mais la partie **España** a été réorganisée. Elle s'ouvre sur un panorama de l'économie espagnole actuelle et offre d'abord des documents contemporains, d'un accès plus aisé. Elle propose ensuite un parcours qui remonte le temps afin d'explorer peu à peu les époques plus éloignées, dans le respect des programmes nationaux. Une progression obéissant mieux à la logique pédagogique, invite à partir de ce qui plus familier pour aller vers ce qui est moins connu et à examiner d'abord le présent avant d'en rechercher les racines passées. Afin de faciliter l'approche des temps les plus lointains, une chronologie illustrant les cultures qui se sont côtoyées dans la péninsule est présentée sur une double page.

Le même esprit de clarté pédagogique nous a conduit à remanier un tiers environ des documents et appareils pédagogiques proposés. Nous avons supprimé quelques textes et iconographies, lorsqu'à l'usage ils s'étaient révélés d'un accès trop ardu et que le bénéfice retiré par les élèves ne correspondait pas à l'attente. Nous les avons alors remplacés par des documents vivants, dont la richesse s'offrait plus facilement.

Plus souvent, nous avons revu le questionnaire. Une rubrique **Comprender** précède le commentaire proprement dit. Une première approche globale du document est ainsi explicitement favorisée. Cette phase d'élucidation générale, en allant directement à l'essentiel, doit permettre à la classe d'entrer de plain-pied dans le document et d'en apprécier les qualités. Après un nombre de questions réduit, afin d'écarter les risques de dispersion et pour éviter les démarches trop laborieuses, nous proposons une rubrique **Concluir**, qui devrait aider l'élève à faire le point sur le document étudié et à élargir sa réflexion.

Cette clarification de la progression nous semble davantage en accord avec le travail habituellement demandé dans les sujets de baccalauréat et commence donc à préparer les élèves à cet examen.

Il nous a également paru utile d'aider les élèves à mieux approcher certains documents. *Des présentations spécifiques offrent des guides pour l'étude* d'un document enregistré, du portrait et d'un dessin humoristique. Dans ce dernier cas, nous avons jugé indispensable de *fournir les éléments culturels de référence*, que l'on suppose trop souvent connus. D'une façon plus générale, les commentaires et illustrations qui accompagnent les documents ont été revus pour apporter de façon plus explicite les informations indispensables à la bonne compréhension.

Enfin, nous avons introduit *des exercices de version beaucoup plus systématiques,* afin de proposer une préparation régulière à cet exercice très formateur quand il est conduit avec soin.

***

Par la pratique pédagogique qu'il propose, par sa conception et sa présentation, ce livre s'inscrit dans la continuité du livre de seconde de la même collection. Comme lui, il comporte des documents variés et des textes offrant divers degrés de difficulté, afin que l'élève apprenne à communiquer avec les hispanophones qu'il rencontre, après avoir assimilé les éléments linguistiques, écrits et oraux, nécessaires à une expression correcte et s'être familiarisé avec leur culture et leur mode de vie.

Ces supports diversifiés, textes littéraires en prose et en vers, articles de journaux, tableaux, publicités, bandes dessinées, dessins humoristiques, séquences filmiques, reportages de télévision, enregistrements sonores permettent à l'élève de trouver un lieu d'expression en harmonie avec sa personnalité, de progresser et d'acquérir le goût d'explorer d'autres champs propres à enrichir sa culture et sa langue, d'aiguiser sa curiosité et d'exercer sa propre créativité.

***

Le manuel se compose de trois grands chapitres, **Comunicarse**, **España**, **Hispanoamérica,** eux-mêmes organisés en rubriques définies avec clarté, dans lesquelles sont regroupés autour d'un thème précis des textes et des documents de nature différente permettant d'aborder un sujet sous des angles variés et complémentaires. Cette variété de nature et d'approche est toujours associée à divers degrés de difficulté de langue. Le professeur garde ainsi une grande latitude de choix et s'adapte mieux au profil de chacune de ses classes.

Des bandeaux colorés distinguent les trois grandes parties et chacune des rubriques, indiquée en clair, est accompagnée d'un visuel coloré. Une carte simplifiée rappelle toujours la zone géographique à laquelle renvoie la page.

Comme dans le livre de Seconde, la partie **Comunicarse** regroupe des textes et des documents tant espagnols qu'américains en prise directe avec la réalité quotidienne de ces pays. Ils s'ordonnent autour de situations concrètes et authentiques qui sont autant d'ouvertures culturelles sur les pays de langue espagnole. Si la finalité du chapitre, comme en seconde, est de placer l'élève dans des conditions de communication semblables à celles qu'il est susceptible de rencontrer lors de voyages dans les pays hispanophones, elle est aussi d'amorcer une réflexion sur le monde qui nous entoure.

Les deux chapitres suivants, **España** et **Hispanoamérica** sont bâtis en fonction des impératifs du programme dont le propos est d'apporter à nos élèves une connaissance des hommes, des milieux et des circonstances qui ont donné naissance aux cultures hispaniques, dans toute leur variété, en rappelant notamment quelques grands moments qui ont jalonné l'histoire de notre culture occidentale.

***

Le texte écrit est accompagné d'élucidations linguistiques destinées à faciliter une approche autonome. Nous avons continué à mettre en relief, dans ces textes, les structures et expressions sur lesquelles l'élève est invité à travailler en priorité. Les faits de langue qui déterminent le travail d'acquisition ou de réemploi sont ainsi nettement mis en évidence. Les textes enregistrés sur cassette audio sont repérés par un petit visuel (casque).

Le document iconographique est accompagné de mots et de structures (placés sur fond coloré) qui facilitent la prise de parole ou le travail écrit de l'élève lors de son commentaire, selon un ordre qui suit le plus souvent une exploitation organisée du document et va d'une impression générale à une analyse de détail.

L'ensemble du manuel comporte une centaine de documents accompagnés d'un questionnement (une quarantaine d'entre eux étant iconographiques) soit environ quatre fois le volume de ce qui est en règle générale traité en une année scolaire. Si l'on considère que ce décompte n'inclut pas les reportages et spots vidéo reproduits sur cassette, il y a là une matière riche et abondante qui devrait permettre à chacun d'effectuer un choix tout aussi personnel qu'efficace.

Les textes et les documents iconographiques sont assortis d'un **«appareil pédagogique»**, qui doit permettre de mettre en valeur la spécificité de chacun des supports.

• **Comprender, Comentar, Concluir** : le commentaire progressif présente l'avantage de la clarté et de la rigueur ; les questions portent sur les données essentielles.
• **Alto** : cette rubrique attire l'attention sur certaines formes linguistiques contenues dans le texte. Dans le courant du manuel, ces mêmes formes réapparaissent, portées par des textes différents. L'élève est ainsi amené à les réemployer fréquemment et, par conséquent, à les assimiler plus aisément. Les renvois aux paragraphes numérotés de la grammaire, en fin d'ouvrage, guident avec précision vers la difficulté soulignée.
• **Obras** : l'élève est conduit à pratiquer, sans s'éloigner des situations du texte, des faits de langue annoncés dans **Alto** ; l'ordre des exercices correspond à celui des renvois gramaticaux ; d'autre part sont favorisées l'analyse et la réflexion grammaticales.
• **Vídeo** : ce visuel renvoie à un document complémentaire, dont la transcription ne figure pas dans le livre de l'élève, enregistré sur cassette VHS (Cf. Table des matières). Il s'agit, dans les cas les plus nombreux, d'un reportage venant compléter et illustrer le chapitre de façon attrayante. La transcription de ces documents se trouve dans le coffret de la vidéo et leur exploitation pédagogique dans le livre du maître.

***

Le **Lexique**, abondant et complémentaire aux notes, doit aider l'élève dans sa compréhension des documents sans l'aide d'un dictionnaire.
La **Grammaire** est organisée en paragraphes systématiquement numérotés et aide l'élève à réaliser les exercices proposés.

Le livre de l'élève est complété par :
– des *cassettes audio* enregistrées par des hispanophones, espagnols et latino-américains, aux accents authentiques et variés.
– une *cassette vidéo* comportant des séquences filmiques, publicités, reportages de télévision.
– un **Livre du professeur** qui suggère des orientations pédagogiques puis propose une analyse du documents et réunit des informations complémentaires favorisant une exploitation approfondie.

***

Nous souhaitons que ce livre donne satisfaction aux utilisateurs, élèves et professeurs, et que son maniement soit aisé. Nous sommes ouverts à toutes suggestions que les collègues nous feront le plaisir de nous adresser et remercions vivement ceux qui nous ont déjà fait part de leurs remarques, de même que toutes les personnes qui ont contribué à la réalisation de ce deuxième ouvrage de la collection *Gran Vía* et nous ont apporté leur soutien et leur aide efficace.

Les auteurs.

© Les Éditions Didier, Paris, 1997   Imprimé en France   ISBN 2-278-04582-2

GRAN

VI-

COMUNICARSE

Padre e hijo

La chaqueta, *la veste* – los tejanos, *les jeans* – a escondidas, *en cachette* – tener traza de estar disfrazado, *avoir l'air d'être déguisé* – mirar de reojo, *regarder à la dérobée* – una actitud enternecedora, *une attitude attendrissante* – un gesto de temor, *un air craintif* – la ilusión, *le rêve, le désir*.

Comprender

Comentar

1 Identifica el producto promocionado y valora los lugares que ocupa en el anuncio. ¿Qué relaciones unen el primer párrafo del texto con la fotografía? ¿Quién se expresa en dicho texto?

2 La foto. ¿Dónde estará el niño? ¿Qué acaba de hacer? Fijándote en su postura y semblante, imagina lo que estará pensando y soñando. ¿Les gusta a los niños disfrazarse? ¿Con qué intención lo harán?

3 El texto. Al hablar de su hijo el padre experimenta sentimientos diversos: muéstralo. ¿Qué retrato va haciéndonos del niño? En este contexto, destaca el papel relevante desempeñado por los zapatos. Pon de manifiesto el humorismo de las dos últimas frases.

Concluir

4 ¿Qué imagen de los zapatos "Lotusse" pretende dar el anuncio y, como consecuencia, de aquél que los compra y lleva?

ME IMITA EN CASI TODO, PERO EL DIA DE SU CUMPLEAÑOS SE PASO.

El espejo de mi vestidor reflejaba mucho más que su imagen. Allí estaban, descubriéndose por primera vez a sí mismo, seis palmos de vitalidad, de fuerza y temor por ser, de miedo y hombre, de inocencia y coraje.

Quería y se preguntaba si podría. Y no había tenido suficiente con mi colonia. Sus pies habían desaparecido dentro de mis entrañables Lottusse. El tipo era listo: empezaba a descubrir la serenidad que da una forma contundente; la dignidad de una línea sobria, ausente de pedantería; la seguridad que te penetra cuando tomas conciencia de cada paso como propio.

El día que decidió dar los primeros pasos por sí mismo, me robó mis zapatos. Te doy un diez, hijo y compañero. Pero, por favor, no me pidas aún las llaves del coche. Sería excesivo.

LOTTUSSE
THE·SHOE
1877

Su cumpleaños, *son anniversaire* – pasarse, *se surpasser* – el espejo, *le miroir* – el vestidor, *la penderie* – seis palmos, *six empans (soit 1,20 m environ)* – mi colonia, *mon eau de cologne* – entrañable, *cher* – el tipo era listo, *notre gaillard était malin* – contundente, *résolu, énergique* – ausente, *ici, dépourvu* – te doy un diez, *je te mets dix sur dix* – las llaves, *les clés*.

Alto

Obras

- *L'imparfait de l'indicatif (gramm. § 36.2 et 36.6 à 36.8).*
- *L'impératif et la défense (gramm. § 43.0).*

1 Relève tous les verbes du texte qui sont à l'imparfait de l'indicatif. Quelle observation simple peux-tu faire à propos des différentes terminaisons ? Que traduit l'emploi de l'imparfait ?

2 Récris le début du texte depuis «*El espejo…*» jusqu'à «*…una forma contundente*» en mettant les verbes au présent. Quelles conséquences observes-tu ?

3 En suivant le modèle : «*No me pidas las llaves del coche*» → «*Pídeme las llaves del coche*», transforme les phrases suivantes : *No te mires al espejo – No me digas lo que quieres – No te pongas mis zapatos ni me imites.*

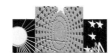

Retratos

1. *au front étroit.*
2. *aux pommettes saillantes.*
3. *(amer.), pequeño.*
4. *un nœud papillon.*

Detrás de un escritorio había un hombre moreno, peinado para atrás, con gomina, **de** frente angosta[1], **de** pómulos salidos[2], **de** gruesos labios y dientes prominentes, **con** un traje de etiqueta que parecía chico[3] para él, y corbata de moño[4] negra.

ADOLFO BIOY CASARES, *La aventura de un fotógrafo en La Plata*, 1985.

5. *sa sveltesse.*
6. *son visage imberbe.*
7. *à ras.*
8. *(amer.), chaqueta, veste.*

Parecía de dieciocho o diecinueve años, **por** su esbeltez[5], su cara lampiña[6] y su pelo cortado casi al rape[7], pero no debía ser tan joven. **Tenía** unos dientes grandes y blancos que le alegraban la cara morena. **Era** uno de los pocos que llevaban saco[8] y corbata y, además, un pañuelito en el bolsillo. Sonreía todo el tiempo y **había en él** algo directo y efusivo.

MARIO VARGAS LLOSA, *Historia de Mayta*, 1984.

9. *aux contours flous.*
10. *une écharpe posée.*
11. *avergonzar, faire honte.*
12. *un dossier.*
13. *borroso, flou.*
14. *le pantalon qui fait des poches.*
15. *la veste.*
16. *ébouriffés et longs.*
17. *sombre, renfrognée.*
18. *un homme qui porte le poids d'une grande fatigue.*

En la imagen, esfumada en los contornos[9], amarillenta, |el hombre| **parece de** cuarenta o más. Es una instantánea de fotógrafo ambulante, tomada en una plaza irreconocible, con poca luz. **Está de pie**, una bufanda suelta[10] sobre los hombros y una expresión de incomodidad, como si lo avergonzara[11] posar ante los transeúntes, en plena vía pública. **Lleva** en la mano derecha un maletín o un paquete o una carpeta[12] y, a pesar de **lo borroso**[13] de la imagen, se advierte **lo mal vestido que está**: los pantalones bolsudos[14], el saco[15] descentrado, la camisa con un cuello demasiado ancho y una corbata con un nudito ridículo y mal ajustado. **Tiene** los cabellos alborotados y crecidos[16] y una cara algo distinta a la de mi memoria, más llena y ceñuda[17], una seriedad crispada. **Ésa es la impresión que comunica la fotografía**: un hombre con un gran cansancio a cuestas[18]. De no haber dormido lo suficiente, haber caminado mucho o, incluso, algo más antiguo, la fatiga de una vida que ha llegado a una frontera.

MARIO VARGAS LLOSA, *Historia de Mayta*, 1984.

Comprender

1 Entresaca de los tres textos el vocabulario utilizado para describir o evocar:
– las partes del cuerpo humano
– los colores
– las prendas y los vestidos.
2 Apunta ahora las palabras o expresiones relacionadas con las actitudes y las posturas físicas.
3 Indica luego todo lo vinculado con los sentimientos y las disposiciones morales.
4 Examina por fin los diferentes modelos lingüísticos (preposiciones, formas verbales…) utilizados para hacer el retrato de los tres personajes.

Comentar

5 Habrás notado que el retrato del último texto está basado en la observación de una fotografía. Te toca a ti ahora hacer *(C'est à ton tour maintenant de faire)* el retrato del "Niño mendigo" de la foto de Martín Chambi, respetando la organización del texto de Mario Vargas Llosa y utilizando giros, expresiones, vocabulario encontrados en los tres fragmentos.
6 En la página 15 encontrarás otro retrato, el de una joven música *(une jeune musicienne)*. Haz, a partir de este nuevo retrato fotográfico, el mismo trabajo que el anterior.

ocho
8

MARTÍN CHAMBI, *Niño mendigo*, Cuzco, 1934.

Reportaje: Niños de América Latina y de España, T.V.E.

Una foto de estudio – la nitidez, *la netteté* – la iluminación, *l'éclairage* – posar, *poser (pour le photographe)* – estar sentado, *être assis* – una piel de animal, *une peau de bête* – la gorra, *la casquette* – vestir andrajos, *porter des haillons* – roto, *déchiré* – toscamente remendado, *grossièrement raccommodé* – la mirada, *le regard* –mestizo, *métis* – aindiado, indianisé, *qui ressemble à un indien*.

ASCENSOR

1. ici, retrouvées.
2. écorchaient leurs belles-filles.
3. jouaient aux cartes jusqu'à une heure très avancée.
4. de sévères employés de bureau.
5. secrétaires effrontées.
6. son petit appartement sous les toits.
7. les odeurs de friture.
8. la cour intérieure.
9. réfrigérateur.
10. un frisson.
11. la cabine.
12. quelques cris.
13. ici, l'écho sinistre.
14. le grincement.
15. le miaulement.
16. le frôlement.
17. le fracas d'une chasse d'eau.
18. la limonade (La Casera est une marque).
19. son filet à provisions.
20. jusqu'à ce que son regard s'embrume dans la première larme.
21. des accouchements.
22. le soleil qui filtrait par une rainure du porche d'entrée.
23. un bâillement.
24. ça n'était pas bientôt fini de jouer avec l'ascenseur, espèce de voyous ?

La abuela nunca va a ninguna parte en Semana Santa. Antes se encontraba con algunas vecinas y paseaban por las calles recobradas[1], trinchaban a sus nueras[2] y jugaban a la canasta hasta las tantas[3]. Pero murieron las vecinas y sus pisos fueron ocupados por ásperos oficinistas[4] y secretarias procaces[5] y la abuela se acostumbró a vivir en su pequeño ático[6] sin el aroma de fritangas[7] que tamizaba el patio de luces[8].
A la abuela nunca le gustó que cambiaran el ascensor antiguo por aquella caja metálica de acelerones súbitos. Al cielo se ha de llegar despacito y los ascensores cerrados siempre tienen algo de nevera[9]. Por eso debió de sentir un escalofrío[10] cuando el camarín[11] se detuvo bruscamente entre el cuarto y el quinto. A veces la muerte es un golpe de silencio entre las máquinas. La abuela dio un par de voces[12], pulsó un timbre mudo y le pareció oír el eco agorero[13] de los mausoleos. El Jueves Santo hasta las fotocopiadoras están en penitencia. Y el mundo es una pequeña plataforma de soledad cuadrada. La abuela dejó pasar las primeras horas escuchando el crujido[14] del cable engrasado, el maullido[15] de un gato funámbulo, el roce[16] de los periódicos atrasados apenas agitados por alguna corriente de aire. Despertó el viernes con el estrépito de una cisterna[17] lejana y la sed le recordó la casera[18] que llevaba en su bolsa de malla[19] como un oasis de supermercado. Se miró al espejo y estuvo todo el día paseando por la geografía de su rostro hasta que se embarró en la primera lágrima[20]. El sábado y el domingo el ascensor fue el alambique de una vida y ahí aparecieron los terrores del hambre y de las bombas, de los partos[21] y de las ausencias. Llegó el lunes y hasta le pareció escuchar el sol arrendijado en el portal[22]. Oyó pasos cargados de atascos. Un bostezo[23] ancho como el fin de un paréntesis. Y una voz irritada que gritaba que ya estaba bien de jugar con el ascensor, gamberros[24].

JOAN BARRIL, El País, 04/04/1991.

Comprender Comentar

1 ¿En qué momento del año y dónde tiene lugar la escena?

2 Líneas 1 – 10: ¿Qué cambios han conocido los centros urbanos en los últimos 10 ó 15 años? ¿En qué situación se encuentra ahora la abuela?

3 Líneas 11 – 30: ¿Qué incidente le ocurrió a la mujer al subir a su ático? «Los ascensores cerrados siempre tienen algo de nevera» (l. 14) – «Le pareció oír el eco agorero de los mausoleos» (l. 21). Analiza estas metáforas: ¿qué sentimientos traducen?

4 ¿Qué contactos con el mundo exterior mantiene la abuela?

5 Líneas 30 – 40: ¿No cobra la situación un aspecto cada vez más trágico? Explica la metáfora «El ascensor fue el alambique de una vida» (l. 37).

6 Líneas 40 – 45: ¿Cuánto tiempo quedó encerrada la mujer en el ascensor? ¿Qué efecto crea la última frase?

Concluir

7 ¿Qué nos revela la anécdota acerca de las condiciones de vida de los ancianos en las grandes urbes modernas? ¿Qué querrá denunciar Joan Barril?

J. Donoso, *Semana Santa en Sevilla*, 07-16/04/1990.

Alto

• Les temps du passé (gramm. § 45.1).
• Les équivalents de «on» (gramm. § 17.1 et 17.2).

Obras

1 A la lumière du récit, dégage les nuances d'emploi entre l'imparfait et le prétérit.
2 Mets le texte à la première personne du singulier depuis «*La abuela dejó pasar…*» jusqu'à
«*…la primera lágrima*» (l. 25 à 36).
3 Transpose au présent les phrases suivantes : *Despertó el viernes con el estrépito de una cis-*
terna lejana y la sed le recordó la casera – A la abuela no le gustó que cambiaran el ascen-
sor antiguo por aquella caja metálica.
4 «***Debió de*** *sentir un escalofrío*» (l. 16). Récris cette phrase en proposant une tournure équivalente
à la forme en gras.
5 Traduis depuis «*A la abuela nunca le gustó…*» jusqu'à «*…mausoleos*» (l. 11 à 22).

QUINO, *Potentes, prepotentes e impotentes*, 1989.

Celebrar el cumpleaños, *fêter l'anniversaire* – el aparador, *le buffet* – la silla de ruedas, *le fauteuil roulant* – soplar las velas, *souffler les bougies* – el pastel, *le gâteau* – destapar una botella, *déboucher une bouteille* – brindar por, *porter un toast à* – ahitarse de, *s'empiffrer de* – despedirse de alguien, *prendre congé de quelqu'un* – montones de platos y cubiertos, *des tas d'assiettes et de couverts* – fregar los platos, *faire la vaisselle* – las faenas domésticas, *les travaux ménagers*.

Objectifs

Décrire un dessin satirique et en construire l'analyse

1 Des interrogations de base : *¿dónde?, ¿cuándo?, ¿con quién?*
Une justification concrète à apporter pour chacune des réponses :
– *A mi parecer la historieta tiene lugar (pasa) en… porque…*
– *Lo más probable es que sea un domingo por la tarde ya que…*
– *Se han reunido los miembros de la familia para…*

2 Les dessins de Quino ne portent généralement pas de titre. C'est une bonne raison pour **en choisir un** et pour en justifier le choix (les titres proposés ne sont pas limitatifs) : *El cumpleaños de la abuela – ¡Feliz cumpleaños! – Se acabó la fiesta – ¡Qué sorpresa más linda* (charmante, heureuse)*!*
En mi opinión el mejor título es… porque…, pero también se podría elegir… para dar una orientación… Yo propondría otro…

3 Dessin après dessin (tu peux donner un sous-titre à chacun, ce qui permet de montrer clairement les différentes étapes), tu insisteras **sur les actions, les attitudes, les expressions, en choisissant les tournures linguistiques qui s'accordent le mieux avec ce que tu veux exprimer.**

Pour le premier dessin, actions et expressions peuvent être rendues par un semi-auxiliaire *(estar, ir)* suivi d'un gérondif (gramm. § 49.0). Utilise les verbes suivants : *preparar la fiesta, poner la mesa, sacar platos y cubiertos, ayudar, poner manos a la obra* (mettre la main à la pâte), *sonreír, regalar el pastel…*

Pour le second dessin, alterne formes au gérondif et présent simple (actions plus ponctuelles) : *cantar, levantar el vaso, desear buena salud y larga vida, ser el blanco* (la cible) *de…, ser la reina de la fiesta…*

Pour le troisième dessin, reviens aux formes du gérondif.

4 **Établis des éléments d'analyse comparative** entre les trois premiers dessins :
– ce qui fait leur unité : *el lugar, los elementos del decorado, los personajes…*
– mais aussi ce qui les différencie : *la disposición de los personajes en el espacio, sus ocupaciones y actitudes…*

5 **Quatrième dessin,** à la fois rupture et continuité avec ce qui précède.
– Le changement de lieu, le temps écoulé, utilise le passé composé (gramm. § 35.0) : *terminar, comer bien, beber bien, divertirse, pasar una tarde buenísima, llegar el momento* (la hora) *de…,* puis les formes avec gérondif et le présent simple pour décrire actions et attitudes : *despedirse, vestirse, abrazar cariñosamente* (tendrement), *mirar con ternura* (avec tendresse)…

6 Le dernier dessin, le dénouement, la chute, *el desenlace.*
– L'effet produit : *sorprende mucho este final porque…; es un desenlace muy inesperado por…*
– Les moyens employés par Quino : utilise *estar* + participe passé (gramm. § 47.0) pour évoquer la situation : *la abuela sola, en el centro de la cocina, sentada en su silla de ruedas, rodeada de montones de platos y cubiertos…*
– Les réactions que cette situation provoque en toi *(¿risa?, ¿indignación?)* et les intentions de Quino.
Tu t'efforceras de compléter ce texte qui pourrait servir de conclusion à l'analyse :
Claro que nuestra primera reacción…, pero después no podemos sino… No podíamos imaginar que los miembros de la familia… ya que desde el principio parecían… Son unos…, se ha comportado como… no han tenido… Quino denuncia…

La mujer trabajadora

1. aprovechar algo,
   profiter de quelque chose.
2. *ranger les armoires.*
3. *porter les vêtements*
   chez le teinturier.
4. *faire réparer le mixeur.*
5. *accrocher le tableau.*
6. *(argot), le boulot.*
7. *cargar, ici, saler la note.*
8. *fête foraine.*
9. quedar en, *ici, convenir.*
10. *ici, le garage.*
11. *si la voiture est prête.*
12. recoger, *ici, prendre.*
13. *aller faire la bringue.*
14. *et par-dessus le marché.*
15. *imagine un peu.*
16. (Unidad de Cuidados
    Intensivos), *Unité de*
    Soins Intensifs.
17. *souffler un peu.*
18. *du bagoût.*
19. *un match.*
20. *les petits copains.*
21. (película del oeste de
    mucho éxito con el actor
    Kevin Costner).
22. dar la barrila, *(argot)*
    casser les pieds.
23. como se me antoja,
    comme j'en ai envie.

Para celebrar el día de la mujer trabajadora, muchas mujeres que trabajan decidieron no ir al trabajo.

–¿Ves como sois unas irresponsables?

–opinó el marido durante el desayuno al recibir de su mujer la información. Cualquier pretexto es bueno para faltar al trabajo. ¿Y qué vas a hacer durante todo un día para ti sola?

–Pues **aprovecharé**[1] para ordenar armarios[2], llevar ropa al tinte[3], limpiar detrás de los libros, tirar periódicos y revistas viejas, llevar la batidora a arreglar[4], limpiar las lámparas del techo, coser tu chaqueta, ir a pagar el impuesto del coche y colgar el cuadro[5] que se cayó el día que estalló la guerra. Creo que no me va a dar tiempo, ahora que lo digo, porque además hoy me toca, aunque hubiera ido al *curre*[6], llevar a Carla Vanesa al dentista, ir a protestar a los de la luz que nos han cargado[7] como si tuviéramos una verbena[8] y hacer la compra de la semana.

–Se te ha olvidado que quedaste en[9] llamar al taller[10] a ver si ya tienen listo el coche[11].

–Es verdad, **llamaré** –dijo la mujer apuntando en el cuaderno.

–Y si lo tienen ya, podías pasar a recogerlo[12]. El taller no queda lejos del dentista.

–También está cerca de tu oficina, lo podías recoger tú.

–Yo acabaré tardísimo hoy, y para cuando salga estará cerrado.

–Está bien, si me dicen que el coche está listo, lo recojo.

–Y te lo traes a casita y lo dejas bien aparcado que te conozco y eres capaz de irte por ahí de juerga[13]. Se me ha escapado que hoy llegaré tarde a casa, pero no te hagas ilusiones.

–Pero de qué estás hablando, tío. Con el día que tengo y encima[14] luego hay que dar de cenar a los niños y ayudarles a hacer los deberes, ya me contarás[15]. Para **cuando tú llegues** estaré en la UCI[16]. ¿Y por qué volverás tarde hoy?

–Mucho trabajo. A ver si ponen el día del hombre trabajador y así yo puedo tomarme un respiro[17], aunque no sea más que un día, porque hay que ver vosotras lo que os quejáis, y lo que tenéis es mucho cuento[18]. La mujer pasa rápido las hojas del periódico buscando algo y al fin lo encuentra:

–Lo que pasa es que hoy hay partido[19] en la tele a las 20.30, eso es lo que pasa. Seguramente habéis quedado los amigotes[20] a verlo juntos. Vale. **Lo que haré** esta noche es llevar a los chicos a ver *Bailando con lobos*[21], que me están dando la barrila[22] con que quieren verla y la echan aquí cerquita y nos tomaremos una pizza.

–Así celebras tú el día de la mujer trabajadora, yéndote al cine, qué bien. En Japón, lo celebrarían trabajando el doble.

–Te advierto que yo no soy japonesa y celebro el día de la mujer trabajadora como se me canta[23], y una de ellas es dándome una ración de Kevin Costner.

CARMEN RICO-GODOY, *Cambio 16,* 18/03/1991.

Comprender

1 ¿Qué problema plantea este texto? ¿Va a ser realmente un día sin trabajo para la mujer?

Comentar

2 ¿Cómo suele llevarse a cabo el reparto de tareas y responsabilidades en esta casa?
3 ¿Qué motivo provoca la riña de este matrimonio? ¿Qué argumentos aducen los protagonistas?
4 ¿No será algo problemática la convivencia en esta familia?

Concluir

5 ¿Qué contradicciones pone de manifiesto la periodista en cada uno de los protagonistas? Valiéndote de algunos ejemplos, analiza el tono de la autora y aclara su intención al escribir este artículo.

Alto
- Futur de l'indicatif (§ 36.3).
- Le subjonctif à valeur de futur (§ 53.3).

Obras

1 «¿Y qué **vas a hacer** durante todo el día?» (l. 7).
Remarque la valeur de futur proche de cette forme
verbale. Remplace-la par un futur simple.
2 «Aprovecharé para **ordenar** armarios…» (l.10) ↣ **ordenaré**
armarios. Transpose la réponse de la femme en imitant ce modèle
jusqu'à «…*la guerra*» (l.17).
3 Traduis depuis «*Mucho trabajo*» (l. 47) jusqu'à «…*tomaremos
una pizza*» (l. 61).

Comentar

1 ¿Cómo supo crear el fotógrafo, mediante el encuadre
y la composición, un retrato de efecto gracioso *(amusant)*?
2 Fíjate en el estuche del instrumento, en su forma y en
la partitura. ¿Qué evocan para ti?
3 ¿Qué partido sacó el fotógrafo de la luz y de las líneas
curvas?
4 Mira ahora detenidamente a la chica. ¿Dónde tiene
puesta la barbilla? ¿Qué dará a entender su
postura? ¿Qué se desprende de su
semblante? ¿Cómo recalcó el
fotógrafo esta impresión de
felicidad, de armonía y de
gracia?

█ retrato, *le portrait* – la
lueta, *la silhouette* – el
ontrabajo, *la contre-
asse* – el estuche,
tui – la bufanda,
charpe – el músico –
concertista – la
artitura, *la partition* –
s pentagramas, *les
rtées musicales* –
a realización,
*épanouissement
rsonnel* – la sonrisa,
sourire – la barbilla,
menton – el hombro,
paule – ocultarse
etrás de, *se cacher
rrière*.

¿Te arriesgas con la moda "Casi Nada"?

Arriesgarse, *se risquer* – cremalleras, *des fermetures éclair* – tejidos, *des tissus* – resbalar, *glisser* – faldas, *des jupes* – blusas "bugui-bugui", *des chemisiers "boogie-woogie"* – taparse, *se couvrir* – mover, *changer* – estar estallante y desbordante, *être éclatante et débordante* – faldas acampanadas o ceñidas, *jupes bouffantes ou moulantes* – prendas entalladísimas, *des vêtements très ajustés à la taille* – propenso, *enclin* – reventar, *faire éclater*.

La joven modelo, *le jeune mannequin* – la minifalda – los zapatos de tacón alto – el cinturón – los pendientes, *les boucles d'oreille* – estar de moda, estar a la última – el vestido de lunares – con las manos en jarras, *les mains sur les hanches* – alta – delgada, *mince* – la abuela – la anciana vestida de negro – enlutada, *en deuil* – el chal – reírse – burlarse, *se moquer* – baja – encorvada, *inclinée* – alargar la falda.

Cremalleras que se abren, tejidos que resbalan, hombros al desnudo faldas cortas cortas, blusas "bugui-bugui", uf, uf, uf...

La abuela, cuando subía el termómetro, decía que «lo que evita el frío, también evita el calor», y que había que taparse más. ¡Uy si la ab... la pudiese mover el verano del 88! Porque ahora, Modelo está estallante y desbordante de su moda exclusiva «Casi Nada», la que nadie n... tiene, para que hasta el último centímetro de toda tu dermis, epidermis y otras materias nobles que llevas encima, sientan la vibración de la n... da torticolizada, la timidez de la adrenalina vencida, el suspiro del pulmón nicotizado. «Casi Nada» tiene muchísimo y muy poco que ofrecerte: das cortas acampanadas o ceñidas, prendas entalladísimas y chaquetas cortas en hilos, algodones y deslizantes rayones y visco- sas en colores naturales, blancos y negros. Cremalleras inquietamente propensas a bajar por el centro del jer- sey. Blusas «bugui-bugui» –nada por arriba, nada por abajo– que revientan electrocardiogramas. Ven, desnú- date y después vístete con la moda «Casi Nada». Te verás tú y tú y solamente tú. ¿Conoces a alguien mejor?

model
Primeros en moda
– no en precio –

Comprender

1 ¿No mezcla este anuncio provocación y humorismo?
2 ¿Qué producto se promueve y a quién va dirigido?

Comentar

La foto
3 En tu opinión, ¿qué personaje llama primero la atención? Explica por qué.
4 Pon de relieve el contraste entre la joven modelo y la anciana. ¿Qué está haciendo ésta? ¿Qué cara pone?
5 Comenta la pregunta del lema *(le slogan)* así como el empleo del tuteo.
6 ¿Qué efectos produce la serie de detalles en negrilla *(en gras)*, al pie de la foto?

El texto publicitario
7 Relaciona con la foto las dos primeras líneas del texto, hasta «el verano del 88».
8 ¿Cuál es el verdadero propósito de la moda de la casa Modelo? Estudia el valor sugestivo de las palabras inventadas. ¿Qué visión nos dan de los hombres?
9 ¿Cómo logra el publicitario presentar el gran surtido de prendas *(le grand choix de vêtements)*, despertando la imaginación de la clienta potencial?
10 «Te verás tú y tú y solamente tú. ¿Conoces a alguien mejor?» ¿Con qué sentimiento juega este argumento?

Concluir

11 Define el papel que cumple el texto publicitario en relación con el mensaje sugerido en la foto. Recapitula los argumentos de venta más impactantes.
12 ¿Qué visión y contrastes de la sociedad española traduce este anuncio?

Alto

- *Le passage du discours direct au discours indirect (gramm. § 55.0).*
- *Le superlatif absolu (gramm. § 20.4).*
- *L'emploi de* **estar** *(gramm. § 33.0).*
- *La subordonnée de condition (gramm. § 53.4).*

Obras

1 «*Ven, desnúdate y después vístete con la moda "Casi nada". Te verás tú y tú y solamente tú. ¿Conoces a alguien mejor?*». Transpose ces trois phrases au discours indirect, en commençant respectivement par : *La casa Modelo le manda a su clienta potencial que... Le dice que... Le pregunta si...*
2 «*Muchísimo*» – «*prendas entalladísimas*» : sur ce modèle, donne le superlatif absolu de : «*faldas cortas y ceñidas*» et de «*poco*».
3 Justifie l'emploi de **estar** dans cette phrase : «*Porque ahora, Modelo* **está** *estallante y desbordante de su moda exclusiva "Casi Nada"*».
4 «*¡Uy si la abuela* **pudiese** *mover el verano 88!*» : quel est le temps et le mode employés ici ? Traduis la phrase ; s'agit-il du même temps et du même mode en français ? Complète, dans le contexte : *Si la abuela* **pudiese** *mover el verano 88...*
5 Traduis depuis «*"Casi Nada" tiene muchísimo...*» jusqu'à «*...que revientan electrocardiogramas*».

La publicidad: ¡palabras, palabras, palabras!

1. (jefe de los Hunos, 434-453).
2. sans pareil.
3. ici, boucanés.
4. nauséabonds.
5. de cara fea.
6. lambeaux.
7. (école philosophique grecque).
8. raffinée.
9. dissimulation.
10. tener madera de, avoir l'étoffe de.
11. accoucher de.
12. intense méditation.
13. réussite.

Dos amigos están discutiendo del papel de la publicidad; uno de ellos evoca la figura de Atila[1].

«¡Oh, Atila! ¡Publicitario impar[2] que inventaste el primer gran *slogan* de la Historia, con aquello de que *donde pasaba tu caballo no volvía a crecer la yerba*! ¡Cuántas buenas ideas nos hubieses dado para el lanzamiento de un detergente o de un insecticida! ¡Hombre genial que mandabas a **tus hunos más tasajeados**[3], apestosos[4] y carifeos[5], de embajadores tuyos, **recomendándoles que** en público **devoraran** piltrafas[6] de carne cruda, **para que creyese** que eras un Bárbaro Exterminador, cuando tú, en realidad, buen conocedor de la sofística griega[7] por tu esmerada[8] educación, habías descubierto, antes que nadie, las artes de encubrimiento[9], ilusionismo y engaño, de eso que llamamos, en buen lenguaje del oficio: *Relaciones Públicas*!

¡Tenías madera de[10] Director-Ejecutivo en una clase de negocio en que sólo se venden palabras, palabras, palabras, para parir[11], al cabo de noches de insomnio, de lucubración[12], de angustia creadora, el *slogan* que se cita como logro[13] supremo del pensamiento publicitario en todos los Manuales que tratan de la materia: «¡A cien kilómetros por hora **lo que más suena** en el nuevo Rolls-Royce es su reloj eléctrico!».

ALEJO CARPENTIER, *La consagración de la primavera*, 1978.

Comprender

1 ¿Qué opinas de esta asociación de la figura de Atila con el tema publicitario?
2 Califica la tonalidad de este discurso.

Comentar

3 Explica por qué el recurso al apóstrofe es ya significativo de la intención humorística.
4 «Donde pasaba tu caballo no volvía a crecer la yerba» (l. 2) – «¡A cien kilómetros por hora lo que más suena en el nuevo Rolls-Royce es su reloj eléctrico!» (l. 13). ¿Qué efecto produce la comparación de los dos lemas *(slogans)*?
5 Apunta los diferentes anacronismos que salpican *(émaillent)* el discurso. Estudia su valor humorístico.
6 Entresaca los elementos que conforman la doble personalidad de Atila. ¿Por qué ofrecería al mundo esa pésima imagen?
7 ¿En qué contribuyen a la parodia el vocabulario, las admiraciones y exageraciones?
8 ¿Qué visión del publicitario se da aquí (l. 10 - 14)? ¿No te parece que el carácter exagerado y excesivo de la formulación es revelador del objetivo perseguido con este discurso?

Concluir

9 ¿Qué imagen de la publicidad presenta Carpentier en este texto? ¿Te parece exacta?

Alto

• *Le superlatif relatif (gramm. § 20.5).*
• *Les emplois du subjonctif et la concordance des temps (gramm. § 52, 53 et 54).*

Obras

1 Introduis un superlatif relatif dans les amorces suivantes et complète-les sans t'éloigner du sens du texte : *Lo que… le gustaba a Atila era…* – *Sus embajadores… eficaces eran…* – *El publicitario… astuto es aquél que…*

2 *«Recomendabas a tus hunos que* **devoraran** *piltrafas de carne cruda, para que* **se creyese** *que eras un Bárbaro Exterminador»* : justifie l'emploi du mode et du temps des verbes en caractères gras. Complète les phrases suivantes : *Cuando sus soldados conquistaban alguna ciudad, Atila les mandaba que… para que sus enmigos… – El publicitario procura que su anuncio… para que la gente…*

ESTE ANUNCIO PODRIA VENDER NARANJAS DE LA CHINA, PERO NO TABACO.

ESTANDO PROHIBIDO FUMAR EN TODA LA RED DE METRO, TAMPOCO SE ANUNCIARA TABACO.

CONSORCIO TRANSPORTES MADRID ◀Metro▶

• Recherche une traduction satisfaisante du slogan.

Pelar una fruta – palillos, *des baguettes* – ¡Naranjas de la China!, *(Exclamation traduisant l'incrédulité) : Tiens, mon œil !* – «Vender naranjas de la China»: vender lo imposible – la red, *le réseau.*

Comprender

1 Identifica la entidad promotora de la campaña de publicidad. ¿En qué lugares debía colocarse este cartel?

Comentar

2 Muestra cómo el anunciante juega con las paradojas visuales: ¿Habrán pelado la naranja con palillos? Son éstos los instrumentos adecuados para comérsela? Pon de relieve el humorismo y su efecto.

3 Explica detenidamente las diferentes causas que provocan desconcierto al leer la frase en titulares *(grandes capitales)*. ¿Es un eslogan clásico? ¿Se trata de fomentar las ventas del producto representado? ¿Qué reacción traduce normalmente la exclamación popular «¡Naranjas de la China!»?

4 Fijándote en la explicación al pie del cartel, saca en claro el contenido informativo del mensaje dirigido a los usuarios *(les usagers)*.

Concluir

5 Demuestra que la campaña está destinada a mejorar la imagen de la empresa. ¿Te parece lograda? Justifica tu opinión refiriéndote a la forma adoptada.

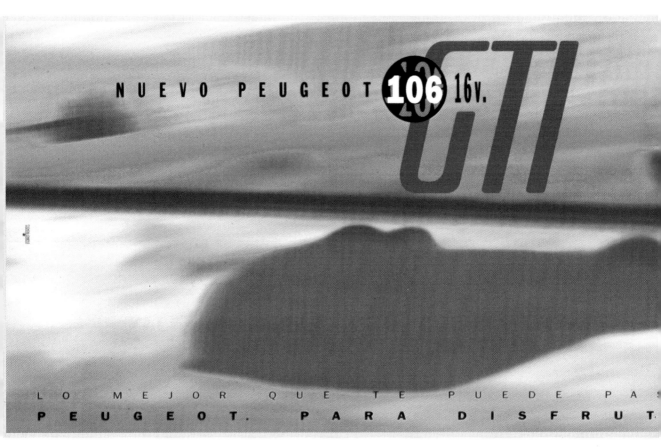

Hacer sombra, (*au sens propre et figuré*), *faire de l'ombre, porter ombrage* – Disfrutar, *profiter* – la válvula, *la soupape* – calentar |ie|, *chauffer* – la seguridad, *la sécurité* – barra estabilizadora, *barre stabilisatrice* – arranque codificado, *anti-démarrage codé* – aire acondicionado, *climatisation* – cierre centralizado con mando a distancia, *fermeture centralisée des portes par télécommande*.

Comentar

1 «*Nada te hará sombra*» – «*Déjalo todo atrás*»: muestra cómo se han plasmado gráficamente estos dos conceptos. ¿Qué argumento publicitario principal se pone de realce?

2 En el texto se aducen otros argumentos de venta: ¿cuáles? Analiza cómo están expresados, de modo explícito o implícito.

3 ¿No te parece contradictorio poner en el mismo plano velocidad y seguridad?

NADA TE HARA SOMBRA

NUEVO PEUGEOT **106 GTI 16v.**

...o todo atrás. Concéntrate sólo en ...e tienes delante: la carretera y tu nuevo ...eot 106 GTI 16 válvulas.

...útalo a fondo. Es un GTI de pura raza: ...lvulas, 120 cv, 205 Km/h y una ...ración de 0 a 100 Km/h en 8,7 segundos... ...para ir calentando motores.

Para tu seguridad, tiene dirección asistida, ABS, doble airbag, barra estabilizadora y arranque codificado. **Y ahora, ponte cómodo:** asientos deportivos, volante de 3 brazos en cuero, aire acondicionado y cierre centralizado con mando a distancia. Como ves, no nos hemos dejado nada atrás. Sólo la sombra.

106 PEUGEOT

DEL AUTOMOVIL

JOSÉ LUIS MARTÍN, *Quico quiere ser feliz*, 1987.

Seg., segundos – V. máxima, Velocidad máxima – los amortiguadores, *les amortisseurs* – estabilidad a toda prueba, *tenue de route à toute épreuve* – a tope, *à fond, pied au plancher*.

Dar un frenazo, *donner un coup de frein* – echar una multa, *dresser une contra-vention* – velocidad excesiva, *excès de vitesse* – la conducción, *la conduite automobile* – quitar el carnet de conducir, *retirer le permis*.

Comentar

1 Analiza las dos primeras viñetas (encuadre, composición): ¿qué sugiere el dibujante? ¿Concuerdan dibujo y texto? ¿De dónde saca el conductor sus afirmaciones?

2 ¿Qué vínculos unen los dibujos 2 y 3? El globo del tercero ocupa la mitad superior: ¿puedes justificar el procedimiento? Comenta también la angulación elegida para presentar la escena.

3 ¿Cómo termina la historieta? Fíjate en las actitudes de los personajes, el temblor de la letra y del globo: ¿qué significan?

4 En conclusión, pon de manifiesto los aspectos satíricos de este dibujo puntualizando el comportamiento que se denuncia. Relaciona esta tira con la publicidad para el Peugeot 106: ¿qué reflexiones te inspira la comparación?

TELEVISIÓN

1. *ici, ses débats.*
2. faltar, *manquer.*
3. caber, *contenir.*
4. litt., *ce vide bizarre, cette étrange lucarne.*
5. *mes appareils électroménagers.*
6. hacer su vida, *vivre sa vie.*
7. *mes chaussettes.*
8. *le réfrigérateur.*
9. conectarse, *se brancher.*
10. embrutecerse, *s'abrutir, s'abêtir.*
11. proporcionar, *procurer, offrir.*
12. de pronto, *tout à coup.*
13. padecer, *subir.*
14. *un processus.*
15. *l'élargissement de l'offre.*

Al contrario de mucha gente, **no tengo nada contra la televisión**; me ha salvado la vida varias veces. **Me gustan sus concursos**, sus películas, sus anuncios, sus tertulias[1]. En las peores épocas de mi vida **nunca me ha faltado**[2] un sofá **desde el que** contemplar cómodamente todo **el horror que** cabe[3] en el interior de esa rara oquedad[4] capaz de producir imágenes. Es, de todos mis electrodomésticos[5], el único **sobre el que** tengo alguna autoridad. Los demás hacen su vida[6]. La lavadora, por ejemplo, me devora los calcetines[7]; la nevera[8] se pone a rugir como una moto a las horas más intempestivas de la noche. Pero, la televisión siempre se ha portado bien conmigo; me conectaba[9] a ella **como quien se conecta** a una fuente de energía y mis sentidos se embrutecían[10] al instante poniéndome a cubierto de toda la carga sentimental, existencial y laboral que se anudaba en mi pecho como una bola de angustia.

Desde hace algún tiempo, sin embargo, no la veo. Al principio pensé que **ya no la necesitaba** porque la clase de horror que me venía proporcionando[11] estaba ya dentro de mí. **A los niños les gusta jugar** con monstruos de plástico que, de súbito[12], un día abandonan o ceden a sus hermanos más pequeños. **Ya no necesitan ver** el monstruo fuera porque lo tienen dentro. Pensé que yo había padecido[13] un proceso[14] semejante. Pero ahora creo que no, que **lo que sucede** más bien es que el ensanchamiento de la oferta[15] con las televisiones privadas **ya no me hace sentirme unido** a la colectividad. Si pongo TV-1, pienso que todos estáis viendo Tele 5; pero si pongo Tele 5, pienso que todos estáis viendo Antena 3, etcétera. Por eso ya no la veo, porque aún no sé **en qué canal** os habéis refugiado.

JUAN JOSÉ MILLÁS, El País, 27/04/1990.

Comprender

1 El texto está dividido en dos partes bien distintas. Presenta en pocas palabras las ideas esenciales contenidas en cada una de ellas y explica luego en qué se contraponen.

Comentar

2 Líneas 1 – 9: El autor expresa una idea que, según él, poca gente comparte *(partage)*. ¿Cuál? ¿Cómo pudo haberle salvado la vida la televisión? «Contemplar cómodamente todo el horror que cabe…» (l. 6). ¿No expresan estas palabras cierta paradoja *(paradoxe)*? Coméntalo.

3 Líneas 9 – 15: ¿Te parece que la televisión corresponde a la definición habitual de un electrodoméstico? ¿Qué tono e imágenes emplea el autor para evocar estos aparatos? ¿Por qué dice que tiene «alguna autoridad» sobre ella?

4 Líneas 15 – 22: ¿No encerrará esta frase otra contradicción al afirmar que la tele es para él «fuente de energía» y que «sus sentidos se embrutecen de inmediato»? ¿Qué papel(es) le atribuye aquí el autor a la televisión?

5 Líneas 23 – 33: El texto toma aquí otra dirección. Muéstralo. ¿Qué pregunta se hace a sí mismo el autor? Trata de justificar la comparación que utiliza para contestar a esta pregunta.

6 Líneas 33 – 41: ¿Encontró el periodista la respuesta deseada? ¿Queda claro lo que va buscando en las emisiones de televisión? «Todos **estáis** viendo… / en qué canal **os habéis** refugiado»: ¿A quién se dirige J. José Millás? ¿Qué sentimientos traduce el empleo de esta persona verbal?

Concluir

7 Presenta tu opinión sobre la televisión. Argumenta tu respuesta.

Alto

- Les pronoms relatifs (gramm. § 21.0).
- La négation (gramm. § 26.2 et 26.3).
- La construction d'un verbe du type **gustar** (gramm. § 15.0).

En TVE ha habido y sigue habiendo programas de gran audiencia. Que gustan a la mayoría. Pero recuerde que la programación está hecha para todos los públicos. Seleccione los programas que le gustan y disfrútelos. Aprenda a usar la televisión. Consulte la programación.

tve

PARA TODOS LOS PUBLICOS.

Lleno absoluto, *(litt., Plein absolu)* ; *ici, Salle comble* – la mayoría, *le plus grand nombre* – disfrutar, *profiter.*

La avenida – *ancho, a, large* – el atardecer, *la fin de l'après-midi* – la acera, *le trottoir* – los semáforos, *les feux tricolores* – los carriles, *les voies (de circulation)* – la raya, *la ligne continue* – las farolas, *les réverbères* – el alumbrado público, *l'éclairage public* – la parada de bus, *l'arrêt d'autobus* – las tiendas cerradas – nada – nadie – no más que – estar vacío, *être vide* – estar desierto, *être désert* – no hay ni un alma, *il n'y a pas âme qui vive* – estar en casa – ver la televisión.

Comentar

1 Identifica al anunciante de esta campaña. ¿Se vende algo? ¿Qué objetivo se persigue?

2 ¿Te parece que el lema *(le slogan)* armoniza con la foto? ¿Cómo explicas que esté vacía la calle? ¿Qué da a entender el desfase *(le décalage)* entre foto y eslogan?

3 Describe la foto explicando qué impresión y sentimientos produce, fijándote entre otras cosas en la organización de las líneas y en la perspectiva. ¿Es casual el momento del día en que se sacó?

4 Comenta los argumentos aducidos por TVE en el corto texto de acompañamiento. ¿No encierra esta campaña cierta paradoja *(paradoxe)*? ¿Puede ser la gente sensible y receptiva a estos argumentos?

5 ¿Existen (o existieron) en Francia campañas similares? ¿Sería buena idea llevarlas a cabo?

Alto

• L'impératif *(gramm. § 43.0).*

Obras

1 Le texte publicitaire comporte cinq verbes à l'impératif. Quels sont-ils ? Quel est le pronom qu'ils sous-entendent ? Récris les phrases où se trouvent ces verbes en sous-entendant le pronom *tú.*

2 Transforme en ordres ou en défenses les phrases infinitives suivantes en utilisant les pronoms de la 2e personne, *tú* et **vosotros** : *Ver tanto la televisión – Quedarse sentado horas y horas mirándola – Salir a la calle y pasear – Cambiar de ocupación e ir al teatro.*

Vídeo

Campaña publicitaria: Lleno absoluto, T.V.E.

Ya es primavera, en el Corte Inglés

1. *ont fini par faire partie.*
2. *un couple de fiancés.*
3. citarse, *se donner rendez-vous.*
4. *un tailleur très perspicace.*
5. *des vêtements sur mesure.*
6. *summum de l'élégance.*
7. *La Coupe Anglaise.*
8. *contigu.*
9. *astucieux.*
10. *développement.*
11. *consommation.*
12. *carte de paiement.*
13. *Noticiario - Documental, actualités cinématographiques sous le franquisme.*

Si uno está en Londres, ya sabe que debe ir de compras a Harrod's. Si es en París, Galeries Lafayette. En Nueva York, Macy's. En Roma, Rinacente. En Berlín, Kaufhof. Y
5 en Tokio, Seibu. Del mismo modo, quien viene a España, a cualquiera de sus grandes ciudades, tiene su visita obligada a El Corte Inglés.

Y es que nuestros grandes almacenes han
10 llegado a convertirse en parte[1] del paisaje de la vida social española. No hay pareja de novios[2] que alguna vez no se haya citado[3] «delante de la puerta de El Corte Inglés». Su nombre aparece en escenas de novelas, en
15 letras de canciones o en fotogramas de películas.

Hace justo un siglo, en 1890, en la calle Preciados de Madrid, un sastre muy ilustrado[4] abrió una tienda de ropa a medida[5]
20 para niños y, en el colmo de la distinción[6] de entonces, le puso el letrero de El Corte Inglés[7].

Bastantes años más tarde, en 1934, el pequeño comercio fue comprado por
25 Ramón Areces y, a partir de ahí, comenzó la presente historia. Primero dos empleados, luego siete (1939), más tarde 2.000 metros cuadrados de superficie de venta (1945), luego el doble al incorporar el edificio colin-
30 dante[8] (1955).

Así hasta hoy, en que cuenta con 36.500 empleados y 19 centros en 13 ciudades con más de 600.000 metros cuadrados. Y más de 1.200.000 artículos distintos en cada tienda.
35 El éxito no fue sólo el resultado obtenido por un trabajador y avispado[9] comerciante. Con El Corte Inglés se ha producido un fenómeno sociológico. La España del desa-
40 rrollo[10], del crecimiento, de las clases medias, del consumo[11], de lo moderno, se ha identificado con este gran almacén.

Para muchos españoles la imagen de El Corte Inglés es la de las primeras escaleras mecánicas por las que subió en su vida, la
45 primera tarjeta de compra[12] que obtuvo, el primer árbol gigante de navidad lleno de luces que vio en la calle o en el No-do[13].

Toda una serie de connotaciones positivas que han marcado a varias generaciones de
50 españoles y que producen, como síntesis, una identificación de la evolución de la propia vida con algo, en apariencia tan absurdo como es la peripecia de una tienda. Pero así es. Y cuando eso ocurre, entonces el objeto
55 pasa a convertirse en una institución. La prueba: dos millones de personas poseen hoy la tarjeta de compra de El Corte Inglés.

Cambio 16, 16/01/1991.

Centro comercial de Mallorca.

La compréhension d'un texte enregistré

Objectifs

Le professeur va faire écouter ce texte deux fois. Tu chercheras tout d'abord à le comprendre dans son ensemble, avant d'essayer d'en saisir les détails. Après ces deux écoutes, tu pourras effectuer un choix parmi les trois propositions faites **(Compréhension globale)**.

Le professeur procèdera ensuite à une troisième écoute, éclatée cette fois, qui correspond aux différents paragraphes de cet article **(Compréhension détaillée)**. A toi :
– de choisir les réponses qui conviennent (**a**, **b** ou **c**) ;
– de rétablir la vérité lorsque les affirmations te semblent erronées ;
– ou de compléter convenablement les phrases incomplètes.

Joue le jeu ! Cache la page de gauche ! Tu pourras ensuite vérifier l'exactitude de tes réponses en comparant avec l'original.

1 Compréhension globale
a. *El artículo cuenta la vida de un señor inglés.*
b. *El artículo cuenta la historia de un comercio madrileño.*
c. *El artículo da cuenta del desarrollo de las grandes ciudades.*

2 Compréhension détaillée
§ 1
a. *El Corte Inglés sólo existe en Madrid.*
b. *El Corte Inglés no se puede comparar con Galeries Lafayette de París.*
c. *El Corte Inglés existe en casi todas las grandes ciudades españolas.*

§ 2
¿Es El Corte Inglés una tienda o un gran almacén?
«Ha llegado a convertirse en parte del paisaje ....»
Su nombre aparece: **a.** *¿en los periódicos?* – **b.** *¿en las puertas?* – **c.** *¿en las canciones?*

§ 3
La tienda se abrió en 1980 en Barcelona.
Era una tienda de sombreros para adultos.
Se llamó "El Corte Inglés" como signo de diferenciación.

§ 4
El pequeño comercio fue comprado en ....
En 1955 ha pasado de 2.000 metros cuadrados a ....

§ 5
¿En cuántas ciudades españolas se encuentra hoy?
El gran almacén ofrece: **a.** *600.000* – **b.** *1.200.000* – **c.** *36.500 artículos distintos.*
«Con El Corte Inglés se ha producido ....»
Pero la España moderna no se reconoce en este gran almacén.

§ 6
Con El Corte Inglés los españoles descubrieron por primera vez:
a. *Navidad* – **b.** *el cine* – **c.** *las escaleras mecánicas.*

§ 7
El Corte Inglés ha marcado negativamente a varias generaciones de españoles.
La historia de la tienda se confunde con la evolución de la vida de los españoles.
El almacén ha pasado a «convertirse en ....»
«Dos millones de personas poseen hoy .... de El Corte Inglés.»

3 Mise en forme par écrit
Après avoir vérifié l'exactitude des affirmations, construis un résumé cohérent du texte à l'aide des différents éléments qui te sont proposés. Par exemple :
Compréhension globale : *El artículo no cuenta la vida de un señor inglés, tampoco la del desarrollo de las grandes ciudades, sino la historia de un comercio madrileño.*

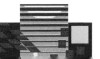

La viajera[1] inmóvil

1. *La voyageuse.*
2. *mettre en cage.*
3. *surcar, sillonner.*
4. *ignorés.*
5. *guisar, faire la cuisine.*
6. *du coin de l'œil.*
7. *un rideau.*
8. *gonflés.*
9. *archer.*
10. *transis.*
11. *ofreciéndoles.*
12. *(la camilla, mesa redonda bajo la cual se coloca el brasero).*
13. *l'ancre.*
14. *s'évader.*
15. *enfiler une aiguille.*
16. *sur ses genoux.*
17. *à force de.*
18. *dar la luz, allumer la lumière.*
19. *los perfiles, les contours.*
20. *correr las cortinas, tirer les rideaux.*

Nadie puede enjaular[2] los ojos de una mujer que se acerca a una ventana, ni prohibirles que surquen[3] el mundo hasta confines ignotos[4]. Basta con eso para que se produzca a veces el prodigio: la mujer que leía una carta o que estaba guisando[5] o hablando con una amiga mira de soslayo[6] hacia los cristales, levanta una persiana o un visillo[7], y de sus ojos entumecidos[8]

5 empiezan a salir enloquecidos, rumbo al horizonte, pájaros en bandada que **ningún ornitólogo** podrá clasificar, **cazar ningún arquero**[9] ni acariciar **ningún enamorado** y que levantan vuelo hacia el reino inconcreto del que sólo se sabe que está lejos, que **no lo ha visto nadie** y que acoge a todos los pájaros ateridos[10] y audaces, brindándoles[11] terreno para que hagan su nido en él unos instantes.

10 Mi madre siempre tuvo la costumbre de acercar a la ventana la camilla[12] donde leía o cosía, y **aquel punto** del cuarto de estar era el ancla[13], el centro de la casa. Yo me venía allí con mis cuadernos para hacer los deberes, y desde niña supe que la hora que más le gustaba para fugarse[14] era la del atardecer, **esa frontera** entre dos luces, cuando ya no se distinguen bien las letras ni el color de los hilos y resulta difícil enhebrar una aguja[15]; supe que cuando

15 abandonaba sobre el regazo[16] la labor o el libro y empezaba a mirar por la ventana, era cuando se iba de viaje. «No encendáis todavía la luz –decía–, que quiero ver atardecer.» Yo no me iba, pero casi **nunca le hablaba** porque sabía que era interrumpirla. Y en **aquel silencio** que caía con la tarde sobre su labor y mis cuadernos, de tanto[17] envidiarla y de tanto mirarla, aprendí no sé cómo a fugarme yo también. Luego entraba **alguien**, daba la luz[18] y reaparecían

20 los perfiles[19] cotidianos. «Bueno, habrá que correr las cortinas[20]», decía ella, como despertando. Pero en la sonrisa especial que dulcificaba su expresión, se le notaba **lo lejos que** había estado, **lo mucho que** había visto. Y daban ganas de arrodillarse a su lado para ayudarle a abrir las maletas, de preguntarle: «¿Qué regalo me traes?»

CARMEN MARTÍN GAITE, *Desde la ventana*, 1987.

Comprender

1 ¿Por qué resulta insólito el título del texto? ¿De qué clase de viaje se tratará?
2 ¿Quién es la narradora? ¿Qué tema poético desarrolla en el primer párrafo y qué evoca a continuación?

Comentar

3 Líneas 1 – 9: ¿En qué consiste el prodigio? ¿Qué simbolizan los pájaros en bandada? ¿Hacia qué país levantan el vuelo? ¿Por qué no los podrá clasificar «ningún ornitólogo, cazar ningún arquero ni acariciar ningún enamorado»? ¿Nace la poesía exclusivamente de esta larga metáfora? Estudia la construcción de la frase, su ritmo, las reiteraciones.
4 Líneas 10 – 23: ¿Dónde solía estar la madre? ¿Te parece acertada la metáfora del «ancla» para designar «aquel punto del cuarto» donde permanecía? ¿Por qué era un momento privilegiado el atardecer? Comenta el diálogo mudo entre madre e hija y analiza el papel que tuvo la mirada de la niña.

Concluir

5 Años después, ¿qué representan para la narradora estos recuerdos? Justifica el título y caracteriza el tono de esta página.

Alto

- *Les indéfinis (gramm. § 18.0).*
- *La négation (gramm. § 26.0).*
- *Les emplois du subjonctif (gramm. § 52.1/2 et 53.1/2).*
- *L'article neutre* **lo** *(gramm. § 10.3).*
- *Les équivalents de «on» (gramm. § 17.2).*

Obras

1 «*Nadie* puede enjaular» – «*no* lo ha visto *nadie*» – «luego entraba *alguien*» – «*ningún* ornitólogo» – «*algún* día» – «*nunca* le hablaba».

a Réponds négativement aux questions suivantes : ¿Viajó alguna vez de veras la viajera inmóvil? ¿Sabía alguien en qué pensaba? ¿Le dijo algo su hija? ¿Hubiera podido alguien enjaularla?

b Trouve maintenant les questions qu'il a fallu poser pour obtenir les réponses suivantes : *Ningún* arquero podía cazar los pájaros de la fantasía. *Nadie* sabe adónde llegan los sueños. *Nunca* se hablaban cuando viajaban así. La madre *no* le confió *nada* a su hija acerca de sus sueños juveniles.

2 Traduis le premier § jusqu'à «…unos instantes».

S T O R I A S   D E L   T R E N

¡Vaya noche!, *Quelle nuit !* – la almohada, *l'oreiller* – fenomenal, *génial* – pasárselo "pipa", *bien s'amuser* – una litera, *une couchette* – RENFE, Red Nacional de Ferrocarriles Españoles.

Una funda de plástico, *une pochette en plastique* – unos apuntes, *des notes* – un osito, *un ours en peluche* – una ficha – una moneda.

1 Presenta esta publicidad (anunciante, producto promocionado, lugar de difusión, organización general).

2 Estudia el montaje: ¿qué elementos se han escogido y por qué? Describe la foto caracterizando el ambiente sugerido (fíjate en las expresiones, actitudes, en el aspecto borroso de las almohadas y las manos). ¿Cómo lo recalca el texto manuscrito?

3 «Historias del tren»: ¿qué evoca para ti este título y por lo tanto qué función cumple aquí?

4 ¿Es importante lo escrito al pie de *(au bas de)* la publicidad? Comenta el juego de palabras del lema «Mejora tu tren de vida».

5 ¿Qué visión da el publicitario de la familia española? ¿A qué público objetivo *(public cible)* se dirige? ¿Te parece acertado *(réussi)* el propósito?

EL  EN CIFRAS

❶ Evolución del número de pasajeros Madrid-Sevilla

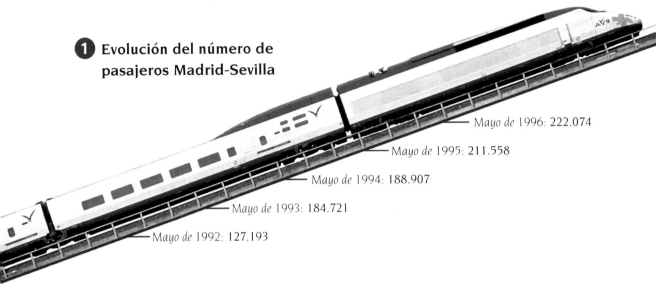

Mayo de 1996: 222.074

Mayo de 1995: 211.558

Mayo de 1994: 188.907

Mayo de 1993: 184.721

Mayo de 1992: 127.193

❸ Proyecto de red europea de alta velocidad (año 2010)

❷ Trayecto Madrid - Sevilla

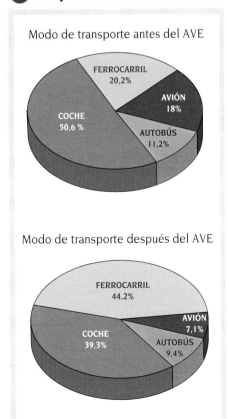

Modo de transporte antes del AVE

FERROCARRIL 20,2%
AVIÓN 18%
COCHE 50,6 %
AUTOBÚS 11,2%

Modo de transporte después del AVE

FERROCARRIL 44,2%
AVIÓN 7,1%
COCHE 39,3%
AUTOBÚS 9,4%

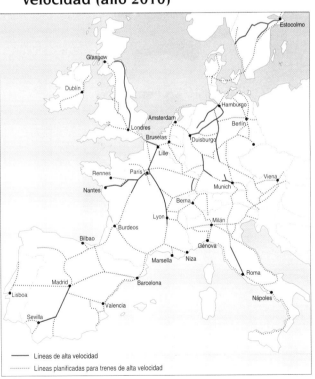

—— Líneas de alta velocidad
·········· Líneas planificadas para trenes de alta velocidad

El AVE (Alta Velocidad Española) – el ferrocarril, *le chemin de fer* – la curva ascendente – dispararse, *s'envoler*, *décoller* – la red, *le réseau* – el diagrama de tarta, *le graphique "camembert"* – la motriz, la locomotora – un veinte por ciento.

CONFORT Y DISEÑO[1]

1. *design.*
2. *un soin.*
3. *vitrées.*
4. *des cartes.*
5. adquirir (ie), *acquérir.*

Se ha prestado un esmero[2] especial en los aspectos estéticos y simbólicos del tren. A este respecto, hay que mencionar :

• El aumento de espacio entre los asientos, para ofrecer un mayor confort a los viajeros.

• Servicio de vídeo para películas y reportajes, así como varios canales de música a los que se accede mediante auriculares.

• Un coche bar-cafetería, con amplias zonas acristaladas[3] que permiten disfrutar del paisaje.

• Coche turista "familiar", con espacios reservados para zona infantil y mesitas de juegos para niños.

• Cabinas de teléfonos distribuidas a lo largo del tren, que pueden ser utilizadas mediante tarjetas[4] que se adquieren[5] en la cafetería del tren.

RENFE, Alta velocidad española, 1996.

Comprender

¿Qué es el AVE? Fíjate en el logotipo que aparece en el título: explica el juego gráfico y de palabras. ¿Lo volvemos a encontrar en algún documento de la página? ¿Qué imagen del tren pretende crear?

Comentar

Documento n° 1: Comenta la evolución del flujo de pasajeros. ¿Qué modificaciones acarrea en la vida socioeconómica de Andalucía?

Documento n° 2: Examina el impacto de la puesta en servicio del AVE sobre los medios de transporte entre Madrid y Sevilla. ¿Te parece atinada *(judicieuse)* la elección de este recorrido *(ce parcours)* para la primera línea española de alta velocidad?

Documento n° 3: Refiriéndote al mapa, di qué pueden esperar los españoles de la futura red de alta velocidad europea. Justifica la importancia de estos proyectos a nivel europeo.

Documento n° 4: ¿Qué facilidades poco habituales ofrece el nuevo tren? ¿Qué nuevo concepto de los viajes en tren pretenden vender los creadores del AVE?

Concluir

Sintetiza las modificaciones que puede aportar el AVE en la vida moderna.

Alto

• *Les prépositions de lieu (gramm. § 27.0).*
• *La numération (gramm. § 16.0).*

Obras

Document n° 1 : Lis tous les nombres de passagers qui figurent dans le document n° 1. Écris-les en toutes lettres. Imagine qu'il s'agit exclusivement de passagères : quelles modifications dois-tu apporter à tes nombres ?

Document n° 2 : Compare les différents pourcentages avant et après la mise en exploitation de l'AVE. Voici un modèle qui peut te servir : *Antes del AVE… de los viajes se realizaban en…, después no representaban más que…, habían disminuido…* (Attention aux articles, obligatoires devant les pourcentages).

Document n° 3 : En suivant le tracé des voies à grande vitesse sur la carte, rédige plusieurs phrases dans lesquelles tu emploieras les prépositions et expressions : *desde, hasta, en , por, para, hacia, entre, con destino a, procedente de.*

■ Version

Le document n° 4.

Bienvenido al Mambo taxi

Pepa quiere seguir a la esposa de su amante que va en taxi. Coge otro con este propósito.

1. *Plan rapproché.*
2. *la banquette arrière.*
3. *de trois quarts.*
4. *tignasse blonde décolorée.*
5. *gros plans.*
6. *très gros plans.*
7. *une pince à linge.*
8. *alquilar, louer.*
9. *molestar, gêner.*
10. *quitar, enlever ; ici, arrêter.*
11. *(Pepa est la vedette d'un spot pour lessive à la télévision dans lequel elle joue le rôle de la mère d'un assassin).*
12. *Que vous êtes drôle !*

Interior del taxi

Plano ①
Plano medio corto¹ de Pepa que se instala en el asiento trasero² del coche. Música en off de ritmo afrolatino.

PEPA: **¡Siga** ese taxi!

Plano ②
Plano medio corto del taxista, visto desde atrás y de medio perfil³ (melena rubia descolorida⁴).

TAXISTA: ¡Creía que eso sólo pasaba en las películas!

Planos ③ – ⑧
Planos medios cortos y primeros planos⁵ de Pepa que alternan con primerísimos planos⁶ de lo que está viendo: un periódico colgado con una pinza para la ropa⁷, un cenicero con monedas, una pancarta con la inscripción "Bienvenido al mambo taxi", revistas también colgadas con pinzas y la mención "Revistas. Se alquilan⁸, 25 ptas".

Plano ⑨
Primerísimo plano de un mini bar.

TAXISTA (*en off*): **Coja lo que quiera…**

Plano ⑩
Plano medio corto del taxista.

TAXISTA: Invita la casa.

Planos ⑪ – ㉕
Serie de campos / contracampos, taxista / Pepa.

Ésta sigue mirando el interior del coche, con sorpresa, malestar e incredulidad.

PEPA: Muchas gracias. **Lo que quiero es que no pierda de vista** aquel taxi.
TAXISTA: **No se preocupe.** Está todo bajo control. (En off): ¿Le molesta⁹ el mambo?
PEPA: No.
TAXISTA: Es que tengo de todo ¿eh?: música Heavy, rock, soul, cumbias… Tengo sevillanas… salsa… Tecnopop, jota… **lo que quiera…** Si quiere le quito¹⁰ el mambo.
PEPA: El mambo me encanta.
TAXISTA: Es que el mambo… mmm… es lo que mejor va a este tipo de decoración ¿eh? Usted es la de la tele ¿eh?… (*en off*): ¡La madre del asesino¹¹!… ¡Ajay! ¡Qué graciosa!¹²

Película: Mujeres al borde de un ataque de nervios, Pedro Almodóvar, 1988.
• *Bienvenido al Mambo taxi.*
• *«Ecce OMO», anuncio paródico.*

13. *pas du tout !*
14. *ici, ma petite amie.*
15. *Changement d'axe.*
16. *Ça m'est égal.*

PEPA: Sí.
TAXISTA: Si no le importa ¿me firmaría un autógrafo?
PEPA: ¡No no, qué va[13]!
TAXISTA: Es para mi chica[14]... Por favor **ponga** algo personal ¿eh?
PEPA: ¿Cómo se llama?
TAXISTA: Azucena.

Plano ㉖
Cambio de eje[15] de la cámara que filma ahora a través del parabrisas. Se ve el taxi al que siguen. Los dos coches se paran. Del de delante sale una mujer.

TAXISTA: Yo creo que se ha parado.
PEPA(*en off*): ¿Qué dirección es ésta?
TAXISTA: Almagro 38. Lo que no sé es el piso. ... ¡Nos ha saludado! ¡Ésta se ha dado cuenta! ¿eh?
PEPA: Por mí...[16]
TAXISTA (*en off*): Bueno. Y ahora ¿a dónde vamos?
PEPA: Montalbán 7. Y gracias.

PEDRO ALMODÓVAR, *Mujeres al borde de un ataque de nervios*, 1988.

Comprender

1 ¿No te parece que el taxista y su coche se salen de lo corriente? Preséntalos brevemente.
2 ¿Qué elementos contribuyen a la rapidez y al dinamismo de la acción? Valora la importancia de la banda de sonido.

Comentar

3 Plano ① : ¿Cómo se traduce la prisa de Pepa?
4 Plano ② : Qué efecto causa en el espectador la aparición del taxista? ¿Podrías analizar su réplica pensando que lo que ve el espectador es, precisamente, una película?
5 Planos ③ – ⑧ : ¿Sabes explicar por qué alternan planos de Pepa y de lo que hay dentro del taxi? Comenta el encuadre elegido (primeros y primerísimos planos). ¿Es habitual encontrar en un taxi todo lo que contiene éste? ¿Cómo lo interpretas?
6 Planos ⑨ – ⑩ : ¿Revela la invitación del taxista algo de su personalidad?
7 Planos ⑪ – ㉕ : ¿Acepta Pepa la invitación? ¿Por qué? Evoca los diferentes sentimientos de la mujer. «Está todo bajo control», contesta el taxista: aprecia esta réplica diciendo lo que te sugiere.
8 ¿En qué sorprende esta lista? ¿Cómo justifica el taxista su preferencia por el mambo?
9 El chófer conoce a Pepa: ¿por qué? Estudia su comportamiento.
10 Plano ㉖ : Justifica el cambio de eje de la cámara y analiza todos los componentes de la imagen. ¿Toma el chófer su papel en serio?

Concluir

11 Recapitula en conclusión los muchos aspectos paródicos de esta secuencia.

Alto

Obras

• *L'impératif et la défense (gramm. § 43.0).*
• *L'emploi du subjonctif avec les verbes de volonté (gramm. § 52.2).*

1 *«Siga», «coja», «ponga»* : Quel est le mode de ces formes verbales ? Quel pronom personnel est sous-entendu ? Donne les infinitifs de ces verbes. Quelle remarque peut-on faire sur l'orthographe de *«coja»* ?
2 Mets maintenant ces mêmes verbes à la 2ᵉ personne du singulier et du pluriel.
3 Recherche dans le texte une forme verbale qui marque la défense. Quel mode est employé ? Exprime la défense avec les trois verbes précédents, en conservant d'abord la même personne puis en sous-entendant les pronoms *«tú»* et *«vosotros»*.
4 *«Lo que quiero es que no pierda de vista aquel taxi»* : Imite cette structure (verbe de volonté suivi d'une subordonnée au subjonctif) pour répondre aux questions du chauffeur : *¿Sigo a ese taxi? – ¿Le quito el mambo? – ¿También paramos nosotros? – ¿La llevo a casa?*

EL BAR, LA CASA DE TODOS

J. M. CHARLES, *Bar de tapas*,
Sevilla, 1996.

1. *bigarré.*
2. *grasiento.*
3. el estrépito, el alboroto,
   le tapage, le vacarme.
4. una ración de patatas
   picantes (tapa, *amuse-
   gueule*).
5. *des calmars.*
6. aquí, instrumentos.
7. *assourdissant.*
8. *plaintes.*
9. *taux.*
10. llevo diez minutos
    esperando.
11. *deux crèmes et un café.*
12. (pequeños calamares).
13. cobrar, *encaisser ; ici,
    Combien je te dois ?*
14. *une étagère.*
15. *Saint Pancrace* (el santo
    patrono de los que no
    tienen trabajo).
16. *feuilletons-fleuves.*
17. huérfano, *orphelin.*
18. *perroquet.*
19. escupir huesos, *cracher des
    noyaux.*
20. *hurlements.*
21. *machines à sous.*
22. ligar, *draguer.*
23. *brouhaha.*

El bar español es efervescente, agitado, variopinto[1], pringoso[2], tumultuoso, deliciosamente sucio. Pero, sobre todo, es ruidoso, estrepitoso, alborotado[3]:

—¡Una de *bravas*[4], oiga!
—¡Calamares[5], Pepe!
—¡Oído, cocina!

Después de Japón, España es **el país más ruidoso** del mundo, y los bares son una de las principales chirimías[6] de ese atronador[7] concierto. En Zaragoza, **el 77 por ciento** de las denuncias[8] municipales por ruido provienen de los de bares y discotecas. Madrid y Barcelona superan ampliamente la media nacional. Según la Organización para la Cooperación y el Desarrollo Econónomico OCDE, **el 70 por ciento** de los españoles soporta una media de 80 decibelios, 15 por encima de la cota[9] aceptable para la Organización Mundial de la Salud.

—¡Pasen al fondo, jóvenes!
—¡Chaval, que llevo diez minutos[10]!
—¡Manolo, dos con leche y uno solo[11]!
—¡Marchando una de chopitos[12]!
—¿Me cobras[13]?

En los bares españoles la gente bebe y come de pie, pero hace ruido y fuma en todas las posiciones. Un televisor, entronizado en una repisa[14] vecina a la de San Pancracio[15], muele noticias, culebrones[16] y partidos de fútbol de sol a luna. La gente lo mira sólo a ratos, pero se sentiría huérfana[17] **si no estuviera** allí monologando como un perpetuo loro[18] electrónico. La gente arroja papeles al suelo, escupe huesos[19] y cosas peores, pide cerveza a gritos, festeja con risas estentóreas, se saluda con alaridos[20] de esquina a esquina, juega a las tragaperras[21], blasfema, critica al Gobierno. En el bar, la gente a veces liga[22], tutea a quien no conoce, lee los diarios y comenta indignada y vociferante los asuntos del mundo y de la existencia con el vecino. «Amistad, diversión y alboroto van normalmente juntos —señala Carmen Maymó, escritora y propietaria de Gattopardo, un restaurante madrileño de comida catalana—. Nadie puede acarrear, en esta plaza de algarabías[23], elocuentes silencios. En los restaurantes se tiene el hábito de alzar la voz, y no importa el nivel social».

24. *une bière pression ou un verre de vin.*
25. *catéchumènes* (personas que se instruyen en la doctrina católica).
26. *(marque de cigares).*
27. *anchois au vinaigre.*
28. *oreilles de porc (frites).*
29. *bocadillos.*
30. *efficaces.*
31. *ayudados.*
32. *de la sciure.*
33. *des mégots.*
34. *réunions entre amis.*
35. *quedar, habiter ; se donner rendez-vous.*

El bar español es sitio familiar, de amigos, de compañeros de trabajo, de estudiantes, de solitarios, de vecinos, de enamorados, de tíos que pasaban por ahí y les acometió la
55 tentación de tomarse una cañita o un chato[24]. El bar es el agitado templo donde se cumple a lo largo del día una agitada ceremonia social. Alrededor de la barra, que es el altar, unos catecúmenos[25] abiga-
60 rrados, charladores y bulliciosos consumen la doctrina de *cafelitos*, cañas, copas de anís, Farias[26], bocadillos, aceitunas, boquerones en vinagre[27], orejas de cerdo[28] y bocatas[29] de calamares que imparten los camareros más
65 eficientes[30] del mundo, acolitados[31] por

moscas omnipresentes y activas. En el piso, serrín[32], servilletas sucias, colillas[33] y huesos de aceitunas: a mayor abundancia, mayor prestigio.
70 El español convierte el bar, el café, el restaurante –designación y particularidades es lo de menos– en una prolongación de su casa. **Es allí donde** recibe a sus amigos. **Es allí donde** realiza las tertulias[34] y las visitas.
75 **Es allí donde** *queda*[35], ese verbo que sólo en España se construye como intransitivo. «Muchos de los españoles no están recogidos en casa –observa Amando de Miguel–. La intimidad se vive también en la calle».

Cambio 16, 02/09/1991.

Comprender

1 ¿Cómo se caracterizan los bares españoles según este artículo?

Comentar

2 Líneas 1 – 7: ¿Qué efecto produce la acumulación de adjetivos? Comenta el adverbio «deliciosamente». ¿Cómo entiendes las tres frases en estilo directo y qué papel desempeñan?
3 Líneas 8 – 20: A tu parecer, ¿por qué evoca el periodista las denuncias y los decibelios?
4 Líneas 21 – 50: ¿De dónde procede el bullicio y cómo lo sugieren estas líneas?
5 Líneas 51 – 69: Apunta y explica las palabras que contribuyen a transformar el bar en un «templo». ¿Qué tono confiere al texto esta metáfora?
6 Líneas 70 – 79: «El español convierte el bar en una prolongación de su casa». Da ejemplos de ello.

Concluir

7 ¿Qué rasgos del carácter español trascienden en este artículo?

Alto

- Le superlatif (gramm. § 20.5).
- L'habitude (gramm. § 31.2).
- La proposition conditionnelle (gramm. § 53.4).
- L'expression **a lo largo del día**.

Obras

1 «*El país* **más** *ruidoso*» – «*los camareros* **más** *eficientes*». Imite cette structure superlative dans trois phrases en rapport avec le texte.
2 «*Se* **tiene el hábito de** *alzar la voz*». Par quel verbe peut-on remplacer l'expression en gras ?
3 Sur le modèle «*La gente* **se sentiría** *huérfana* **si no estuviera** *allí*», transforme la phrase des lignes 34 – 39 : *El ambiente sería diferente si la gente* **no arrojase** *papeles al suelo,* **si no…**
4 Traduis les phrases suivantes : «*El bar español es sitio familiar de tíos que pasaban por ahí y les acometió la tentación de tomarse una cañita o un chato*» (l. 51) – «*designación y particularidades es lo de menos*» (l. 71).

Me sentaré en tu sillón

1. *bureau.*
2. *couloirs.*
3. *Heureusement.*
4. *cadres.*
5. *décontracté(e).*
6. *original.*
7. *dossier.*
8. *concurrence.*
9. *créneaux.*
10. *ici, mener à bien*
11. *nous développer.*
12. *ici, un projet porteur.*
13. *l'appui.*
14. *apostar, parier.*
15. *defraudar, decepcionar.*
16. *déconcerté, troublé.*

Rosa le comunicó que el director quería verle. Salió del despacho¹ y recorrió los pasillos² causando el estupor de **quienes** se encontraban con él.

El director, **que** estaba con el presidente del grupo editorial, se quedó espantado cuando vio entrar a Julio vestido de aquella forma. El presidente, sin embargo, se acercó a él, le tendió

5 la mano y dijo:

–Menos mal³ que uno de mis ejecutivos⁴ no lleva el uniforme habitual. No sé por qué –añadió volviéndose al director– en esta empresa vais todos vestidos de gris. Los ejecutivos de otras compañías ya se han empezado a vestir de un modo más informal⁵, pero más acorde también con los nuevos tiempos.

10 –Julio –respondió el director repuesto ya de la sorpresa– siempre ha sido un poco rompedor⁶. A veces, demasiado.

–Pues gente así es la que necesitamos. Gente con nuevas ideas, con nuevas formas de vestir, con un estilo nuevo, en definitiva.

Julio escuchaba la conversación con una actitud distante y reflexiva, **como si hablaran** de otro.

15 Sabía que se referían a él, pero él estaba instalado ya en el otro lado de las cosas, de manera que el director general y el presidente tan sólo podían ver el decorado. Pero el decorado bastaba para triunfar.

–Bueno –dijo el presidente–, ya te habló el director del nuevo puesto **que** habíamos pensado para ti. Sin embargo, he estado viendo estos días tu expediente⁷, tu trayectoria en esta empre-

20 sa, y creo que serías más útil como director adjunto que como coordinador. En los próximos años vamos a enfrentarnos a una competencia⁸ sin precedentes, las nuevas tecnologías nos están obligando ya a modificar todos nuestros esquemas. **Sólo** sobreviviremos **siendo** los mejores, **diversificando** nuestros productos y **captando** segmentos⁹ de mercado **a los que** hasta ahora no habíamos prestado ninguna atención. Para atender a¹⁰ todo esto, necesitas

25 el poder **que** da trabajar desde la dirección general. Queremos crecer¹¹, pero no queremos crecer desordenadamente; queremos ganar dinero, pero no a cualquier precio. Necesitamos hacer un diseño de futuro¹² **que nos coloque** a la cabeza del sector editorial. Tendrás el apoyo¹³ del director, el mío y se te darán los medios **que juzgues** oportunos. Estamos apostando¹⁴ por ti y yo espero que no nos defraudes¹⁵.

30 Julio miró a su director general y notó que estaba desconcertado¹⁶. Un año más, se dijo, y me sentaré en tu sillón.

Juan José Millás, *El desorden de tu nombre*, 1988.

Anuncio publicitario:
*La gallina y el Zorro,
Banco BBV.*

1 ¿En qué consiste la originalidad de Julio? Caracteriza a los otros dos protagonistas.
2 ¿A qué actividad se dedican en la empresa?

Comentar

3 Líneas 1 – 13: ¿Quién es Julio y por qué provoca un estupor general? ¿Tuvieron la misma reacción el director y el presidente al verle? ¿Cómo vemos en su discurso que son ellos los que mandan?

4 Líneas 14 – 17: Analiza el comportamiento de Julio frente a sus jefes. ¿Qué clase de hombre será?

5 Líneas 18 – 31: ¿Qué le propone el presidente a Julio y por qué? Comenta su representación del mundo de los negocios. Muestra que la suerte del protagonista y la de la empresa corren parejas.

Concluir

6 «Un año más y me sentaré en tu sillón»: ¿a qué clase de hombres pertenece Julio?

7 Aprecia la visión que se nos da de las relaciones entre los miembros de una empresa moderna.

Alto

- Le subjonctif pour évoquer le futur dans la relative (gramm. § 53.3).
- Le gérondif (gramm. § 48.2).

Obras

1 «Un diseño de futuro **que** nos **coloque** a la cabeza del sector» – «se te darán los medios **que juzgues** oportunos». Remarque l'emploi du subjonctif dans ces deux relatives et complète les phrases suivantes : *Julio pretende adoptar una actitud que… – El presidente intenta encontrar a un colaborador que…*

2 «Sobreviviremos si**endo** los mejores, diversific**ando** nuestros productos». Explique à l'aide de gérondifs comment Julio compte faire carrière.

3 Récris au présent le § 5 (l. 14 à 17).

4 Traduis depuis «*Bueno –dijo el presidente…*» (l. 18) jusqu'à «*…nuestros esquemas*» (l. 22).

Comentar

1 ¿Qué actividad profesional tendrá este personaje? Descríbelo brevemente.

2 ¿Es este documento un dibujo, una pintura, la viñeta de una tira, una foto? Justifica tu opinión.

3 Muestra cómo el trazo *(le coup de crayon)* y la angulación *(l'angle de prise de vue)* contribuyen a la expresión de cierta agresividad.

4 ¿Qué relación puedes establecer entre este tipo social y la España de los años 80? ¿Qué visión nos propone el dibujante?

SANTIAGO CUETO,
El decenio prodigioso, Madrid, 1987.

DON DINERO

QUINO, *Potentes,
prepotentes e impotentes,*
1989.

El empresario, *le chef d'entreprise* – un despacho, *un bureau* – la mesa de despacho, el escritorio – el ordenador – el teléfono – el aire acondicionado – un sillón, una butaca, *un fauteuil* – una tarima, *une estrade* – una alfombra, *un tapis* – una cartera, *une serviette, un porte-documents* – las gafas, *les lunettes* – calvo, *chauve* – el bigote, *la moustache* – la corbata, *la cravate* – el altar, *l'autel* – el retablo, *le retable* – el Pantocrátor (iconografía de Cristo, entronizado y triunfante, en actitud de bendecir) – la Virgen María – la Santísima Trinidad – los Reyes Magos – los ángeles – tocar música celestial – una gloria (pintura que representa el cielo y los ángeles en triunfo) – una fábrica, *une usine* – la caja registradora, *la caisse* – pedir o dar limosna, *demander ou faire l'aumône* – visitar unas obras, *visiter un chantier* – el casco del obrero – pulsar un botón, *presser un bouton.*

Comprender

1 ¿Quiénes son las dos personas sentadas a cada lado de la mesa? Por lo tanto, ¿dónde estamos y qué pasa? En el primer término busca los elementos concretos que confirman tu opinión.

Comentar

2 Examina el decorado que ocupa la pared del fondo. ¿A quién se parecen los seis personajes? ¿Será casual?

3 Fíjate ahora en las láminas en color que representan *Cristo Pantocrátor* y la *Adoración de los Reyes.* ¿Dónde se encontraban originalmente estas dos obras? ¿Con qué intención fueron pintadas respectivamente?

4 Compara el personaje central con el Cristo Pantocrátor. Destaca los elementos similares: postura, ademán, mirada, expresión y localización respecto al espectador. Explica su significación y analiza el efecto que surten.

MAESTRO DE TAHULL, *Cristo Pantocrátor*, 1123. Fresco,
ábside de San Clemente de Tahull, 770 x 420 x 590 cm.
Museo de Arte de Cataluña, Barcelona.

JUAN BAUTISTA MAINO, *Adoración de
los Reyes Magos*, 1613. Óleo sobre lienzo,
315 x 174 cm. Museo del Prado, Madrid.

5 Coteja *(Confronte)* la escena representada en la pared con la *Adoración de los Reyes Magos* de J. B. Maino. Aclara precisamente el significado del lienzo, identifica a los distintos personajes y define el ambiente. Entresaca todos los elementos que Quino ha aprovechado en esta representación tradicional y comenta las curiosas transformaciones.

6 Gracias a este decorado, ¿en qué se convierte el despacho? Busca otros detalles que corroboran tu afirmación y coméntalos.

Concluir

7 ¿Con quién pretende identificarse el empresario? ¿Qué relaciones quiere imponer a sus subordinados? ¿Qué estará opinando el visitante de toda esta escenificación?

8 ¿Cuál es realmente el blanco *(la cible)* de la sátira de Quino?

Alto

- Le comparatif (gramm. § 20.0).
- Le déroulement de l'action (gramm. § 49.0).
- La négation (gramm. § 26.0).

Obras

1 A partir des comparatifs proposés, complète les phrases suivantes en utilisant le complément entre parenthèses : *El niño Jesús de Maino es **más risueño**…* (el Cristo Pantocrátor) – *El despacho está **tan adornado**…* (una iglesia) – *El empresario no resulta **tan impresionante**…* (querer) – *Los Reyes vienen de **más lejos**…* (parecer) – *Traen **tantos regalos**…* (José dar las gracias).

2 *Los ángeles **tocan** música celestial* → *Los ángeles **están tocando** música celestial*. Sur ce modèle, transforme les phrases suivantes. Tu t'efforceras d'employer les différents semi-auxiliaires possibles. *Los Reyes Magos **adoran** al Niño Jesús – Desde hace muchos siglos, el Cristo de Tahull **bendice** imperturbable a los fieles – Poco a poco, el visitante **se convence** de que el personaje del retablo es el empresario.*

3 Écris un texte de cinq lignes dans lequel tu reprendras les principales différences entre les trois documents. Tu veilleras à utiliser diverses formules négatives : *no, tampoco, no… sino, sólo, no… ni.*

La postal del lago

1. *fauteuil roulant.*
2. *muette.*
3. *avec des punaises.*
4. *descolgar, décrocher.*
5. *la lui montre.*
6. *asentir, acquiescer.*
7. *placer.*

Película: *Cría cuervos*, Carlos Saura, 1975.

En su sillón de ruedas[1], la abuela paralítica y muda[2] está sentada frente a una pared cubierta de postales y fotos de familia fijadas con chinchetas[3]. Se oye en off una canción con marcado carácter de los años veinte, de cuando la abuela era joven. Ana, su nieta, le señala con el dedo ciertas fotos y la abuela responde a las preguntas de la niña por movimientos de cabeza y expresiones de la cara muy sugestivos. La cámara enfoca alternativamente a Ana y a la anciana (campo / contracampo - champ / contrechamp). En los primeros planos Ana se queda sin hablar.

ANA : –¿Ésta?

–...

–Entonces tendrá que ser ésta ¿que sí? (*Ana muestra la foto en blanco y negro de una familia.*)
¿Quieres verla desde más cerca? (*La descuelga[4], se dirige hacia la abuela y se la enseña[5].*)

–¿**Quién es? ¿Mamá?**

–...

–Pues si no es mamá,
¿quién podrá ser?

–...

–¿Mamá no?

–...

–¿Tu madre?

–...

–¿Una amiga?

(*La abuela asiente[6] con la cabeza y mira fuera de campo -hors champ- hacia la pared llena de fotos, como buscando algo. Ana, a su vez mira en la misma dirección y se dirige hacia el muro. Vuelve a colocar[7] la foto de familia en su sitio y mira fijamente a su abuela. Ésta sonríe con alegría. Ana enseña ahora con el dedo una postal en color.*)

8. *le voyage de noces.*
9. *couvert de cygnes.*
10. *de ta chambre.*

ANA: –La postal del lago. **Has estado en Suiza**, con el abuelo. **Cuando eras joven.** Este hotel te recuerda el viaje de novios[8] que hiciste. (*A medida que Ana va dando explicaciones y detalles la abuela parece comprender cada vez menos lo que cuenta su nieta.*) **El lago** al amanecer **era precioso**, lleno de
30 cisnes[9]. Se veían las montañas llenas de nieve. Y esta ventana **era la ventana** de tu cuarto[10].

(*Ana mira ahora silenciosa a la abuela. Se acerca luego a ella y le acaricia tiernamente la mano.*)

CARLOS SAURA, *Cría cuervos*, 1975.

Comprender

1 Destaca el papel desempeñado en la banda sonora por la canción que se oye *en off*.
2 ¿Qué procedimientos fílmicos (encuadres -*cadrages*-, posición de la cámara…) dominan en esta secuencia? ¿Sabrías justificarlos?

Comentar

3 Líneas 7 – 20: ¿No conoce la niña las preferencias de la anciana? Comenta los diferentes sentimientos denotados por su cambio de tono y las expresiones de su cara.
4 La abuela, por ser muda, no puede hablar pero sus expresiones son muy sugestivas. Analízalas.
5 Líneas 21 – 31: Da tu opinión acerca de lo que va contando Ana. ¿Corresponderá a la realidad o será fruto de su imaginación? ¿Cómo explicas su actitud?

Concluir

6 En esta secuencia Ana anda buscando una memoria que no tiene y le inventa a su abuela una memoria ficticia: ¿qué reflexiones te sugiere esta situación acerca de los recuerdos y de la memoria?

Alto

• *Le futur d'hypothèse (gramm. § 45.2).*
• *Les emplois de **ser** et de **estar** (gramm. § 33.0).*

Obras

1 Recherche les deux futurs d'hypothèse présents dans ce fragment et imagine trois questions que pourrait poser Ana à sa grand-mère en reprenant cette forme verbale.
2 Après avoir réfléchi, à partir du texte, aux emplois de **ser** et de **estar**, complète comme il convient ces phrases que Ana pourrait adresser à sa grand-mère (verbe et temps).
¿Con quién… en esta foto? – ¿…mi madre cuando… joven? – La postal te recuerda el viaje cuando… novios – El hotel… cerca del lago – El lago… lleno de cisnes y las montañas… cubiertas de nieve – Tu cuarto… en el segundo piso del hotel.

Le sobraba tanto amor[1]

1. *Il débordait d'amour à tel point.*
2. *éluder, échapper à.*
3. *ici, postes, emplois.*
4. regalar, *offrir.*
5. *qui ne savent pas manier la plume.*
6. *écrivains publics.*
7. bastar con, *suffire de.*
8. *se rendre compte.*
9. *feuillet.*
10. *effrénés.*
11. *ici, les ardents désirs.*
12. *agréable.*
13. *une écriture.*
14. *simuler.*
15. comprometerse, *s'engager, s'impliquer.*
16. *séparément*
17. *fortuite.*
18. *parrain.*

El drama de Florentino Ariza mientras fue calígrafo de la compañía Fluvial del Caribe, era que no podía eludir[2] su lirismo porque no dejaba de pensar en Fermina Daza, y nunca aprendió a escribir sin pensar en ella. Después, cuando lo pasaron a otros cargos[3], le sobraba tanto amor por dentro que no sabía qué hacer con él, y se lo regalaba[4] a los enamorados implumes[5] escri-

biendo cartas de amor gratuitas en el Portal de los Escribanos[6]. Para allá se iba después del trabajo. Ni siquiera les hacía preguntas a los clientes nuevos, pues le bastaba con[7] verles el blanco del ojo para hacerse cargo[8] de su estado, y escribía folio[9] tras folio de amores desaforados[10], mediante la fórmula infalible de escribir pensando siempre en Fermina Daza, y nada más que en ella. Al cabo del primer mes **tuvo** que establecer un orden de reservaciones anticipadas, para que no lo **desbordaran** las ansias[11] de los enamorados.

Su recuerdo más grato[12] de aquella época fue el de una muchachita muy tímida, casi una niña, que le pidió temblando escribirle una respuesta para una carta irresistible que acababa de recibir, y que Florentino Ariza reconoció como escrita por él la tarde anterior. La contestó con un estilo distinto, acorde con la emoción y la edad de la niña, y con una letra[13] que también pareciera de ella, pues sabía fingir[14] una escritura para cada ocasión según el carácter de cada quien. La escribió imaginándose lo que Fermina Daza le hubiera contestado a él si lo quisiera tanto como aquella criatura desamparada quería a su pretendiente. Dos días después, desde luego, tuvo que escribir también la réplica del novio con la caligrafía, el estilo y la clase de amor que le había atribuido en la primera carta, y **fue así como** terminó comprometido[15] en una correspondencia febril consigo mismo. Antes de un mes, ambos fueron por separado[16] a darle las gracias por lo que él mismo había propuesto en la carta del novio y aceptado con devoción en la respuesta de la chica: iban a casarse.

Sólo cuando tuvieron el primer hijo se dieron cuenta, por una conversación casual[17], de que las cartas de ambos habían sido escritas por el mismo escribano, y por primera vez fueron juntos al portal para nombrarlo padrino[18] del niño.

GABRIEL GARCÍA MÁRQUEZ, *El amor en los tiempos del cólera*, 1985.

Comprender
Comentar

1 Presenta a los protagonistas y cuenta lo que les sucedió.

2 Líneas 1 – 26: ¿Te parece realmente dramática la situación de Florentino Ariza? Busca los elementos precisos que le dan al párrafo su tono irónico y desenfadado. ¿Cómo caracterizarías al personaje?

3 Líneas 27 – 38: Muestra cómo el escribano se ve cada vez más comprometido en un engranaje que no domina. Observa cómo cada acto tiene consecuencias imprevistas. ¿Considera Florentino Ariza a los dos novios como meros clientes? ¿No experimenta él los sentimientos que les atribuye? Apunta los detalles que lo demuestran.

4 Líneas 39 – 41: ¿Qué opinas de este desenlace ? ¿En qué es gracioso el tono?

Concluir

5 ¿En qué se parece el trabajo de Florentino Ariza al de un novelista? Aprecia sus capacidades de creación.

MIREILLE VAUTIER, *Domingo en la costa*, Honduras.

Alto

- *La combinaison des pronoms personnels de la 3ᵉ personne (gramm. § 14.7).*
- *La concordance des temps (gramm. § 54.0).*
- *Équivalents de la tournure «c'est... que» (gramm. § 23.0).*

Obras

1 «*Florentino se lo regalaba*» (l. 18). Traduis. A quoi renvoient respectivement **se** et **lo** ? Dans les phrases suivantes remplace les mots entre parenthèses par des pronoms personnels : *Florentino escribía (una carta) (al novio) – El enamorado mandaba (folios) (a su novia) – Nunca dijo (a Fermina Daza) (que la quería).*

2 «*Al cabo del primer mes tuvo que establecer un orden (...) para que no le desbordaran las ansias*» (l. 25). Reprends la phrase en mettant le verbe **tener** à l'imparfait, au présent et au futur ; quelles sont les conséquences pour le verbe de la subordonnée ?

3 «*Fue así como terminó comprometido*» (l. 35). Mets le verbe **terminar** au présent sans omettre de modifier le temps du verbe **ser**. Construis trois phrases ayant trait à des situations évoquées dans le texte avec des tournures équivalentes à notre «c'est... que».

4 Traduis depuis «*Su recuerdo más grato…*» (l. 27) jusqu'à «*…una correspondencia febril consigo mismo*» (l. 36).

Más allá de las apariencias

1. *Le poste d'observation.*
2. *lézardés.*
3. *une plaine.*
4. *Les retraités.*
5. *soit en files fragiles.*
6. *promontoire.*
7. *leur canne.*
8. *aliviar, soulager.*
9. *dès qu'ils s'étaient reposés, remis.*
10. *les semailles.*
11. *labourer la jachère.*
12. *dans le lointain.*
13. *étranger.*
14. *deviner même la moindre trace.*
15. *litt., plus malin qu'un lapin ; malin comme un singe.*
16. *apostar a que, parier que.*
17. *le muret d'une cave.*
18. *vous êtes dans le vrai.*
19. *une route.*
20. *la plaine dénudée.*
21. *mon esprit.*
22. *la vieille bâtisse.*
23. *le champ.*
24. *décrépit.*
25. *l'allure, l'élégance.*
26. *merveilleux.*

La atalaya[1] del pueblo estaba subiendo la cuesta de la calle donde yo **vivía**. Mirando desde allí hacia la derecha, **se dominaban** todos los tejados del pueblo y los anchos muros resquebrajados[2] de la iglesia, mientras que al frente y a la izquierda, hasta una distancia de unos diez kilómetros, **se extendía** una llanura[3] desnuda de árboles y con el río Pisuerga al fondo.

Los jubilados[4] del pueblo, bien en precarias hileras[5] o bien en pequeños grupos, **acudían** allí todos los días, puntualmente, y en aquel altozano[6] **dejaban** transcurrir las apacibles horas de la tarde. Como casi todos ellos **eran** hombres de tres piernas, **llegaban** a la altura de mi casa y, después de saludarme levantando el bastón[7], **aliviaban**[8] la fatiga que les **producía** la subida deteniéndose a charlar un rato. Luego, en cuanto **se reponían**[9], continuaban subiendo.

Instalados en lo alto del altozano, los jubilados de Villamediana controlaban el trabajo que se desarrollaba en los campos y la vida de la llanura; controlaban quién iba, quién venía, cuánto le faltaba a uno para finalizar la siembra[10], cuánto a otro para arar el barbecho[11]. Y así como los viejos pescadores reconocen al instante el barco en la lejanía, también aquellos jubilados divisaban tractores en lontananza[12] –*ya viene Purísimo, ya se ha puesto en marcha José Manuel*– allí donde ningún forastero[13] era capaz de intuir siquiera el más leve rastro[14].

–Ya sé que usted es más listo que un conejo[15], pero apostaría[16] lo que fuera a que no ve **desde aquí** tantas cosas como yo –me dijo en cierta ocasión Julián. Benito, él y yo estábamos sentados en el pretil de una bodega[17], y **aquella llanura** que ellos controlaban tan bien se extendía ante nosotros.

–Me parece que está en lo cierto[18], pero, ¿por qué lo dice? –quise saber.

–Porque usted sólo ve lo que hay. En cambio yo, veo lo que hay y lo que no hay.

–¿Por ejemplo?

–¿Ve ese camino?

Y me señaló con el bastón una calzada[19] que atravesaba la llanura y desaparecía hacia el páramo[20]. Benito, como siempre, se inclinó hacia delante y entornó los ojos.

–**¿Qué ve usted ahí?** Pues un simple camino, y nada más. Yo, en cambio, veo un camino que conduce a Encomienda. Quiero decir que eso es lo que pienso, y que al pensarlo veo **ese lugar** al que llaman Encomienda, y que en mi mente[21] surgen la vieja casona[22] que **hay allí** y la fuente. Y lo mismo me sucede con todo lo demás. ¿Ve aquellos árboles de allí?

–Yo no –dijo Benito. Ciertamente, los árboles estaban bastante lejos, a orillas del Pisuerga.

–¿Te acuerdas del plantío[23] donde hacíamos la fiesta cuando éramos jóvenes?

–¿**Aquel sitio** donde nos bañábamos?

–Sí, Benito. Y de eso se trata. De que cuando yo veo **aquellos árboles**, veo a su vez las fiestas que hacíamos en nuestra juventud. Veo a las chicas, a los chicos, a Benito y a mí mismo. Pero no con **este aspecto** alicaído[24] **que ahora tenemos**, sino con el garbo[25] de nuestros veinte años y luciendo camisas blancas. ¿No le parece maravilloso[26]?

Bernardo Atxaga, Obabakoak, 1989.

Mujeres en Medinaceli.

• ¿De dónde nace el carácter insólito de esta foto?

Comprender

1 ¿Cuál es tema principal de esta página? ¿No lo resume bien la réplica de la línea 22 «Usted sólo ve lo que hay. En cambio yo veo lo que hay y lo que no hay»? Justifica tu respuesta.

Comentar

2 Líneas 1 – 5: Justifica el empleo de la palabra «atalaya» para designar la parte más alta del pueblo.
3 Líneas 6 – 10: ¿Con qué motivos subían allí los jubilados del pueblo? Comenta la evocación que de ellos nos hace el narrador.
4 Líneas 11 – 16: ¿Cuáles son las ocupaciones de los ancianos? ¿las comprendes?
5 Líneas 17 – 30: ¿En qué estriba la superioridad un tanto enigmática de la que se ufana (dont s'enorgueillit) Julián? ¿Te parece justificada?
6 Líneas 31 – 37: Fíjate en Benito; ¿qué milagro está operándose? Examina y comenta los recuerdos de ambos ancianos.

Concluir

7 ¿Encierra algo maravilloso esta página?

Alto

• L'imparfait de l'indicatif (gramm. § 36.2 + tableaux de conjugaisons).
• Les adjectifs démonstratifs et les adverbes de lieu (gramm. § 12.0).

Obras

1 La quasi totalité du passage est à l'imparfait de l'indicatif. Qu'est-ce qui justifie l'emploi de ce temps ?
2 Transpose maintenant au présent de l'indicatif le deuxième paragraphe de ce texte.
3 «¿Ve **aquellos** árboles de allí?» (l. 30) – «¿**Aquel** sitio donde nos bañábamos?» (l. 33) : ces deux adjectifs démonstratifs ont-ils la même valeur ?
4 «**Este** aspecto que ahora tenemos» (l. 36) : que justifie l'emploi de «este» ? Rétablis l'adjectif démonstratif qu'aurait pu employer Julián dans la seconde partie de cette même phrase : «sino con el garbo de nuestros veinte años y luciendo… camisas blancas».

E S P A Ñ A

PANORAMA

GALICIA

Astilleros

Pesca diaria de la sardina

ASTURIAS

Parque Nacional de Covadonga

Pozo María Luisa, mina de carbón

CASTILLA Y LEÓN

Fábrica de automóviles Renault

Cultivo de cereales

EXTREMADURA

Curado de jamones ibéricos

ANDALUCÍA

Bodega de Jerez

Torremolinos

Olivares

ECONÓMICO

PAÍS VASCO

Altos Hornos de Vizcaya

CATALUÑA

Empresa de microelectrónica

Empresa textil

LA RIOJA

Bodegas "El caladillo"

ARAGÓN

Fábrica de automóviles Opel

Cultivos en la Ribera del Ebro

CASTILLA-LA MANCHA

Cerámica

COMUNIDAD VALENCIANA

Fábrica de automóviles Ford, Ka

Recolección de la naranja

MURCIA

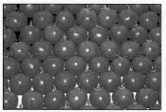

La huerta murciana

Invernaderos en Mazarrón

MADRID

Plaza Picasso

LA SORTIJA

1. *bagues.*
2. engastar, *sertir.*
3. *superbe.*
4. *séduisant.*
5. *une évidence.*
6. *Cette bague est louche.*
7. *un clin d'œil.*
8. lucirse, *se mettre en valeur.*
9. *risques du métier.*
10. *battre le fer tant qu'il est chaud.*
11. juguetear, jugar divirtién- dose.
12. *l'auriculaire.*
13. hacer trizas, *réduire en miettes.*
14. atizar, *ici, flanquer.*
15. *une terrible raclée.*
16. *les bleus.*
17. despachar, *vendre.*
18. tocar y volver a tocar.
19. *comptoir.*
20. darse cuenta de.
21. arrollar, *ici, renverser.*

Martínez cogió una de las nuevas sortijas[1], la metió en su estuche y cerró la tapa.

–Ésta no **me gusta** –gruñó.

Sentí curiosidad y abrí la caja. Era una extra-
5 ña sortija de plata, tan maciza y oscura que parecía de plomo. **Tenía engastado**[2] un cris- tal amarillo; la superficie, de un tallado muy original, mostraba una serie de líneas para- lelas, similares a los trazos ciegamente geo-
10 métricos que dibujan los vientos en las are- nas del desierto.

–Pues **a mí me parece** preciosa[3]. Tiene mucha fuerza –contesté, quizá con dema- siado énfasis.
15 Lo dije porque quería impresionar a Susana, que estaba delante. Por entonces yo me creía un joven muy atractivo[4]. Acababa de cumplir 24 años.

–No me refiero a eso –dijo Martínez en tono
20 impaciente, como si le irritara **tener que explicar** una obviedad[5]. No **me gusta** porque me mira mal. Esa sortija no es trigo limpio[6]. Nos traerá problemas.

Me quedé estupefacto. ¡Que la sortija le
25 miraba mal! Demencia senil, seguramente. Martínez era viejo, muy viejo, incalculable- mente anciano. Le hice un guiño[7] a Susana, que estaba a mi lado, y ella, espléndida y hermosa, me contestó con una cálida mira-
30 da llena de complicidad y de promesas. Eufórico, intenté lucirme[8] un poco a costa del tipo.

–¿Qué clase de problemas, señor Mar- tínez?
35 El viejo bajó la voz:

–Hijo, éste es el gran riesgo de este tipo de negocios… Que un día te llegue a las manos un objeto cargado, ya me entiendes… Y siempre, antes o después, te llega alguno.
40 Los hay francamente malignos. Peligrosos. En fin, son gajes del oficio[9]…

Sonreí yo, sonrió Susana y la tonta de Lolita, que también estaba escuchando, soltó una carcajada brusca y un poco grosera.
45 Decidí entonces golpear sobre caliente[10] y, para resaltar la locura del viejo, durante unos cuantos días jugueteé[11] ostensible-

mente con la sortija, la pulí, la acaricié, me la probé en el dedo meñique[12]. No había ter-
50 minado la semana cuando un camión pasó por encima de mi moto aparcada y la hizo trizas[13]. Era una moto preciosa, y la acababa de comprar.

–Has tenido suerte –dijo Martínez–. Tú no
55 estabas.

Mi hermano mayor perdió su trabajo y se vino a vivir a mi casa con su mujer y su hijo, un niño repugnante. Para no **tener que soportarles** empecé a salir todas las noches
60 y una madrugada se organizó una pelea en un bar y me atizaron[14], aún no sé por qué, una paliza tremenda[15]. Todavía **me dura- ban los moratones**[16] cuando mi sobrinito prendió fuego al armario y **tuvimos que lla-**
65 **mar** a los bomberos.

Una tarde entró una señora en la tienda. Vio la sortija de plata y la compró. Martínez se apresuró a despachársela[17] y, para mi sorpresa, vi que la tocaba repetidas veces él,
70 Susana manoseó[18] el anillo, e incluso Lolita corrió al mostrador[19] para toquetearlo[18]. Al fin la señora se fue con su paquete. Martínez suspiró con alivio y entonces reparó en[20] mi presencia.
75 Sobresaltado, preguntó:

–¡Pero bueno! ¿Tú no te has limpiado antes de que se llevaran la sortija?

–¿Limpiado? –repetí sin entender.

–¡Sí, claro, de la mala influencia! Hay que
80 **cruzar** los dedos y tocar siete veces la sortija. Y al decir esto, Martínez, Susana e incluso la tonta de Lolita sacaron la mano izquierda de detrás de la espalda. **Tenían los dedos cru- zados**. Los tres. Todos sabían, todos habían
85 estado en el secreto. Menos yo.

Aquella tarde, al salir del trabajo, me arrolló[21] un autobús. Cuando pude aban- donar el hospital meses después, ya no volví a la tienda. Todavía me pregunto de
90 quién se reían Lolita y Susana cuando yo creía que reían conmigo.

ROSA MONTERO, *El País*, 26/05/1991.

SALVADOR DALÍ, *El elefante espacial*, 1961.

Comprender

1 En tu opinión, ¿dónde tendrá lugar esta historia? ¿Quiénes son los protagonistas más destacados y qué oficio tienen?
2 «A mí la sortija me parece preciosa» (l. 12) – «No me gusta porque me mira mal» (l. 21). ¿No aclara esta divergencia de opiniones lo esencial del texto? ¿Por qué?

Comentar

3 Líneas 1 – 18: Observa la descripción del anillo. ¿Cómo sugiere el autor su carácter hermoso e inquietante a la vez? ¿Qué actitud adopta el narrador? Queda claro que tiene dos motivos para reaccionar así: ¿cuáles?
4 Líneas 19 – 44: «Me mira mal», «no es trigo limpio» (l. 22) – «un objeto cargado» (l. 38): aclara estas alusiones de Martínez. ¿Por qué habla con indirectas y en voz baja?
5 ¿Qué relaciones van estableciéndose entre los tres personajes? ¿Qué opinión tiene cada uno del otro?
6 Líneas 45 – 65: Estudia la racha de catástrofes y su progresión. Muestra cómo se encadenan unas con otras y apunta los detalles que agravan la desdicha del narrador. ¿Cuál te parece ser el tono aquí?
7 Líneas 66 – 85: Aclara lo que ocurre. ¿Cómo entiendes aquí el verbo «limpiar»? ¿En qué situación se encuentra el joven?
8 Líneas 86 – 91: ¿Se acabaron las desdichas del narrador? ¿Por qué no quiso volver a la tienda?

Concluir

9 ¿No da la última frase la clave de las verdaderas relaciones que existían entre los protagonistas?

Alto

- *La construction des verbes du type **gustar** (gramm. § 15.0).*
- *Passer d'un temps à un autre.*
- *Passer du discours direct au discours indirect (gramm. § 55.0).*
- *L'obligation (gramm. § 32.0).*

Obras

1 *Esa sortija no me gusta – A mí esta sortija me parece preciosa*. Récris ces deux phrases en remplaçant *sortija* par *anillos* et en utilisant un pronom de la première personne du pluriel à la place du pronom de la première personne du singulier.
2 Transpose au présent de l'indicatif le début du texte jusqu'à «*líneas paralelas*» (l. 9).
3 Mets au discours indirect les lignes 36 à 41 en commençant ainsi : *El viejo bajó la voz y dijo que éste…*
4 «*Hay que cruzar los dedos y tocar siete veces la sortija*». Remplace la tournure en gras par une autre de même sens.
5 Reprends la phrase de l'exercice 4 en l'introduisant ainsi : *Martínez afirmó que era necesario que nosotros…*
6 Traduis depuis «*Has tenido suerte…*» (l. 54) jusqu'à «*…reparó en mi presencia*» (l. 74).

SALVADOR DALÍ, *El ojo del tiempo* (reloj), 1949.

Comentar

1 Estos objetos diseñados por Salvador Dalí (1904 – 1984) han sido realizados con materias preciosas, oro, platino, diamantes, rubíes, esmeraldas… Los temas aquí materializados también aparecen en cuadros del pintor. Puedes averiguarlo en la biblioteca de tu instituto.
2 Sabes que Dalí figura entre los artistas surrealistas. A partir de estas dos creaciones, *El ojo del tiempo* y *El elefante espacial* trata de caracterizar esta corriente artística que ha marcado profundamente nuestro siglo.

España. Todo ^nuevo bajo el sol.

El arco de triunfo – el lienzo, *la toile, le tableau* – la cazadora de cuero, *le blouson de cuir* – el tulipán encarnado, *la tulipe rouge* – los contornos borrosos, *les contours flous* – un color deslumbrante, *une couleur éclatante*.

Puerta de Alcalá, Madrid.
Secretaría General
de Turismo, 1990.

Comentar

1 ¿A quién se dirige este cartel y quién patrocina la campaña de publicidad?
2 Describe cuidadosamente la fotografía destacando los diferentes elementos e indicios que permiten ubicar la escena en Madrid.
3 Estudia al personaje central, su aspecto físico, su indumentaria y su forma de llevar el lienzo. ¿Qué impresiones suscita? El cuadro, que lleva por título *Retrato de un caballero*, fue pintado por El Greco y se halla en el museo del Prado: ¿qué añade su presencia en este cartel?
4 Examina el juego de contrastes que animan toda la composición: enfrentamiento entre lo estático y lo móvil, contraposición de colores, oposición de lo grave y lo frívolo, confrontación del pasado y del presente. Apunta los recursos concretos a los que apela el fotógrafo.
5 En definitiva, ¿qué imagen de Madrid y de España consigue proporcionarnos el cartel? ¿Te parece logrado el objetivo? Justifica tu contestación.

Comentar

1 ¿Qué impresión general nace tanto de la composición como del dibujo?

2 ¿Qué están haciendo los obreros del segundo término? ¿Qué sugiere la multiplicación de las máquinas?

3 Describe a los que huyen, a la derecha del primer término: ¿a qué personajes míticos recuerdan? Explica por qué.

4 Mira al señor que aparece en el centro: ¿con qué mundo lo relaciona su indumentaria *(ses vêtements)*? Pero, ¿a quién simboliza por su actitud y la expresión de su cara? Por lo tanto, ¿qué quiere dar a entender el humorista?

5 ¿Por qué, a tu parecer, se vale Juan Ballesta de temas religiosos para denunciar ciertos aspectos de la vida moderna?

Las obras, *le chantier* – levantar edificios, *construire des buildings* – una excavadora, un buldozer – un mono, *un bleu de travail* – derribar un árbol, *abattre un arbre* – echar del paraíso terrenal, *chasser du paradis terrestre* – la serpiente – la manzana, *la pomme* – un promotor, *un promoteur.*

JUAN BALLESTA, *Adán y Eva desterrados del paraíso*, 1991.

DICHOSO VERANO

MENCHU RENDONDO,
Esperando que llegue la fresca,
Plaza Mayor de Madrid,
1992.

1. *ici, s'abat.*
2. *ici, implacable, irrésistible.*
3. destruyendo.
4. derretirse, *fondre.*
5. *chaussés de nus-pieds.*
6. *à leur aise.*
7. *feux tricolores.*
8. *des brûlures.*
9. *les habits d'été.*
10. *se dévêtir.*
11. *pour économiser quelques sous.*

El verano se abalanza[1] sobre todo el territorio nacional con fuerza avasalladora[2], arrasando[3] con furia destructora los reinos mineral, vegetal y animal.

Las grandes ciudades **se convierten en** hornos crematorios. Los turistas incrédulos arrastran sus almas y sus pies por el asfalto, que **se va derritiendo**[4] bajo sus pies, hacia museos o iglesias con la esperanza de encontrar un cierto frescor **que les devuelva** la sensación de estar aún vivos. Ellos, al menos, pueden ir en chanclas[5], **permitiendo** a los pies **que se hinchen** a sus anchas[6] y con el mínimo de ropa, **aunque se arries**guen en los semáforos[7] a padecer quemaduras[8] de tercer grado.

Los nacionales en cambio deben **seguir vistiendo** con traje y corbata, zapatos y calcetines. Las mujeres, justo es reconocer, tienen más ventajas en lo de la indumentaria veraniega[9] y pueden despojarse de ropa[10] impunemente.

Muchos automovilistas se arrepienten de no haber comprado el coche con aire acondicionado, como les aconsejó en el mes de marzo el vendedor, al que no hicieron ningún caso por ahorrarse un dinero[11]. El transporte colectivo **se vuelve** insufrible en

12. *l'accablement.*
13. *esparcir, brasser.*
14. *lipothymiques (au bord de la syncope).*
15. *de mauvais poil.*
16. *déformées.*
17. *(fam.) se barrer.*
18. *les femmes enceintes défaillent.*
19. *licuarse, se liquéfier.*
20. *on ferme boutique.*
21. *ici, délicieux.*

Reportaje: «El infierno está aquí», Incendios forestales, T.V.E.

esta época del año. El sudor colectivo y el
agobio[12] descomponen el olfato y el cuerpo
en general.

Los taxis madrileños son como una maldición. A ninguno se le ha olvidado poner la
prohibición de fumar, pero contados son
los que tienen aire acondicionado. El inven-
to tecnológico más avanzado que se permiten es el ventilador uniplaza giratorio *made in
Taiwan* que esparce[13] un aire caliente con
olor a sudor por el coche. Los conductores
en estas condiciones están lipotímicos[14] y de
mala leche[15] conduciendo por las calles
abombadas[16] por el calor durante horas y
horas, como *zombíes.*

No es de extrañar que los ciudadanos quieran largarse[17] de la ciudad cuanto antes y a
donde sea, lo que empeora las cosas. Los
aeropuertos, las estaciones y las salidas por
carretera están bloqueados y sobrecarga-
dos permanentemente. Los niños se deshi-
dratan, los animales domésticos se ponen
en estado de precoma, las embarazadas
desfallecen[18] y los cerebros se licúan[19]. Uno
piensa que el ritmo de actividad europeo es
incompatible con los veranos españoles y
madrileños en particular. O bien se empieza a trabajar a las cinco de la mañana como
en los países tropicales y se cierra el kiosco[20]
a las doce.

Este verano va a ser fino[21] y no ha hecho
más que empezar.

CARMEN RICO-GODOY, *Cambio* 16, 08/06/1991.

Comentar

1 ¿Qué tiene de particular el verano evocado por Carmen Rico-Godoy? ¿Qué razones geográficas lo explican?

2 Líneas 1 – 6: Analiza el vocabulario escogido para presentar la llegada del verano.

3 Líneas 6 – 22: ¿Qué visión nos da la periodista de los turistas? Caracteriza el tono del párrafo valiéndote especialmente de la frase «los turistas incrédulos arrastran sus almas y sus pies
por el asfalto». ¿Por qué sufren más los españoles?

4 Líneas 23 – 52: La periodista centra su atención en los medios de transporte y en el tráfico;
¿por qué y qué pasa con todos ellos? Escoge algunas frases divertidas y explica por qué te hacen
gracia.

5 Líneas 52 – 60: ¿A qué conclusión llega Carmen Rico-Godoy? ¿Te parece que habla en serio?

Alto

- *L'action en devenir (gramm. § 49.0).*
- *Le subjonctif dans la subordonnée (gramm. § 53.0).*
- *Les équivalents de* **on** *(gramm. § 17.0).*

Obras

1 «*Se convierten en*» : Repère dans le texte les expressions qui traduisent une idée de devenir ou de changement et reprends-les pour évoquer les encombrements des aéroports, des gares,
des routes au moment des départs en vacances.

2 «*Un frescor que les* **devuelva** *la sensación*» – «*permitiendo a los pies que* **se hinchen**» –
«*aunque* **se arriesguen**» – «*no es de extrañar que los ciudadanos* **quieran** *largarse adonde* **sea**» :
Justifie l'emploi du subjonctif dans tous ces exemples. Complète les amorces suivantes (attention
à la concordance des temps) : *Los taxistas prohíben que sus clientes... – El vendedor le aconsejó al automovilista que... – El ventilador uniplaza del taxi sólo permite que... – Los turistas se
van adonde... – Las mujeres tienen la ventaja de vestirse como... – Los madrileños se largarán
de la ciudad en cuanto* (dès que)*... – El año próximo, los madrileños se comprarán un coche
con aire acondicionado aunque...*

3 «*Uno piensa*» – «*se empieza a trabajar*» – «*se cierra el kiosco*» : Quelle différence fais-tu entre
ces deux équivalents de «**on**» ? Sont-ils ici interchangeables ?

Pueblos de Castilla en fase terminal

1. *amère.*
2. *de Zamora, en el NO de España.*
3. *poubelle.*
4. *justifierait.*
5. *rejuvenecer, rajeunir.*
6. *prostration, léthargie.*
7. *les retraités.*
8. *s'inscrivent au chômage.*
9. *manufacturières.*
10. *on s'arrache les cheveux.*
11. *inducir, ici, éveiller.*
12. *il y a trop de.*
13. *ici, d'être épaulée.*
14. *un coup de pouce.*
15. *agrícola.*
16. *loco.*
17. *centros.*
18. *sujetar, retenir, fixer.*

Vídeo

Anuncio publicitario:
El queso todo un arte.

Recibo una amarga[1] carta de una vecina de la comarca zamorana[2] de Los Arribes del Duero rogándome que trate de evitar que «la zona más deprimida, demográfica, social y culturalmente de Europa sea convertida en basurero[3] nuclear del continente». El hecho de ser la zona más pobre de Europa no justifica que se instale en ella un cementerio nuclear. Una cosa así haría bueno[4] el conocido comentario de aquel reportero que, tras un accidente de ferrocarril, relativizaba la catástrofe con estas palabras: «Afortunadamente todos los muertos eran de tercera.» El marginado, el desheredado, el habitante de la comarca más deprimida de Europa no necesita radiactividad, sino remedios que le rejuvenezcan[5] y le saquen de su postración[6].

Este proyecto de Los Arribes del Duero me trae a la cabeza otros dos proyectos de redención de Castilla verdaderamente risibles. El primero afecta a la comarca de La Lora, en Burgos, concretamente al pueblo de Sedano, en una situación demográfica límite. La vida de los sedaneses tiene hoy su base en los pensionistas[7]. No hay en el pueblo un solo puesto de trabajo. Los hombres y mujeres en edad de trabajar lo hacen en labores ocasionales emigran o se apuntan al paro[8]. Algunos han encontrado trabajo en Burgos o en las instalaciones fabriles[9] de Quintanilla de Sobresierra. De este modo, la población estable envejece. No hay en la comarca más que uno o dos matrimonios en condiciones de reproducirse. Son pueblos, como ahora se dice, en fase terminal.

Los rumores hablan de residencias de ancianos, pabellones de reposo para funcionarios, escuelas de no sé qué y uno se echa las manos a la cabeza[10]. ¿Más ancianos? ¿Más reposo? ¿Escuelas para quién, si apenas hay niños, ni jóvenes, en veinte kilómetros a la redonda? Y ¿para cuándo las cooperativas? ¿Por qué no se induce[11] el sentimiento cooperativo lo mismo que se decide la instalación de un cementerio nuclear?

Otro caso semejante, de mayor amplitud, se registra en la provincia de Soria. En Soria no quedan sorianos, no hay sitio. Es decir, sobra[12] espacio físico pero no encuentran dónde ocuparse, cómo sobrevivir. Soria precisaría de un espaldarazo[13], de un empujón[14], de un polígono de desarrollo, de un profundo estudio agropecuario[15] de la zona. Y ¿qué se les ha ocurrido a nuestras autoridades regionales? Algo mucho más sencillo y descabellado[16]: instalar una estación de esquí en los Picos de Urbión. Pero ¿se ha pensado en que las estaciones de esquí son ya suficientes en España y, en general, su vida es poco rentable? ¿Por qué va a serlo más la de Urbión alejada de los núcleos[17] de población más densos?

Lo que Castilla necesita son ideas e inversiones rentables, revitalizadoras, no asilos de ancianos, pabellones de reposo, escuelas sin alumnos, ni cementerios nucleares. Algo que sujete[18] a los jóvenes a la tierra donde nacieron, en lugar de fantasmas y amenazas que faciliten su dispersión.

MIGUEL DELIBES, *Pegar la hebra*, 1990.

Comprender

Comentar

1 ¿Qué problema denuncia Miguel Delibes en este texto?

2 Líneas 1 – 9: ¿Qué circunstancias motivan la reflexión del autor? ¿Por qué escribió la vecina de Los Arribes a Miguel Delibes? ¿Qué esperaba en concreto? Localiza la provincia de Zamora en el mapa y explica por qué, a tu parecer, pensaron en instalar allí un «cementerio nuclear».

3 Líneas 10 – 18: Sitúa las provincias de Burgos y Soria. ¿Qué presentación hace de éstas el novelista?

4 Líneas 19 – 35: ¿Qué proyectos planea el Gobierno para desarrollar estas comarcas y por qué los rechaza Miguel Delibes? ¿Qué preconiza él? Aclara lo que podrían ser «ideas e inversiones rentables».

Concluir

5 Tras consultar la documentación en el CDI, cita los obstáculos que dificultan la ordenación territorial *(l'aménagement du territoire)* en Castilla.

¿Cómo se reparte la población en el territorio español? Dibuja un mapa e indica en rojo los sectores de densidad superiores a la media nacional y en azul los sectores menos poblados. ¿Qué notas?

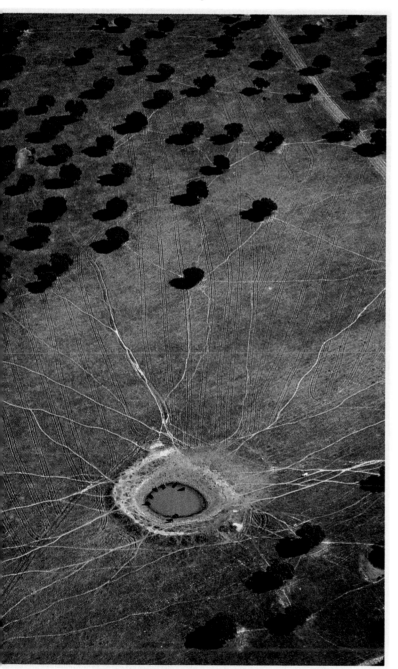

Bruno Barbey, *Latifundio extremeño*, 1991.

Alto

- Le subjonctif dans la proposition relative (gramm. § 53.3).
- Les adverbes de manière (gramm. § 28.0).

Obras

1 «*Algo que sujete a los jóvenes*». Quelle nuance introduit le subjonctif dans la relative ? Complète les phrases suivantes : «*Lo que Castilla necesita no es un cementerio nuclear que… / Lo que hace falta son cooperativas que…*». Sur ce modèle, écris ce que peuvent désirer les vieilles gens de Castille.

2 «*Demográfica, social y culturalmente*» : Rappelle les règles de la formation des adverbes ainsi que les conditions dans lesquelles ils s'apocopent.

3 «*¿Qué se les ha ocurrido a nuestras autoridades regionales?: instalar una estación de esquí*». Transforme l'interrogation en affirmation et réunis ces deux phrases en une seule. Que remarques-tu ?

Comentar

1 ¿Desde dónde se ha sacado esta foto y qué ventaja ofrece el enfoque?
2 Describe el paisaje indicando qué realidad económica revela. Explica lo que es un latifundio.
3 Estudia el carácter gráfico y estético de este documento.

Un latifundio, una finca o propiedad de gran extensión – la dehesa, extensión donde se cría el ganado – una res, *une bête* – el ganado mayor, *le gros bétail* – el alcornoque, *le chêne-liège* – las huellas, *les traces* – una balsa, una charca de agua, *une mare*.

El hijo natural de Pablo Casals

1. les pommettes saillantes et luisantes.
2. les cheveux clairsemés.
3. cupides.
4. des pasodobles endiablés.
5. un écriteau.
6. mendiant immigré (en Catalogne).
7. recaudar, ici récolter.
8. le Chant des oiseaux (en catalan).
9. l'écriteau.
10. fils naturel (en catalan).
11. Pablo Casals (célèbre violoncelliste catalan).
12. passants.
13. méfiance.
14. rondelet.
15. bien mis.
16. chirriar, ici crisser.
17. ici, avec un sourire de fouine.
18. Écoutez, je vous prie, cette pancarte est mal écrite (en catalan).
19. Elle est bien bonne !
20. Tiens, tiens !
21. criar, ici, être élevé.
22. (ville d'Andalousie, près de Gibraltar.)
23. Je vois, je vois.
24. pièces.

Tenía Marés los pómulos altos y pulidos[1], el pelo ralo[2] y los ojos color miel, pequeños y rapiñosos[3]. Tocaba briosos pasodobles[4] con su viejo acordeón y llevaba colgado sobre el pecho un cartel[5] que decía:

«PEDIGÜEÑO CHARNEGO[6] SIN TRABAJO
OFRECIENDO EN CATALUNYA
UN TRISTE ESPECTÁCULO TERCERMUNDISTA
FAVOR DE AYUDAR»

Después de hora y media sentado allí, sólo había recaudado[7] cuatrocientas pesetas. Se trasladó al centro de la Ramblas, junto a la boca del metro Liceo, se sentó en el suelo, extendió la hoja de periódico, le dio la vuelta al cartón colgado sobre el pecho y empezó a tocar el Cant dels ocells[8] con mucho sentimiento. En el rótulo[9] que ahora exhibía podía leerse:

«FILL NATURAL[10] DE
PAU CASALS[11]
BUSCA UNA OPORTUNIDAD»

La famosa melodía casalsiana le deprimía. Algunos transeúntes[12] se paraban a mirarle y leían el rótulo con recelo[13]. Uno de ellos se acercó, rechoncho[14] y pulcro[15], con brillantes zapatos que chirriaban[16], la mano derecha en el bolsillo del pantalón. Pero no sacó ninguna moneda.

—Escolti, perdoni —dijo con una sonrisa de conejo[17]—. Aquest rètol està mal escrit[18].

—¿Cómo dice, buen hombre?

—¡Oh! —exclamó muy sorprendido el transeúnte de lustrosos zapatos—. Esta sí que es buena[19]; ¿hijo de Pau Casals y no habla catalán? ¡Vaya, vaya![20]

—Verá usted, es que me crié[21] en Algeciras[22] con mi madre, que era una criada que había servido en casa del maestro y gran patriota…

—¡Vaya, vaya! —repitió el hombre alejándose con aire escéptico—. Ya, ya[23].

A pesar de este pequeño incidente, en menos de dos horas Marés recaudó tres mil pesetas casi todo en monedas[24] de cien y de doscientas.

JUAN MARSÉ, El amante bilingüe, 1990.

Comprender **1** Resume sin comentarla la anécdota, precisando el lugar de la escena y la nacionalidad de los personajes.

Comentar **2** Líneas 1 – 2: ¿Te parece muy elaborado el retrato de Marés? ¿Por qué el novelista nos facilitará únicamente estos detalles?

3 Líneas 2 – 8: ¿Cómo se gana la vida? ¿Serán los catalanes muy aficionados al pasodoble? Analiza el contenido del cartel. ¿Cuál será su propósito?

4 Líneas 8 – 14: ¿Por qué se colocará en el centro de las Ramblas? Aclara la estrategia del pedigüeño: ¿sigue tocando pasodobles? Compara el segundo rótulo con el anterior. «Empezó a tocar con mucho sentimiento»: Matiza el humorismo del novelista.

5 Líneas 15 – 18: Fíjate en la silueta del transeúnte. ¿Qué sugiere? ¿Cómo la vamos descubriendo? «Pero no sacó ninguna moneda»: ¿Qué refleja este comportamiento?

6 Líneas 19 – 27: ¿Qué ha notado el transeúnte? ¿Qué revela de los catalanes? ¿Te parece verosímil la justificación de Marés? ¿Por qué le salió bien su nueva estrategia?

Concluir **7** ¿Cuáles serán las intenciones de Juan Marsé en esta página? ¿No te recuerda este pordiosero a personajes famosos de la literatura española?

CATALUNYA.
VENGA AL PARAÍSO TERRENAL

Repleta, *remplie* – agrestes calas, *criques sauvages* – está muy bien comunicada, *est très bien desservie* – deleitarse, *savourer* – rica, *délicieuse* – estar al alcance de, *être à la portée de* – románica, *de style roman*.

Un monasterio – las torres de una iglesia – actividades culturales y deportivas – distribución simétrica – el apego a, *l'attachement à* – playas desiertas – un puerto tranquilo – esquiar – mar transparente – costa recortada.

◄ La montaña de Montserrat se erige como un insólito e impresionante espectáculo de la naturaleza.

Le invitamos a pasar sus vacaciones en Catalunya, un paraíso terrenal muy cerca de su casa.

Le invitamos a descubrir una riqueza y variedad de paisajes como nunca antes había soñado.

La atractiva costa mediterránea, repleta de amplias playas y agrestes calas. La belleza infinita de los bosques, ríos y lagos de los Pirineos. La riqueza histórica de sus numerosos conjuntos monumentales y del mejor arte moderno.

Sagrada Familia. Una de las obras culminantes del genio universal de Gaudí y símbolo de la ciudad de Barcelona.
▼

Catalunya está muy bien comunicada. Con una buena estructura hotelera y de camping. Donde podrá practicar cualquier deporte. Náutico o de alta montaña. Donde se divertirá con sus fiestas populares y se deleitará con su rica gastronomía.

Cuando pueda acérquese a Catalunya. Verá que el paraíso está a su alcance.

▲ Esqui. Cientos de kilómetros de pistas, repartidas en 18 estaciones, todas ellas perfectamente.

Iglesia románica de Taüll. En Catalunya se encuentra ▲ el más importante legado de arte románico de Europa.

Generalitat de Catalunya
Departament de Comerç, Consum i Turisme

Catalunya

Consorci de Promoció Turística
Consorcio de Promoción Turística

Comentar

1 ¿Qué organismo promovió esta publicidad? ¿Por qué no firma en castellano? ¿A quién va dirigida esta campaña?

2 Estudia la organización de la página. Advierte lo densa que resulta: ¿cómo te lo explicas? ¿Qué aspectos turísticos revelan las fotos? ¿Qué rasgos parecen acentuar?

3 Muestra cómo, por la variedad de informaciones, el texto es complementario de las fotos. Cada frase corresponde a una actividad diferente: subráyalo.

4 Después de analizar los sustantivos y los adjetivos empleados en el comentario, justifica la asimilación de Cataluña a un paraíso terrenal.

5 ¿Te parece convincente este anuncio turístico? Aduce los argumentos en pro y en contra.

Un ser raro

1. *Le maire.*
2. *ventripotent.*
3. *communier.*
4. *ici, huissier.*
5. *un conseiller municipal.*
6. (Ciudad al norte de Cataluña).
7. *sorprendido.*
8. *circundar, entourer.*
9. *advertir, remarquer.*
10. *embadurnar, enduire.*
11. *argent.*
12. *un alliage.*
13. *l'hostie.*
14. *aménagement urbain.*
15. *qui est un chemin de croix pour moi.*
16. *Une brûlure.*
17. *lisse et imberbe.*
18. *sillonnée de rides.*
19. *ostentar, arborer.*
20. *sans laisser de trace.*
21. *percatarse de, darse cuenta de.*
22. *l'esprit dérangé.*
23. *tirer profit.*
24. *aux dépens.*

A *finales del siglo XIX, Barcelona prepara su gran modernización.*

El alcalde[1] de Barcelona **no** era el mismo que años más tarde había de llevar a cabo el plan de la Exposición Universal, **sino** otro. Éste era un hombre de estatura corta, tripón[2].

Un día, cuando acababa de comulgar[3], tuvo esta visión: estaba sentado en el sillón de alcalde, en su despacho y entraba un macero[4] a anunciarle una visita. El alcalde se preguntaba
5   si **sería** un vocal[5], un delegado. Dice ser, interrumpió el macero las conjeturas, un caballero de Olot[6]. Sin más entró el visitante y salió el macero. El alcalde quedó sobrecogido[7]. El visitante despedía rayos y un halo de luz lo circundaba[8]. El alcalde advirtió[9] con extrañeza que la piel del visitante era plateada, **como si la llevara embadurnada**[10] de tintura de plata[11]. Los cabellos, que le llegaban hasta los hombros, eran hilos de plata. También la túni-
10   ca tenía un reflejo mate, **como si todo** en el visitante **estuviera hecho** de una aleación[12] sobrenatural. El alcalde se guardó mucho de pedir una explicación al respecto; preguntó solamente a qué se debía semejante honor. Hemos observado, dijo el visitante, que desde hace un tiempo estás distraído cuando recibes la Sagrada Forma[13]. Es mi atención, no mi devoción **lo que** flaquea, se disculpó el alcalde; se trata del plan de ordenación urbana[14], que me trae por la
15   calle de la amargura[15]; no sé qué hacer. Mañana, dijo el visitante, al primer canto del gallo, estarás en la antigua puerta de poniente.

Al día siguiente a la hora convenida estaba el alcalde en el punto donde casualmente había de levantarse años más tarde el Arco de Triunfo que daba entrada a la Exposición.

El alcalde vio venir hacía él un ser raro. Una escaldadura[16] sufrida de niño le había dejado
20   la mitad izquierda de la cara tersa y lampiña[17]; la otra mitad, en cambio, estaba surcada de arrugas[18] y ostentaba[19] medio bigote y media barba de notable longitud, porque venía de hacer a pie el camino de Santiago o se disponía a emprenderlo. Se llamaba o decía llamarse Abraham Schlagober.

El alcalde lo llevó de inmediato al Ayuntamiento, le mostró los planos de Barcelona y sus alre-
25   dedores, puso a su disposición todos los medios para que trazara un proyecto.

El proyecto quedó acabado en menos de seis meses, tras **lo cual** Abraham Schlagober desapareció sin dejar rastro[20]. Hay quien afirma que tal personaje no existió nunca y que fue el propio alcalde quien dibujó los planos. Otros, que sí existió, pero que **no** se llamaba como él decía **ni** era peregrino **ni** constructor, **sino** un aventurero que habiéndose percatado[21] de
30   la condición irregular[22] del alcalde decidió sacar tajada[23] de ello, acertó a trasladar al papel con astucia las visiones de su protector y mientras le duró el trabajo vivió a expensas[24] del municipio, **lo cual** no sería insólito.

EDUARDO MENDOZA, *La ciudad de los prodigios*, 1986.

Comprender

1 ¿Dónde y cuándo transcurre la acción? ¿Quiénes son los tres protagonistas?

2 A primera vista, ¿no te parece algo extraño este episodio?

Comentar

3 Líneas 1 – 16: Analiza los retratos contrapuestos de ambos personajes. ¿De dónde procede el humorismo?

4 Líneas 17 – 23: Apunta los elementos que recalcan la rareza del forastero. ¿No asoma en estas líneas una intención paródica?

5 Líneas 24 – 32: ¿Qué diferentes hipótesis baraja la gente sobre el arquitecto? ¿Y sobre su alcalde?

Concluir

6 Al fin y al cabo, ¿les parece tan raro a los catalanes el episodio?

Alto

- *Como si* + subjonctif (gramm. § 53.4).
- *Le futur de conjecture* (gramm. § 45.2).
- *No... sino* (gramm. § 26.4).
- *Emplois du subjonctif* (gramm. § 52.0 et 53.0).

Obras

1 Relève deux emplois de la tournure **como si** dans le texte. Quel est le mode employé à la suite ? Construis quatre phrases où tu utiliseras cette tournure en te reportant au texte.
2 Traduis la phrase qui commence par : «*El alcalde se preguntaba...*» (l. 4). Qu'observes-tu ? Mets ensuite au présent le verbe *preguntar*. A quel temps as-tu mis le verbe *ser* ? Pourquoi ?
3 Recherche dans le texte les emplois de **sino** et justifie-les.
4 Transpose au présent la phrase : «*El alcalde lo llevó... trazara un proyecto*» (l. 24).
5 Exprime au futur la phrase suivante : «*Mientras le duró el trabajo vivió a expensas del municipio*» (l. 31).
6 Traduis depuis «*El alcalde se preguntaba...*» (1. 4) jusqu'à «*...semejante honor*» (l. 12).

En 1929 se organizó la Exposición Universal en la colina de Montjuïc dominada por el Palau Nacional y a cuyo pie se encontraban los monumentales pabellones a los que se llegaba por una ancha avenida.

Comentar

1 ¿Por qué ofrece el cartel una visión nocturna del escenario de la Exposición?
2 ¿Qué imagen de la capital catalana pretende difundir?

UN AFRICANO EN CATALUÑA

1. *Gambie (petit état d'Afrique au sud du Sénégal).*
2. *un fainéant.*
3. *du lever au coucher du soleil.*
4. (ciudad al norte de Barcelona).
5. *courber l'échine.*
6. *(environ 4 500 F.).*
7. (al sur de Barcelona, donde se cultivan flores y hortalizas).
8. *des épinards.*
9. *sermonear, sermoner, tenir un discours moral.*
10. (1936-1939).
11. (islas Canarias).
12. *à la délivrance des passeports.*
13. *recalar, échouer.*
14. *pour renouveler sa carte de séjour.*
15. *zélé.*
16. *multar, infliger une amende.*
17. *(environ 33 000 F.).*
18. *comme gardien de but.*
19. *aguantar, endurer.*
20. *les attaques, les scènes de ménage.*
21. (provincia de Andalucía).
22. *la même ritournelle.*
23. *ont pardonné l'affront.*

Yo le digo «Pap Jammeth, el Evangelio es uno, y aunque seas de Gambia[1], San Pedro te conoce. Blanco o negro, lo que importa, es si eres buena persona, si trabajas o eres vago[2]».
Pap trabaja en el campo de sol a sol[3]. Los jóvenes de Mataró[4] ya no doblan el espinazo[5] por 80.000 pesetas[6], y las tierras fértiles del Maresme[7] las trabajan los africanos. Pap corta espinacas[8] mientras el señor Rius le sermonea[9] sobre la bondad y la maldad del mundo, los políticos y los odios de la guerra civil[10].

Pap llegó a España a principios de los ochenta, cuando un amigo le juró que allí no había nieve. «Yo creía que Europa estaba siempre nevada, y no quería venir **por miedo** a morir pronto.»

Su primer trabajo fue en el consulado de su país en Tenerife[11], tramitando pasaportes[12].

Luego recaló[13] en Cataluña. **Desde hace tres años** trabaja en el campo con el señor Rius y pelea con la picaresca burocrática para renovar su residencia[14].

Su patrón, el señor Rius, ha sufrido en su bolsillo la ley de extranjería. Un celoso[15] inspector de trabajo le multó[16] con 600.000 pesetas[17] porque su trabajador no tenía permiso de residencia. «Yo no quería ocultar nada» explica el señor Rius, «porque le tenía registrado en la Seguridad Social; pero a los inspectores les da igual; faltaba un papel y me multó. No se dan cuenta de que estos campos o los trabajan los africanos o se pierden».

Cuando Pap no trabaja en el campo ejerce de secretario en Yamacafo –la asociación africana de Mataró–; juega al fútbol de portero[18] y aguanta[19] en casa estoicamente las embestidas[20] de Antonia, su mujer. «Para reñir hacen falta dos. Yo la dejo que grite y grite. Ya se cansará de pelear sola...» Pap es un filósofo: «Las dificultades comienzan cuando las familias van mal de dinero; yo no tengo dinero, no tengo problema».

Vive con Antonia desde hace ocho años. Ella es de Cazorla (Jaén)[21] y él de Gambia. Tienen un hijo de cuatro años que se llama Abraham Jammeth Gómez, catalán de nacimiento. Antonia está acostumbrada a oír siempre la misma cantinela[22]: «La pobre Antonia... pero bueno, si se quieren...»
En medio de este matrimonio intercontinental, Antonia dice que las miradas son peores que el comportamiento; pero lo que más le duele es que un hermano no le hable; sus padres, sí: con el tiempo le han perdonado la afrenta[23]. La resignada Antonia dice que en África es peor. Pap intenta protestar, pero no le da tiempo.
Pap no discute. Ni con Antonia ni con el señor Rius.

JAVIER MARTÍN, *El País*,
12/01/1991.

1 ¿A qué ha venido Pap Jammeth a España? ¿Por qué a Cataluña más concretamente?

2 Líneas 1 – 17: ¿Quién pronunciará las palabras del principio? ¿Qué moral encierran? ¿Qué clase de patrón es el señor Rius? Da tu opinión acerca de los temores de Pap a irse a Europa.

3 Líneas 18 – 34: ¿Con qué dificultades se enfrentan tanto Pap como el señor Rius? ¿Comprendes la expresión «picaresca burocrática»? Subraya la importancia de la reflexión del señor Rius: «estos campos o los trabajan los africanos o se pierden».

4 Líneas 35 – 44: ¿Qué revela la existencia en Mataró de una asociación africana? ¿A qué dedica Pap su tiempo libre? ¿Tiene buenas relaciones con su mujer? Comenta su filosofía: ¿no expresa cierto humorismo?

5 Líneas 45 – 61: Nos enteramos de que su mujer es andaluza: ¿es casual que venga ella de esa región? ¿Qué dificulta las relaciones en el matrimonio? ¿Vive a gusto Antonia su situación? Analiza el comportamiento de los miembros de su familia y en particular aquello de que «con el tiempo le han perdonado la afrenta». Según Antonia, ¿son las reacciones racistas exclusivas de los españoles?

Concluir

6 A tu parecer, ¿constituye este artículo una buena aportación para comprender mejor la situación de los que emigran a España?

Alto

- *L'expression du temps, de la durée (gramm. § 29.2).*
- *Comparatif et superlatif (gramm. § 20.0).*

Obras

1 Inspire-toi du texte pour compléter les phrases suivantes, soit avec **desde hace** pour rendre l'idée de durée («*Pap está en España* **desde hace diez años**»), soit par **desde** qui indique une origine temporelle précise («*Pap está en España* **desde el año** 81») :
– Existe una asociación africana en Mataró…
– Antonia y Pap tienen un hijo…
– El hermano de Antonia no le habla…
2 Utilise les quatre comparatifs **peor, mejor, mayor, menor** pour illustrer certains aspects du texte (*situación social, trabajo, salario…*).
3 Traduis depuis «*Pap trabaja en el campo…*» (l. 5) jusqu'à «*…por miedo a morir pronto*» (l. 17).

Javier Mariscal, *Grafismo y dibujo para una camiseta*, 1984.

Mariscal es el creador de la mascota Cobi de los Juegos Olímpicos de Barcelona.

- «Bar», «Cel» y «Ona» son tres palabras catalanas que en español significan «Bar», «Cielo» y «Ola». Comenta el hallazgo (*la trouvaille*) gráfico de Mariscal.

Fotogramas de la película de Montxo Armendáriz, *Cartas de Alou*, 1989.

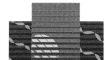

Casa Museo Sorolla, Madrid. Secretaría General de Turismo, 1990.

El cartel, *l'affiche* – las dos chicas vestidas de blanco – los cuadros colgados de la pared, *accrochés au mur* – el caballete, *le chevalet* – el interior del museo.

El pintor Joaquín Sorolla nació en Valencia en 1863 y murió en Madrid en 1923, donde su casa se ha transformado en museo. En el cartel aparece uno de sus cuadros más famosos: *Paseo a la orilla del mar*, en el que ha retratado a su esposa y a su hija.

Comentar

1 ¿Te parece ser la fotografía fruto de la casualidad *(du hasard)* o al contrario pensada y elaborada? Argumenta tu opinión.

2 ¿En qué lugar preciso se encuentran las dos jóvenes y qué estarán haciendo?

3 Estudia en particular la pose de las chicas, su vestido, los objetos que las rodean, el entorno. ¿Tienen ciertos detalles un eco directo y visible en la composición?

4 ¿Con qué objetivos e intenciones publicará la Secretaría General de Turismo carteles como éste?

Los ojos del pintor

(Para Ángel y Roxana)

Dices: un ángulo, **aquel volumen**
que a tal hora
hará una sombra así,
este cruce[1] de líneas,
5   qué deslumbrante[2] el blanco
cuando la luz del mediodía.

Yo asiento[3], me alegro: os reconozco.
Y se me ponen ojos de pintor[4]
también, como otras veces.

10 Pero miro tus cuadros:
esa blancura otra, los trazos tan seguros,
las telas, los cartones,
lo imposible fijado[5],
el juego inacabable[6] de **ese hacer**
15 lo que quieres.

No los ojos, las manos.
O mejor: unos ojos dirigiendo unas manos.

Lo que nunca tendré.
Lo que tanto te envidio[7].

AURORA SAURA, *De qué árbol*, 1991.

1. croisement.
2. éclatant.
3. asentir, aprobar, *acquies-cer, approuver.*
4. *Et mes yeux deviennent ceux d'un peintre.*
5. *fixé, immobilisé.*
6. interminable.
7. envidiar, *envier, jalouser.*

JOAQUÍN SOROLLA, *Paseo a la orilla del mar*, 1909.
Óleo sobre lienzo, 200 x 200 cm.
Museo Sorolla, Madrid.

Comentar

1 Versos 1 – 6: El verbo «Dices» abre el poema: ¿qué revela el carácter amistoso del tuteo? ¿De quién son las palabras que va recordando y citando la autora? ¿En torno a qué se organizan estas reflexiones visuales? ¿Qué traducen?
2 Versos 7 – 9: ¿Comparte la poetisa la visión de sus amigos? ¿Por qué dice «os reconozco»? ¿Qué aprende ella del pintor?
3 Versos 10 – 15: ¿Qué introduce el empleo de la conjunción adversativa «pero»? ¿A qué nueva etapa se refiere la poetisa? ¿Qué logró hacer el pintor? ¿Cómo lo traducen las palabras del texto? ¿Qué sentimiento es el que ahora domina a Aurora Saura? Comenta el encabalgamiento (*l'enjambement*) entre los versos 14 y 15.
4 Versos 16 – 17: ¿No te parecen estos versos definir el arte del pintor?
5 Versos 18 – 19: ¿Qué le envidia el poeta al pintor? ¿No será él también capaz de crear «visiones»? ¿Recuerdas el poema de Arthur Rimbaud, *Voyelles*?

Alto

- *Les démonstratifs (gramm. § 12.0).*
- *L'infinitif substantivé (gramm. § 44.1).*
- *Les indéfinis quantitatifs (gramm. § 19.2).*

Obras

1 Justifie l'emploi des démonstratifs soulignés en gras dans le texte en rappelant notamment leur rôle dans la différenciation spaciale.
2 «*Ese **hacer** / lo que quieres*» : Pourquoi parle-t-on ici d'infinitif substantivé ? Traduis les vers 14 et 15.
3 «*Los trazos **tan** seguros / Lo que **tanto** te envidio*» : Justifie l'emploi de ces deux formes et réemploie chacune d'elles dans deux phrases se rapportant au texte.

EL TÓPICO ANDALUZ

1. *les réverbères.*
2. *les lampes à huile.*
3. *asaltar, atacar.*
4. *une bande de brigands.*
5. *por definición.*
6. *la persistance.*
7. *ici, leur imperturbable succès.*
8. *difundir, propagar.*
9. *sur le même modèle.*
10. *gominé.*
11. *une légende.*
12. *la couverture.*
13. *bailadora de flamenco.*
14. *accroche-cœur.*
15. *desplazar, reemplazar.*
16. *grégaires, moutonniers.*
17. *ir a peor, empeorar.*
18. *falsificación.*
19. *le tout assaisonné d'un populisme bon marché.*
20. *qui rassemble les fêtards.*
21. *un grand esprit.*
22. *la Administración de la región.*

Hacia 1844, durante su viaje por Andalucía, Théophile Gautier se indignaba de que los españoles, desertando de **lo que** él llamaba *"la couleur locale"*, prefirieran las farolas[1] de gas a los candiles de aceite[2] y no se vistieran de españoles, es decir, de figurantes de *Carmen*. Y el barón Louis de Davilliers que viajó por nuestro país 20 años después acompañado por Gustave Doré, consigna en su diario la decepción que le produjo no haber sido asaltado[3] por una cuadrilla de bandoleros[4] en el trayecto en diligencia entre Murcia y Granada.

Aquella Andalucía que vieron e inventaron hace más de un siglo los viajeros románticos se convirtió por antonomasia[5] en la imagen de España, y pocas cosas hay **tan sorprendentes como** la perduración[6] de ciertas mentiras y su fortuna inconmovible[7] frente a la verdad. Una cierta caricatura de Andalucía se difunde[8] transmutada en caricatura de España, y el eco de **aquel** libro de Gautier y de todos los libros de viajes que se escribieron a su hechura[9] **sigue siendo más fuerte que** casi todas las evidencias, de modo que en una reciente guía de vacaciones de *Le Figaro* se explica que a pesar de todo España **sigue siendo** el país de las crónicas de Hemingway y de la arena manchada de sangre, y en un lujoso *magazine* norteamericano de hace dos meses puede verse una fotografía de cierto banquero célebre y engominado[10] con un pie[11] en el que se le califica de "matador de las finanzas". El año pasado, una revista literaria francesa dedicó un número monográfico a **lo que** llaman nueva novela española: infaliblemente, en la portada[12] aparecía una bailaora[13] de rasgos gitanos y caracolillo[14] húmedo en la frente que se tapaba la mitad de la cara con un abanico.

Con el paso de los años los folletos turísticos han desplazado[15] a los libros de viajes, y los viajeros cultos se han convertido en turistas gregarios[16], de modo que las cosas han ido a peor[17], porque una mentira contada por Chateaubriand siempre será más noble, más hermosa y hasta más verdadera que la mentira de un *tour operator*. No vaya a pensarse que echo la culpa a los extranjeros o a los forasteros de la mixtificación[18] de Andalucía. Siempre abundaron los andaluces profesionales, que se parecen a **esos** indios profesionales que se visten o se desnudan de indios cuando ven acercarse el *jeep* o la canoa de los antropólogos. **Lo nuestro**, claro, son los toros. También la Feria de Abril y la del Caballo y el Rocío y la Semana Santa, adobado todo en un populismo de saldo[19] que hermana a los juerguistas[20] ricos de Madrid y a más de una lumbrera[21] de la Administración autónoma[22] en el entusiasmo común con que se dejan fotografiar bailando sevillanas.

ANTONIO MUÑOZ MOLINA, *El País*,
23/06/1990.

Comprender

Comentar

1 ¿Con qué intención está escrito este artículo?

2 Líneas 1 – 13: Destaca la paradoja que encierran las dos anécdotas. ¿Qué buscaban en España aquellos viajeros? ¿Tuvo consecuencias la idea que de España se formaban Théophile Gautier y Gustave Doré? ¿Por qué?

3 Líneas 14 – 49: Examina la mítica representación de España que se difunde a partir de los dos ejemplos que nos brinda el autor. Detalla los elementos del tópico. ¿Qué mecanismos explican la seducción de esas «mentiras contadas por Chateaubriand»?

4 Líneas 50 – 65: ¿A quién critica ahora Muñoz Molina? ¿Qué opinas de la comparación establecida en la segunda frase? ¿Qué sabes de las fiestas aquí enumeradas? ¿Por qué se mentan éstas y no otras?

Concluir

5 ¿Te parece acertada la crítica? ¿Es preciso contrarrestar la difusión del tópico? ¿Por qué y cómo?

Alto

- Les démonstratifs (gramm. § 12.0).
- L'article neutre **lo** (gramm. § 10.0).
- Le comparatif (gramm. § 20.1, 20.2).
- Le déroulement de l'action ; semi-auxiliaire + gérondif (gramm. § 49.0).

Obras

1 Recherche dans les deuxième et dernier paragraphes les adjectifs démonstratifs et justifie la forme employée. Mets au pluriel ceux qui sont au singulier et inversement.

2 Relève les emplois en gras de l'article neutre **lo** et justifie-les. Traduis la phrase : «*Lo nuestro, claro, son los toros*». En t'inspirant du texte, construis quatre phrases où tu emploieras l'article neutre dans les tournures que la grammaire présente aux § 10.2 à 10.5.

3 Complète les amorces suivantes en introduisant une comparaison : *En Andalucía no había **tantos** bandoleros… – La realidad era **menos** hermosa… – La caricatura es **más** fuerte… – Las fiestas andaluzas son **tan** famosas… – Hay… juerguistas **como** lumbreras de la Administración y **tanto** se divierten…*

4 Traduis les deux membres de phrase où l'on trouve la tournure «***sigue siendo***» (l.24 et 28).
¿Cómo imaginan a los andaluces los turistas? : Rédige un court paragraphe dans lequel tu emploieras diverses formulations mettant en valeur le déroulement de l'action.

PABLO JULIÁ, *La Andalucía del progreso*, 1990.

La Andalucía del progreso empezó a despertar con la invasión del turismo en los años sesenta. Ahora, la tierra de María Santísima ha cambiado tanto de hábitos que algunos ya quieren verla como la California de Europa.

El cocinero – la gorra, *la toque*.– el camarero, *le serveur* – la bandeja, *le plateau* – el esmoquin y la pajarita, *le smoking et le nœud papillon* – el ordenador – el borrico, *l'âne* – alquilar biombos de mimbre, *louer des paravents d'osier*.

Comentar

1 Describe a los distintos personajes destacando los objetos y prendas de vestir que permiten identificarlos.

2 Examina la composición rigurosa de la fotografía: disposición y posturas de los personajes, decorado, colores… y define lo que pretenderá simbolizar esta obra. ¿En qué estriba su carácter insólito?

3 Fíjate en el pie de la fotografía. ¿Te parece que aclara el significado de la ilustración? Justifica tu contestación.

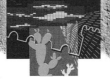

Boabdil¹ el chico (se va al Norte)

La Alhambra de Granada.

1. (nombre del último rey moro de Granada).
2. (barrio de Granada donde vivían los moriscos).
3. (la colina desde donde se tiene una vista panorámica de Granada).
4. *chaude*.
5. (*à la fois las et comblé*).
6. destino.
7. (estación de ferrocarril en Madrid).
8. *bouche bée sur le quai*.
9. *le fric*.
10. vagar, *vagabonder*.
11. el ruido y la agitación.

Aún recuerdo Granada
en la bruma de mi niñez.
Yo era Boabdil jugando a perder.
En el monte sombrero
5 que está junto al Albaicín²,
al atardecer, lloraba por ti.

Oh… Adiós amor,
Adiós Granada.
Oh… El viento del Sur
10 me aleja de casa.

Y me rompe el corazón
me atraviesa la garganta,
y como al niño rey Boabdil,
la pena me mata.

15 Veo la silla del Moro³
y la sierra que queda atrás,
veo la Alhambra que flotando se va.

En mis ojos se funde
la imagen de mi ciudad,
20 roja y cálida⁴ desde la estación.

Oh… Adiós amor…

Y aunque sé que volveré
harto⁵ de gloria y de frío,
también sé que nunca seré
25 Boabdil el chico;
porque aquí en este tren
se endurecerá mi sino⁶,
voy tan lejos que al volver
ya no seré un niño.

30 Oh… Adiós amor…

En Atocha⁷ me bajé
con un miedo africano,
boquiabierto en el andén⁸,
la pasta⁹ en la mano
35 y vagué¹⁰ por la ciudad
extasiado en el bullicio¹¹
en un día frío y gris
y Madrid me quiso.

Canción de MIGUEL RÍOS, 1987.

Comprender

1 «Yo era Boabdil»: ¿Quién fue Boabdil y qué le pasó? ¿Quién es este «yo» y qué le ocurre? ¿Por qué se identifica el yo poético con el último rey de Granada?

Comentar

2 Versos 1 – 6: ¿Quién habla? ¿Qué detalles te permiten decirlo? Pon de relieve los elementos que le comunican a la estrofa un tono nostálgico. Aclara en particular el verso 3.

3 El estribillo (*le refrain*) : ¿Hacia dónde va el andaluz? ¿Cómo se recalca su tristeza?

4 Versos 11 – 20: ¿Qué evoca ? Aprecia la visión que nos da de Granada.

5 Versos 22 - 29: ¿Qué diferencia el sino del narrador del de Boabdil? Explica especialmente «volveré harto de gloria y de frío» y «voy tan lejos».

6 Versos 31 – 38: ¿Cómo entiendes la estrofa final? Comenta la expresión «miedo africano».

7 ¿Por qué no se repite el estribillo al final?

Concluir

8 En conclusión, ¿qué opinas de la ocurrencia del poeta que relacionó el tema de la emigración con el de la pérdida del reino nazarí?

Alto

• *L'emploi de la préposition* **por** *(gramm. § 27.5)*.
• *Révision de la conjugaison*.

Obras

1 «*Lloraba por ti*» – «*vagué por la ciudad*» : Explique et retiens ces emplois de **por**.
2 Récris les vers 22 à 29 à la 3ᵉ personne du singulier, sans changer les temps.

La Alhambra es vida

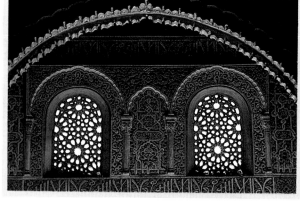

1. eterna.
2. ici, le frémissement.
3. conduites d'eau.
4. les canaux d'irrigation.
5. partout.
6. Les stucs et les plafonds à caissons.
7. décorations.
8. les plafonds d'ivoire et de cèdre (marquetterie).
9. Les verrières.
10. en miroitant.
11. mouvant(e).
12. les mèches (des lampes à huile).
13. (plâtre sculpté d'arabesques).
14. ouverture.
15. tiritar, frémir.
16. le grondement.
17. conques marines.

La Alhambra es como un cuerpo. Igual que todos, tiene su música y su aroma que, con el clima y con las horas, cambian. En ella hay la perenne[1] palpitación que es señal de la vida. Con el parpadeo[2] de un par de mariposas, la luz y el agua se persiguen. Las incesantes atarjeas[3], dentro de las paredes, como venas de barro, reparten su rumorosa y limpia sangre, y las arterias en las acequias[4]. En la aparente quietud todo es movilidad. El agua, por doquiera[5], entona su canto que subraya el cristalino sonido de lo visible. Los muros, con sus versos reiterados hasta el infinito, jamás callan. Los estucos y los artesones[6], coloreados para dar la impresión de ligereza, contagian su vibración a los paramentos[7] y a las techumbres de marfil y de cedro[8]. Las cristaleras[9] de colores, al incidir[10] sobre los colores de los muros, los agitan aún más. El mutátil[11] resplandor de día, y de noche las mechas[12] temblorosas, provocan inquietas sombras que conmueven de arriba abajo los palacios. En el Cuarto de los Leones los dobles atauriques[13], con un vano[14] por medio donde anidan los pájaros, tiritan[15] de vida, y a su través se escucha el fragor[16] de las aguas como en el seno de las caracolas[17]. Todo allí es traslúcido, minucioso y significativo a la manera de un tatuaje beduino...

ANTONIO GALA, *El manuscrito carmesí*, 1990.

La Alhambra de Granada (los jardines del Partal).

Comentar

1 Líneas 1 – 11: El texto todo está basado en una metáfora: ¿cuál? Busca las palabras que la desarrollan.
2 Líneas 11 – 16: «En la aparente quietud todo es movilidad»: explica esta paradoja. Muestra cómo la Alhambra aviva los sentidos del narrador. ¿De dónde procede la armoniosa perfección del conjunto arquitectónico?
3 Líneas 16 – 20: ¿Ofrece el palacio a lo largo del día un espectáculo siempre igual? Comenta las mudanzas.
4 Aprecia la variedad cromática y la multiplicidad de imágenes (visuales, auditivas...). Comenta las que te parecen más sugerentes. ¿Cómo consigue transmitir el escritor la sensación de vida dentro del recinto *(l'enceinte)* de la Alhambra?

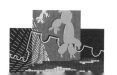

¡Me volvería loca de alegría![1]

Escena final de La zapatera prodigiosa de FEDERICO GARCÍA LORCA, 1986.

1. J'en serais folle de joie !
2. la courtiser.
3. vertueuse.
4. fidèle.
5. montreur de marionnettes.
6. déguisé.
7. Il est ému.
8. prendre congé.
9. l'attention et la décence.
10. par hasard.
11. mes périples.
12. ses 50 ans passés.
13. mille fois bénis.
14. plus fringant et séducteur.
15. c'est merveilleux !

Cansado por las extravagancias de su hermosa mujer, mucho más joven que él, el ZAPATERO se fuga de casa con la intención de no volver nunca. Para ganarse la vida la ZAPATERA abre una taberna adonde van todos los hombres del pueblo para cortejarla[2]. Pero la virtuosa[3] ZAPATERA ha jurado ser fiel[4] a su esposo. Un día llega al pueblo un titiritero[5]: es el ZAPATERO, disfrazado[6], a quien no reconoce su mujer. Cuando empieza el fragmento el hombre ha decidido abandonar el pueblo, sin revelar su verdadera identidad.

ZAPATERO –Entonces, adiós... para toda la vida, porque a mi edad... (Está conmovido.[7])

ZAPATERA (Reaccionando.) –Yo no quisiera despedirme[8] así. Yo soy mucho más alegre. (En voz clara.) Buen hombre, **Dios quiera que encuentre usted** a su mujer, **para que vuelva a vivir** con el cuido y la decencia[9] a que estaba acostumbrado. (Está conmovida.)

ZAPATERO –Igualmente le digo de su esposo. Pero usted ya sabe que el mundo es reducido; ¿**qué quiere que le diga** si por casualidad[10] me lo encuentro en mis caminatas[11]?

ZAPATERA –Dígale usted que le adoro.

ZAPATERO (Acercándose.) –¿Y qué más?

ZAPATERA –Que a pesar de sus cincuenta y tantos años[12], benditísimos[13] cincuenta años, me resulta más juncal y torerillo[14] que todos los hombres del mundo.

ZAPATERO –¡Niña, qué primor[15]! ¡Le quiere usted tanto como yo a mi mujer!

ZAPATERA –¡Muchísimo más!

16. (littér.), ma femme commande au château.
17. rumeur.
18. En coulisses.
19. où accourent tous les messieurs.
20. Fripon, coquin, vaurien, canaille !
21. Elle jette les chaises.
22. se dirigeant vers son petit banc (de savetier).
23. Aventurier !
24. Tu vas voir la vie que je vais te mener !
25. L'Inquisition et les templiers de Rome ne sont rien à côté !
26. l'étoffe de tes robes.
27. ces sous-vêtements de batiste brodée.
28. te voici bien attrapée !
29. mauvaises langues, sales mécréants !
30. se met à sonner.

ZAPATERO –No es posible. Yo soy como un perrito y mi mujer manda en el castillo[16], ¡pero que mande! Tiene más sentimientos que yo (*Está cerca de ella y como adorándola.*)

ZAPATERA –Y no se olvide de decirle que le espero, que el invierno tiene las noches largas.

ZAPATERO –Entonces, ¿lo recibiría usted bien?

ZAPATERA –Como si fuera el rey y yo la reina juntos.

ZAPATERO (*Temblando.*) –¿Y si por casualidad llegara ahora mismo?

ZAPATERA –¡Me volvería loca de alegría!

ZAPATERO –¿Le perdonaría su locura?

ZAPATERA –¡Cuánto tiempo hace que se la perdoné!

ZAPATERO –¿Quiere usted que llegue ahora mismo?

ZAPATERA –¡Ay, si viniera!

ZAPATERO (*Gritando.*) –¡Pues aquí está!

ZAPATERA –¿Qué está usted diciendo?

ZAPATERO (*Quitándose las gafas y el disfraz.*) –¡Que ya no puedo más, zapatera de mi corazón!

(*La ZAPATERA está como loca, con los brazos separados del cuerpo. El ZAPATERO abraza a la ZAPATERA y ésta lo mira fijamente en medio de su crisis. Fuera se oye claramente un runrún[17] de coplas.*)

VOZ (*Dentro.[18]*)   La señora zapatera
al marcharse su marido
ha montado una taberna
donde acude el señorío[19].

ZAPATERA (*Reaccionando.*) –¡Pillo, granuja, tunante, canalla![20] ¿Lo oyes? ¡Por tu culpa!
(*Tira las sillas.[21]*)

ZAPATERO (*Emocionado, dirigiéndose al banquillo[22].*) –¡Mujer de mi corazón!

ZAPATERA –¡Corremundos![23] ¡Ay, cómo me alegro de que hayas venido! ¡Qué vida te voy a dar![24] ¡Ni la Inquisición! ¡Ni que los templarios de Roma![25]

ZAPATERO (*En el banquillo.*) –¡Casa de mi felicidad!

(*Las coplas se oyen cerquísima. Los vecinos aparecen en la ventana.*)

VOCES (*Dentro.*)   ¿Quién te compra, zapatera,
el paño de tus vestidos[26]
y esas chambras de batista
con encaje de bolillos[27]?
Ya la corteja el Alcalde,
Ya la corteja Don Mirlo.
Zapatera, zapatera,
¡zapatera, te has lucido[28]!

ZAPATERA –¡Qué desgraciada soy! ¡Con este hombre que Dios me ha dado! (*Yendo a la puerta.*) ¡Callarse, largos de lengua, judíos colorados[29]! Y venid, venid ahora si queréis. Ya somos dos a defender mi casa, ¡dos!, ¡dos!, yo y mi marido. (*Dirigiéndose al marido.*) ¡Con este pillo, con este granuja!

(*El ruido de las coplas llena la escena. Una campana rompe a tocar[30] lejana y furiosamente.*)

Telón, y fin de la obra.

FEDERICO GARCÍA LORCA, *La zapatera prodigiosa*, 1930.

Comprender

Comentar

1 ¿De qué recurso teatral se vale el autor en este fragmento? Destaca la importancia del procedimiento.

2 Precisa las diferentes partes de que consta esta escena y resúmela luego respetando su progresión dramática.

3 Líneas 1 – 7: ¿En qué resulta emocionante la despedida del hombre y de la mujer? ¿Qué impacto tendrá en el zapatero el deseo expresado por la zapatera en la línea 3: «Dios quiera...»? Comenta la habilidad de la pregunta del hombre: «¿qué quiere que le diga si por casualidad me lo encuentro?» (línea 7).

4 Líneas 8 – 16: Analiza detenidamente el diálogo desde una perspectiva teatral: especificidad de la situación, acotaciones escénicas *(indications scéniques)*, juego de los actores. ¿Qué sentimientos y reacciones suscitará en el público esta doble declaración de amor?

5 Líneas 17 – 33: Estudia cómo se prepara el lance *(le coup de théâtre)*. ¿Qué razones determinantes mueven al zapatero a quitarse el disfraz y a revelar su verdadera identidad?

6 Basándote en las acotaciones escénicas comenta la reacción de la mujer y el comportamiento del hombre. ¿Qué nuevo aspecto introduce la copla cantada entre bastidores *(en coulisses)*?

7 Líneas 34 – 53: ¿No resulta sorprendente la reacción de la zapatera si la relacionamos con las palabras que acaba de pronunciar? Compara las exclamaciones de la mujer con las del marido, poniendo de manifiesto su oposición. ¿Qué aumenta el furor de la zapatera? ¿Cuál te parece ser la tonalidad de este final?

Concluir

8 Sabiendo que el zapatero se había fugado de casa harto de las extravagancias de su esposa, valora el desenlace que le da García Lorca a su obra.
El autor la calificó de «farsa violenta». Discute esta definición a la luz de esta escena.

Alto

- *Le subjonctif, verbes de volonté, de désir (gramm. § 52.2) ; expression d'un souhait (gramm. § 52.4).*
- *La subordonnée de condition (gramm. § 53.4).*
- *L'impératif (gramm. § 43.0).*
- *Le passage au discours indirect (gramm. § 55.0).*

Obras

1 «*Dios quiera que* encuentre usted a su mujer» : Par quelle tournure (expression du souhait) peux-tu remplacer la partie soulignée en gras sans modifier la suite de la phrase ? Transforme maintenant en souhaits les phrases infinitives suivantes : *volver pronto el marido de la zapatera – encontrar (la zapatera) de nuevo a su marido – quererse (los esposos) tanto como antes – alegrarse de que haya vuelto su marido.*

2 «*Lo recibiría* **como si fuera** *el rey*» – «**Si llegara** *ahora mismo me volvería loca de alegría*» : Rédige deux phrases incorporant **como si...** et **si...** sur le modèle des deux exemples tirés du texte (principale au conditionnel, subordonnée au subjonctif imparfait).

3 «**Venid** *ahora si queréis*» : D'où est tirée cette forme de l'impératif ? A quelle personne correspond-elle ? Quelle est la valeur de l'infinitif «**Callarse**» dans la phrase qui précède (l. 50) ? Mets ce verbe à l'impératif à la personne correspondante.

4 «*¿Qué quiere que le diga si por casualidad me lo encuentro en mis caminatas?*» (l. 7). Reprends cette interrogation au discours indirect en commençant ainsi : *El zapatero preguntó a la mujer lo que quería que...*

Escuela de caballería de Jerez.

Paola Dominguín, pintora, hija del famoso
torero Luis Miguel.

El soneto a Rosalía

1. *pédante.*
2. desdeñar, *mépriser.*
3. (el acento gallego, ya que la historia pasa en Galicia).
4. *bruine (pluie très fine et persistante).*
5. *étrange, bizarre.*
6. *se moquer.*
7. *jolie.*
8. *de grandes nattes.*
9. *deux rubans.*
10. enamorarse, *tomber amoureux.*
11. *dont la rime me donnait du mal.*
12. *au prix.*
13. *de maladroits hendécasyllabes (vers de 11 syllabes).*
14. *boîteux.*
15. entregar, *remettre.*
16. *prenant mon courage à deux mains.*
17. *un éclat de rire.*
18. *ce benêt.*
19. *un groupe, un cercle.*
20. *hormis une jeune fille.*
21. *jolis, charmants.*
22. *un poète soit né.*
23. *que nous en parlerions plus tard.*
24. *les chevilles (termes de remplissage permettant la rime ou la mesure).*
25. *les maladresses.*
26. *les synalèphes (fusion de deux ou plusieurs syllabes en une seule).*
27. desanimarse, *se décourager.*
28. (autor español clásico del siglo XVII).
29. *je m'y plongeai immédiatement.*

Aquel curso tuvimos una niña nueva, y por el apellido le tocó sentarse junto a mí. Venía de Madrid, era hija de un funcionario importante y resultó bastante sabihonda[1]. Nos desdeñaba[2] ostensiblemente, no por nada, sino porque ella venía de Madrid y nosotros éramos unos provincianos que hablábamos con fuerte acento regional[3]. Era corriente que nos corrigiese y se reía. Le llamaba, al orballo, sirimiri[4], y al pan reseco, pan duro. Nos resultaba rara[5] y un poquito ridícula, pero nadie en público se atrevía a reírse[6] de ella, porque era guapa[7], distinta de las nuestras, que también lo eran, aunque de un modo más local. **Ésta, que se llamaba Rosalía**, tenía el rostro ovalado y moreno, los ojos oscuros, y unas grandes trenzas[8] negras que le caían encima de los pechos y que llevaba siempre atadas con dos lazos[9]. Yo me enamoré[10] de ella inmediatamente.

Mientras el profesor hablaba de los invertebrados, me hallé escribiendo el quinto verso de un soneto cuya consonante se me resistía[11]. Pero el soneto, al fin, salió, a costa[12] de mi ignorancia de ciertas cualidades de los animales superiores. Se titulaba sencillamente A *Rosalía*, y no sólo le perdonaba su ofensa en torpes endecasílabos[13], acaso alguno de ellos cojo[14], sino que, al final, le declaraba mi amor. **Se lo entregué**[15] personalmente, sacando fuerzas de flaqueza[16], y ella lo recibió con una carcajada[17], y se rió más, mucho más, después de haberlo leído. «Mirad, muchachos, lo que me escribió este tonto[18]», y a un corro[19] que congregó a su alrededor le fue leyendo mis versos, y todos se rieron una vez más, cada vez más, si no fue una muchacha[20] de las de siempre, Elvirita, que salió en mi defensa. «¡Pues bien podéis reíros, pero ninguno es capaz de escribir unos versos como éstos!»; y después añadió que los hallaba bonitos[21] y que ya le hubiera gustado que alguien le escribiese a ella una cosa semejante. En la clase de literatura de **aquel día** continuaron las risas, y cuando el profesor preguntó qué nos pasaba, alguien le respondió: «¡Es que Filomeno Freijomil le escribió unos versos de amor a Rosalía!». El profesor no los acompañó en las risas, les respondió que las muchachas bonitas estaban en el mundo para que los adolescentes les escribieran versos de amor, y que le satisfacía que, entre los de su clase, hubiera salido un poeta[22]. Rosalía, sin que **se lo pidiera**, le entregó el papel, y el profesor lo guardó en el bolsillo y, dirigiéndose a mí, me dijo en un tono más que amistoso, tierno, y que le agradecí siempre, que ya hablaríamos[23]. Hablamos, en efecto, al día siguiente, después de terminar las clases. Me preguntó si sería capaz de encontrarle defectos al soneto. Le respondí que sí. Me lo dio, lo fui leyendo y señalando los ripios[24], los tropiezos[25], las sinalefas[26] forzadas, las sílabas de más y las de menos. «Pues no te desanimes[27], porque, a pesar de todo eso, el soneto tiene algo.» Sacó del bolsillo un libro y me lo entregó. «Toma, lee eso y léelo bien; mejor, estúdialo. Te servirá de mucho.» Eran unos sonetos de Lope de Vega[28], y en seguida me enfrasqué en ellos[29].

GONZALO TORRENTE BALLESTER, *Filomeno a mi pesar*, 1988.

Comprender

1 ¿Qué acontecimiento perturbó la «normalidad» del curso *(année scolaire)*?
2 ¿Recuerda el narrador aquella época como algo muy ameno *(agréable)*?

Comentar

3 Líneas 1 – 7: Comenta el sentimiento de superioridad del que hace alarde la recién llega-da. ¿Qué repercusiones tiene entre los alumnos?
4 Líneas 7 – 10: ¿Se explica que muchos años después siga manteniendo el narrador un recuer-do tan vivo y preciso de la niña?
5 Líneas 11 – 19: ¿Qué mirada echa el protagonista sobre las condiciones en las que escri-bió y reveló la existencia del soneto? ¿Qué mensaje encerraba? ¿No sorprenden las reacciones de Rosalía y de la mayoría de los alumnos?
6 Líneas 19 – 26: ¿Quiénes salieron en defensa del chico? ¿Te extraña su actitud?
7 Líneas 26 – 34: ¿Por qué guardó el profesor el papel sin mirarlo? ¿Comprendes el sentimiento de agrado que experimentó entonces Filomeno? Años más tarde, ¿ha desaparecido?

Concluir

8 ¿Es un buen pedagogo el profesor de literatura? Dice un refrán que «No hay mal que por bien no venga» *(A quelque chose malheur est bon)*. ¿Podría servir de moraleja a esta historia?

Alto

- Adjectifs et pronoms démonstratifs *(gramm. § 12.0)*.
- Les pronoms personnels, pronoms compléments de la 3e personne *(gramm. § 14.7)*.
- Le passage du discours direct au discours indirect *(gramm. § 55.0)*.

Obras

1 «*Aquel* curso» – «*aquel* día» – «*ésta*, que se llama Rosalía» : Comment le contexte justifie-t-il l'emploi de ces démonstratifs ? A quoi renvoient-ils ? Emploie-les dans des phrases relatives au texte.
2 «*Se lo* entregué» – «sin que *se lo* pidiera» : Rétablis dans chacun des cas les compléments auxquels renvoient les pronoms. Dans les phrases qui suivent remplace les compléments en gras par des pronoms de la 3e personne : *Yo perdonaba a Rosalía su ofensa – A Elvirita le hubie-ra gustado que alguien le escribiese versos iguales – ¿Quién escribió este verso a Rosalía?*
3 Transpose au discours indirect ce que disent Rosalía (l. 17), Elvirita (l. 19) et le professeur (l. 32 – 33) en commençant ainsi :
– *Rosalía les dijo a los muchachos que…*
– *Elvirita salió en defensa de Filomeno afirmando que…*
– *El profesor aconsejó a su alumno que… y le entregó el libro añadiendo que…*
4 Traduis depuis «*El profesor no los acompañó…*» (l. 24) jusqu'à «*Le respondí que sí*» (l. 30).

Canto a los míos

1. *ici, fatigués.*
2. *hache, houe, flèche, couteau (en basque).*
3. *du néant.*
4. *alzarse, ici, se soulever.*
5. *ici, au garde-à-vous.*
6. *meter el hombro, trimer.*
7. *silencieux.*
8. *(navegante vasco. Fue el primero en dar la vuelta al mundo).*
9. *(a fondé la Compagnie de Jésus en 1530).*
10. *ici, de qualité.*
11. *les pêcheurs (en basque).*
12. *les forgerons.*
13. *ici, travaillant sans relâche.*
14. *des échecs.*
15. *à tout hasard.*

Anuncio publicitario:
«Ven a Aragón,
Aragón por todos los
caminos».

Antes de España, ya **estábamos** los vascos
trabajando entre piedras, trabajados[1]
—*aizkora, aitzur, azkon, aizto*[2]—
sufriendo y **golpeando**
5 **para** salvar las formas posibles de la nada[3],
para ser simplemente frente al inmenso caos,
para llorar espeso como suda la carne,
y alzarnos[4] aún cuadrados[5],
no **por** naturaleza, sino porque luchando
10 nos hicimos quien somos tan santamente sanos.
Antes de España, ya estábamos los vascos
alzados, siempre alzados.
Dentro de España **seguimos trabajando**,
metiendo el hombro[6], callados[7].
15 No invoco aquellos nombres que ya están en la Historia,
ni a Elcano[8] el de Guetaria, ni a Ignacio el de Loyola[9],
y olvido a secretarios
que un día fueron hombres de eficacia y de rango[10].
Yo nombro a los sin nombre,
20 nombro a los *arrantzales*[11] y nombro a los ferrones[12],
nombro al oscuro vasco
que fue y volvió, callando, que insistió dando y dando[13].
Dentro de España **seguimos trabajando**
a pesar de los fracasos[14], por si acaso[15].

GABRIEL CELAYA, *Rapsodia euskara*, 1961.

EDUARDO CHILLIDA,
El peine de los vientos,
San Sebastián, 1977.

Comprender

Comentar

1 Muestra cómo este poema es un homenaje que Gabriel Celaya rinde al pueblo vasco. ¿Qué sentimientos se desprenden del pronombre posesivo que conlleva el título?

2 Después de fijarte en el empleo de los adverbios «antes» y «dentro» señala la articulación temporal que sigue este canto.

3 Versos 1 – 4: Recalca el valor de los gerundios, de las repeticiones y muestra cómo el acento en las aes acrecienta un ritmo entrecortado que se ciñe al propósito del poeta. ¿Por qué introducirá palabras en vascuence? ¿Qué clase de vida reflejan?

4 Versos 5 – 12: ¿Qué efecto surte el empleo de la anáfora «para»? Nota las últimas palabras de los versos 5, 6, 7 (nada, caos, carne). ¿Qué te recuerdan? ¿Qué papel le asigna al vasco primitivo? ¿Cómo explicas la reiteración del verbo «alzar»? Aclárala históricamente.

5 Versos 13 – 14: ¿Qué diferencias adviertes en estos dos versos si los comparas con los dos primeros? ¿Qué matiz añaden? ¿Por qué insistirá el poeta en el verbo «callar» (versos 14 y 22). Fíjate en la fecha de publicación.

6 Versos 15 – 18: Mira lo largos que son los versos 15 y 16. ¿Te parece casual? ¿Cuál será el propósito de Celaya? ¿Por qué cita el poeta a Elcano y a Ignacio de Loyola?

7 Versos 19 – 22: ¿Quiénes serán «los sin nombre»? Analiza el papel de la anáfora del verbo nombrar. ¿En qué medida las repeticiones y las sonoridades sirven las intenciones del poeta? Trata de identificar a ese oscuro vasco que fue y volvió.

8 Versos 23 – 24: ¿Cómo rematan los dos últimos versos el retrato del vasco? ¿Qué entraña el «por si acaso» final?

Concluir

9 ¿Hasta qué punto son complementarios la fotografía del *Peine de los vientos* de Chillida y el poema de Gabriel Celaya?

EUSKAL HERRIKO KIROLAK

Eguneroko nekea, eguneroko borroka, eguneroko ohitura.
Herri bat, gizon batzuk eta bizitza.
Atzo, gaur eta bihar euskaldunak. (I.Perurena)

LANA KIROL BIHURTUA

EL DEPORTE VASCO.

El trabajo de cada día, la lucha de cada día, la costumbre de cada día. Un pueblo, unos hombres, la vida. (I. PERURENA)

EL TRABAJO HECHO DEPORTE.

Aguijar una yunta de bueyes, *aiguillonner une paire de bœufs* – arrastrar una piedra, *tirer un bloc de pierre* – un arrastre – sokatira, *le tir à la corde* – tirar de una cuerda, *tirer sur une corde* – el lanzamiento de palo, *le lancer de barre* – el segador, *le faucheur* – el corte con guadaña – la lucha de carneros – el leñador, *le bûcheron* – cortar troncos a hachazos – aserrar [ie] un tronco – el juego de pelota – el pelotari – el manista, *le joueur à mains nues* – la cesta punta, *le grand chistera* – el frontón – carreras de laias – una laia, *une bêche* – levantamiento de piedras – las carreras de traineras, *les courses de baleinières* – carreras con pesas – los escudos de las provincias vascongadas.

Comentar

1 Ayudándote de la traducción al castellano, ¿qué reflexiones te sugiere el que se imprimiera el cartel sólo en vascuence?

2 ¿Qué recursos gráficos se han empleado?

3 ¿A qué tradiciones remiten estos juegos?

4 ¿Qué imagen de los vascos celebra el cartel, tanto en el texto como en la parte gráfica?

El Camino de Santiago

1. le pèlerin.
2. le bourdon (bâton de pèlerin).
3. lucir, arborer, porter avec fierté.
4. la pèlerine (longue cape de pèlerin).
5. coquillages ; ici, coquilles Saint-Jacques.
6. la calebasse (gourde végétale).
7. invité.
8. apurar el paso, presser le pas.
9. demander l'hospitalité.
10. au frère.
11. au guichet.
12. la coquille Saint-Jacques.
13. qui se sont abattues sur son échine.
14. par signes.
15. tout un groupe.
16. les chaumes de blé.
17. la vid, la vigne.
18. s'épucer.
19. des lanières.
20. s'épouiller.
21. abîmés, malades.

En el siglo XVII, Juan, soldado español, emprendió desde Flandes la peregrinación a Santiago de Compostela. En la noche del verano blanquea la Vía Láctea, el "Camino de Santiago".

Por caminos de Francia va el romero[1], con las manos flacas asidas del bordón[2], luciendo[3] la esclavina[4] santificada por hermosas conchas[5] cosidas al cuero, y la calabaza[6] que sólo carga agua de arroyos. [...] Duerme Juan donde le sorprende la noche, convidado[7] a más de una casa por la devoción de las buenas gentes, aunque cuando
5 sabe de un convento cercano, apura un poco el paso[8], para llegar al toque del Ángelus y pedir albergue[9] al lego[10] que asoma la cara al rastrillo[11]. Luego de dar a besar la venera[12], se acoge al amparo de los arcos de la hospedería, donde sus huesos, atribulados por la enfermedad y las lluvias tempranas que le azotaron el lomo[13] desde Flandes hasta el Sena, sólo hallan el descanso de duros bancos de piedra. [...] En Tours
10 se le juntan dos romeros de Alemania, con los que habla por señas[14]. En el hospital de San Hilario de Poitiers se encuentra con veinte romeros más, y es ya una partida[15] la que prosigue la marcha hacia las Landas, dejando atrás el rastrojo de trigo[16], para encontrar la madurez de las vides[17]. [...]
Y así, caminando despacio, llevando fila de más de ochenta peregrinos, se llega a
15 Bayona, donde hay buen hospital para espulgarse[18], poner correas[19] nuevas a las sandalias, sacarse los piojos[20] entre hermanos, y solicitar algún remedio para los ojos que muchos, a causa del polvo del camino, traen dañados[21].

ALEJO CARPENTIER, Camino de Santiago, in Guerra del tiempo, 1970.

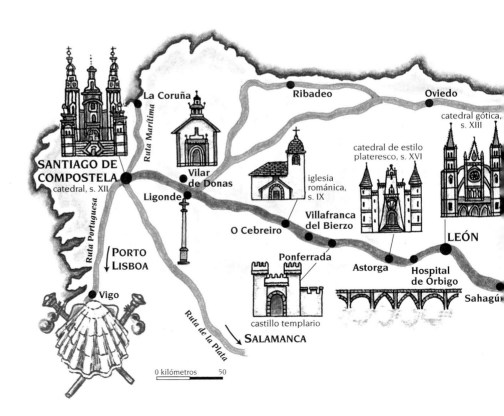

Comentar

1 Lee el texto de introducción y observa el mapa del llamado "Camino francés". ¿Qué tipo de edificios lo jalonan? ¿Sabrías explicar por qué? ¿Cuáles son los principales estilos arquitectónicos de estos monumentos?

2 Ayudándote del texto y de la reproducción del peregrino que lo acompaña, haz el retrato del romero de la Edad Media, vestido de la indumentaria tradicional.

3 "El Pelegrín", personaje creado por el dibujante Luis Carballo en 1993, pretende ser una recreación moderna del peregrino antiguo. ¿Qué procedimientos ha utilizado el artista? Fíjate en el logotipo "Xacobeo 93" y coméntalo.

4 Según el texto de Alejo Carpentier, ¿qué recursos económicos y qué condiciones de vida eran las de Juan a lo largo de su viaje desde Flandes a Santiago?

5 Duración (durée), cansancio (fatigue), enfermedades: ¿de qué modo evoca el autor estos tres temas?

Obras

• Traduis le texte de Alejo Carpentier.

Según la leyenda, el cuerpo del apóstol[1] Santiago llegó a Galicia. En el año 813 sus restos fueron al parecer descubiertos en Santiago de Compostela, donde se erigió una capilla y luego una catedral en su honor. Durante la Edad Media, cientos de miles de peregrinos procedentes de toda Europa acudían todos los años a la ciudad cruzando los Pirineos por Roncesvalles o por el paso[2] de Somport. Aquellas rutas, jalonadas de catedrales, iglesias, posadas[3] y hospitales, son las mismas que siguen los viajeros actuales.

1. l'apôtre. – 2. le col. – 3. d'auberges.

Luis Carballo, *Pelegrín, mascota oficial del Año Santo de 1993.*

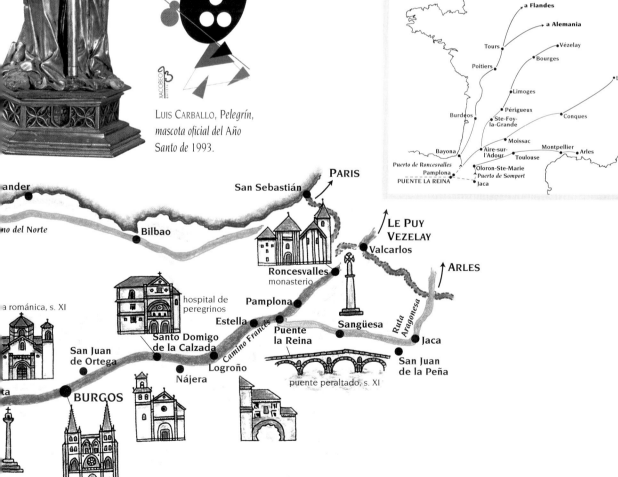

Una larga dictadura

1. La phlébite (maladie).
2. (del año 1974).
3. ludique (cf. jeu).
4. agotar, épuiser.
5. décès.
6. bulles.
7. le Chef, titre officiel réservé à Franco.
8. de Drácula, el famoso vampiro.
9. portée.
10. jouir du.
11. foie.
12. exacerbaient les atteintes infligées par Franco à la dignité du pays.
13. achacar, attribuer.
14. ici, qui remettait à plus tard des engagements.
15. la recherche.
16. les clefs.
17. entregar, livrer.
18. ici, une simple mesure de survie.
19. Moïse.
20. la corbeille.

La flebitis[1] de Franco a comienzos del verano[2] había introducido un elemento lúdico[3] macabro de conversación y orgía. Todavía no estábamos establecidos plenamente en Atzavara, pero ya nos veíamos durante fines de semana prolongados y agotamos[4] las reservas de champán del supermercado de la carretera de la playa, dispuestos a que la noticia del fallecimiento[5] no nos **sorprendiera** sin burbujas[6]. Y en vista de que el Caudillo[7] se resistía a abandonarnos, **fuimos consumiendo** las botellas con una sed histórica un tanto draculina[8], sed que tuvimos que prolongar durante un año y medio porque el dictador decidió no morirse hasta noviembre del año siguiente. Pero **lo importante** era participar en una sensación excitante de que muerto el dictador, nada sería igual y que vivir la putrefacción misma de la dictadura era una ocasión a nuestro alcance[9] que ojalá no **vivieran** las generaciones venideras. Como dijo Dosrius, a veces genial sobre todo cuando parafraseaba:
—Nadie ha sabido **lo que** era gozar del[10] estímulo de su propia impotencia si no ha asistido al entierro lento y absurdo de una larga dictadura omnipotente.
Y en nombre de esa alegría del espíritu pusimos a prueba nuestro hígado[11] y nuestro estómago. Hasta cinco veces llegamos a celebrar el preanuncio de la muerte del dictador y las conversaciones apasionaban los agravios que Franco había cometido contra el país[12] y contra su educación sentimental. Achacaban[13] a Franco el intento de destruir Catalunya y una regresión moral que había condicionado sus infancias y sus adolescencias bajo el peso de una moralidad asfixiante y antinatural. Sobre todos ellos funcionaba el mecanismo solidario del antifranquismo como suprema opción ideológica aplazadora de compromisos[14] políticos más clarificadores. En la investigación[15] de sus propias raíces no iban más allá de las claves[16] culturales de la represión: la represión fascista generalizada, la represión moral derivada de una cultura de clase, la represión educacional e informativa recibida en colegios religiosos. En algunos casos se llegaba a expresar la sorpresa ante el descubrimiento de que habían sido entregados[17] a esa educación represora por unos padres educados en el entusiasmo esperanzado de la República. «Trataban de expiar en nosotros su propio pecado de optimismo y de emancipación», opinaban unos, o bien «Era una simple medida de supervivientes[18]. Como la madre de Moisés[19] cuando lo mete en el canastillo[20], nos metían en la corriente de la represión y la mediocridad para que **salváramos** la vida».

MANUEL VÁZQUEZ MONTALBÁN, *Los alegres muchachos de Atzavara*,1987.

Comprender

1 ¿A qué circunstancias históricas remite el texto?
2 ¿Cómo pasan el tiempo los protagonistas? ¿Quiénes serán?

Comentar

3 Líneas 1 – 13: «El Caudillo se resistía a abandonarnos» – «el dictador decidió no morirse…». ¿Qué tono adopta el narrador al evocar los acontecimientos? ¿Cómo calificarías el ambiente creado? Da tu opinión acerca de la situación y el estado de ánimo de los jóvenes. ¿Cómo entiendes la sentencia de Dosrius?
4 Líneas 14 – 23: ¿Cómo explicas esta repetida y anticipada celebración de la muerte de Franco? ¿Qué reproches le hacen los jóvenes al dictador y en qué medida te parecen justificados? Estudia el vocabulario que usan: ¿no te parece que se trata de una jerga (un jargon)? Justifica tu contestación. Años más tarde, ¿qué opina el narrador, en apariencia, de todo esto? Fíjate en la frase: «Sobre todos ellos… clarificadores» (l. 19) y coméntala.
5 Líneas 24 – 29: ¿Por qué pudo parecer paradójica la actitud de los padres? Pon de relieve la diferencia de educación que recibieron las dos generaciones. Explica y comenta la parábola de Moisés.

Concluir

6 ¿Cómo calificarías la mirada que echa el narrador a esos tiempos pretéritos?

Alto

- La concordance des temps (gramm. § 54.0).
- L'article neutre **lo** (gramm. § 10.0).
- Le déroulement de l'action (gramm. § 49.0).

Obras

1 Relève les emplois du subjonctif imparfait dans le texte (en gras). Comment se justifient-ils ?
a Récris la phrase suivante en mettant les verbes proposés au mode et au temps approprié :
No hace falta que Franco (fallecer) para que los jóvenes (ponerse) a beber champán.
b Transforme cette même phrase en partant des amorces suivantes : *No hacía falta…* – *No hará falta…* – *No haría falta…* Que remarques-tu ?
2 *«Lo importante era participar»* – *«Nadie ha sabido lo que era gozar»* : Traduis ces deux phrases. A la ligne 28 on trouve : *«lo mete en el canastillo».* S'agit-il ici de l'article neutre également ? Justifie ta réponse et dis à quoi renvoie **lo** dans cette phrase.
3 *«Fuimos consumiendo las botellas»* (l. 6). Que souligne ici l'emploi de cette tournure ? Quel est le semi-auxiliaire employé ? Vérifie-le en mettant la phrase au présent depuis le début et jusqu'à *«draculina».* En reprenant des situations évoquées dans le texte écris quatre phrases où tu emploieras des gérondifs accompagnés de différents semi-auxiliaires.
4 Traduis depuis le début du texte jusqu'à *«…del año siguiente»* (l. 8).

JOSÉ LUIS MARTÍN, *Quico quiere ser feliz*, 1987.

Bastar con, *suffire de* – la poli, *les flics* – moler a palos, *ici, matraquer* – melenudo, *chevelu* – desgañitarse, *s'égosiller.*

Comentar

1 ¿A qué época y a qué acontecimientos se refiere Quico en los tres primeros dibujos? ¿En qué tono habla del pasado? ¿Te parece que es buen músico y cantante? Justifica tu contestación estudiando la representación gráfica de la letra y la música de la canción en la segunda viñeta.
2 ¿Quién será el otro personaje? Observa su actitud y la evolución de su semblante. Imagina lo que debe pensar y sentir.
3 ¿Cómo explicas el cambio de encuadre en la cuarta viñeta? ¿Qué efecto produce? ¿Cómo interpretas las palabras del globo?
4 ¿Qué problema ha querido ilustrar el dibujante? ¿Te parece acertada la representación? Di por qué.

EL VAMPIRO DEL CINE DELICIAS

1. *exilé.*
2. indagar un paradero,
   enquêter sur un domicile.
3. *un bossu.*
4. *au quartier.*
5. *restait figée.*
6. *l'écran.*
7. *un sandwich.*
8. desenvolver, *ici, ôter le
   papier.*
9. deslizar, *glisser.*
10. *nouvelles.*
11. tratar, *ici, fréquenter.*
12. *une fripouille.*
13. engañar, *abuser.*
14. un real: *vingt cinq centimes,
    quatre réaux = une peseta.*
15. *un escroc minable.*
16. *un filou.*
17. *elle continuerait à le consulter.*
18. *Comment va-t-il?*
19. *maigre.*
20. atracar bancos, *attaquer
    des banques à main armée.*
21. *mensonges.*
22. *ici, misérable.*
23. *morne.*
24. suceder, *ici, avoir lieu.*

El episodio se sitúa en los años 40, durante los primeros años del franquismo.

En la época en que mi madre y yo aún creíamos que mi padre seguía exiliado[1] en Francia, el inspector Arnedo nos visitaba una vez al mes **indagando** su paradero[2]. El inspector, a veces, me daba una peseta y cincuenta céntimos para ir al cine. Frecuentaba el cine Delicias un jorobado[3] muy pálido al que llamábamos el Vampiro Tito. Pertenecía al barrio[4] pero nadie sabía dónde vivía ni de qué. Un sábado **por la** tarde, **al entrar** en el Delicias, vi al Vampiro Tito con la boca pegada al cuello de mi madre: no llegaba a su oreja. Mi madre permanecía rígida[5] **mirando** la pantalla[6] y yo, me sentí muy inquieto. Vi cómo mi madre le daba al Vampiro un bocadillo[7] envuelto en papel de periódico. El Vampiro lo desenvolvió[8] y empezó a comer sin dejar de deslizar[9] palabras al oído de mi madre. ¿Qué le **estaría contando**? Despúes mi madre se levantó y salió del cine.

Al cabo de un tiempo, cuando el policía Arnedo vino a hacer su inspección de rutina, mi madre le dijo que tenía noticias[10] de mi padre a través de alguien que hacía frecuentes viajes al sur de Francia y trataba[11] a los exiliados: «Ahora lo sé de cierto», dijo mi madre, «vive con la viuda de un camarada muerto hace dos años, pero no son amantes ni nada». El inspector sonrió con pena: «¿Sí? ¿Quién se lo ha dicho, el Vampiro Tito?» «Inspector, no debería llamarlo así, pobre hombre, no hace mal a nadie». «Señora, es un sinvergüenza[12] que engaña[13] a la gente por dos reales[14] o un bocadillo: nunca ha estado en Toulouse ni en ninguna parte, no viaja a Francia ni es amigo de los republicanos exiliados; todo se lo inventa, es un estafador de tres al cuarto[15], un chorizo[16],

y hace mal en escucharle». Mi madre se quedó algo confusa, pero dijo que, de todos modos, tanto si el pobre jorobado decía verdad como mentira, ella **seguiría requiriéndole**[17] siempre que necesitara saber de mi padre. Sólo pensaba en su marido: «Por lo menos», dijo, «hay una mujer que lo cuida».

En cuanto al Vampiro Tito, siempre imaginé que sus confidencias **serían** como películas: medio verdad, medio mentira. **Inventaría** la casa de la viuda donde vivía mi padre allá en Toulouse, el color de los ojos de la viuda, sus cuidados y atenciones, los niños sin padre, la dura vida del exilio, los camaradas y el trabajo... «Pero él sólo piensa en ti y en el chico, en su familia de Barcelona», **diría** el astuto Vampiro. «¿Cómo está de salud?[18]», **preguntaría** mi madre. «Bien, más delgado[19], como todos».

Mucho tiempo después, cuando mi padre ya había regresado a Barcelona y vivía escondido en alguna parte, **conspirando** y **atracando** bancos[20], mi madre **seguía dejándose** engañar **por** el Vampiro Tito en las primeras filas del cine Delicias. ¿Por qué lo hace, me preguntaba yo, cómo puede dar crédito a los reiterados embustes[21] de ese monstruo desdichado[22]? ¿O en realidad no se lo cree? Lo comenté con el capitán Blay, **paseando** un día **por** la ciudad descolorida[23] y gris, la ciudad de los muertos, y el capitán me dijo:

–La idea de que a tu padre lo cuida una mujer en alguna parte tranquiliza a tu madre –y añadió misteriosamente– y, en fin, en un país frustrado, la gente tiende a imaginar cosas que no han sucedido[24].

JUAN MARSÉ, *Colección particular,
El País,* 12/02/1989.

Comprender

1 ¿Quién cuenta este episodio? ¿Qué valor cobra por tanto la narración?
2 ¿Cómo te explicas el empeño del inspector Arnedo en seguir indagando el paradero del marido?

Comentar

3 Líneas 1 – 21: ¿Qué reflexiones te sugieren el retrato y el papel extraño del Vampiro Tito? ¿Qué ambiente supo crear Juan Marsé?
4 Líneas 22 – 47: ¿Qué justificaciones puedes dar de las reacciones de la madre?
5 Líneas 48 – 77: Muestra cómo cambia la opinión del narrador acerca de Vampiro Tito e interpreta las palabras del capitán Blay: «…en un país frustrado la gente tiende a imaginar cosas que no han sucedido».

Concluir

6 ¿Qué nos revela el relato sobre la posguerra y el franquismo?

Alto

- *La valeur des modes : le conditionnel (gramm. § 50.1).*
- *La valeur des temps (gramm. § 45.2).*
- *La préposition **por** (gramm. § 27.5).*

Obras

1 Quelle est la valeur des conditionnels en caractères gras dans le texte ? Si le récit nous était rapporté au présent, quel temps devrais-tu employer ? Transpose dans le contexte du présent le paragraphe 4 (l. 48 – 58).
2 Relève dans le texte trois emplois différents de la préposition **por** et illustre-les par trois phrases inspirées du texte.
3 Traduis depuis «*Mi madre se quedó algo confusa…*» (l. 40) jusqu'à «*…y el trabajo*» (l. 55).

Fotografía de Rafael Roa, 1991. (Reconstrucción para *El País* de una familia bajo el franquismo.)

Comentar

1 ¿A quién representa la foto? ¿Te resulta natural la pose?
2 ¿Por qué habrá retratado el fotógrafo a esta familia debajo de un crucifijo y del retrato de Franco?
3 ¿En qué medida la composición piramidal refleja la sociedad ideal franquista? ¿Quién ocupa la base? Mira detenidamente la postura del marido. ¿Con quién podemos compararlo?
4 Fíjate en los rostros y en las prendas de vestir: ¿qué reflexiones te sugieren?
5 ¿Compartes los valores que se desprenden de la foto? Justifica tu opinión.

Francisco de Goya, ¡*Qué sacrificio!* (*Los Caprichos*), 1799. Grabado.

La petición de mano, *la demande en mariage* – el pretendiente – jorobado, *bossu* – patituerto, *bancal* – feo, *laid* – una mirada concupiscente – el asco, *le dégoût* – repelente, *repoussant* – caricaturizar – caricaturesco – la complicidad, *la complicité* – una infamia – taparse los ojos – la desesperación, *le désespoir*.

Comentar

1 Aclara las correspondencias que existen entre el texto *Un novio para la niña* (p. 83) y el grabado de Goya.

2 Comenta las posturas y actitudes de cada protagonista (el pretendiente, la novia, el padre, el señor cura, la madre): ¿qué sentimientos traducen?

3 Estudia la habilidad del artista para la caricatura y su arte para la denuncia, poniéndola en relación con el título de la obra.

Un novio para la niña

1. (ciudad al norte de la isla de Cuba, que aún era española en aquel tiempo).
2. (ciudad española imaginaria donde se desarrolla la novela, cuyo modelo fue la Oviedo de fines del siglo XIX).
3. *onces d'or.*
4. *ici, au prix de mille difficultés.*
5. *toute l'aisance souhaitable.*
6. *nos ressources.*
7. (la madre de Ana era una humilde modista).
8. *un refus.*
9. *la prise de voile.*
10. *l'ordre formel.*
11. *ici, répandre le venin.*
12. *une sorcière.*
13. *la flamme.*
14. *des hurlements.*

Fueron las tías quienes descubrieron un novio para la niña. El nuevo pretendiente era el americano deseado y temido, don Frutos Redondo, procedente de Matanzas[1] con cargamento de millones. **Venía dispuesto** a edificar el mejor chalet de Vetusta[2], a tener los mejores coches de Vetusta, a ser diputado por Vetusta y a casarse con la mujer más guapa de Vetusta. Vio a
5   Anita, le dijeron que aquélla era la hermosura del pueblo y se sintió herido de punta de amor. Se le advirtió que no le bastaban sus onzas[3] para conquistar aquella plaza. Entonces se enamoró mucho más. Se hizo presentar en casa de las Ozores y pidió a doña Anuncia la mano de la sobrina.
Después doña Anuncia se encerró en el comedor con doña Águeda, y terminada la conferencia
10   compareció Anita. Doña Anuncia se puso en pie al lado de la chimenea seudofeudal: dejó caer sobre la alfombra *La Etelvina*, novela que había encantado su juventud, y exclamó:
–Señorita… hija mía: ha llegado un momento que puede ser decisivo en tu existencia. (Era el estilo de *La Etelvina*.) Tu tía y yo hemos hecho por ti todo género de sacrificios; ni nuestra miseria, a duras penas[4] disimulada delante del mundo, nos ha impedido rodearte de todas
15   las comodidades apetecibles[5]. La caridad es inagotable, pero no lo son nuestros recursos[6]. Nosotras no te hemos recordado jamás lo que nos debes (se lo recordaban al comer y al cenar todos los días), nosotras hemos perdonado tu origen, es decir, el de tu desgraciada madre[7], todo, todo **ha sido** aquí **olvidado**. Pues bien, todo esto lo pagarías tú con la más negra ingratitud, con la ingratitud más criminal, si a la proposición que vamos a hacerte **contestaras**
20   con una negativa[8]… incalificable.
–Incalificable –repitió doña Águeda–. Pero creo inútil todo este sermón –añadió– porque la niña saltará de alegría en cuanto **sepa** de lo que se trata.
–Eso quiero; saber en qué puedo yo servir a ustedes a quienes tanto debo.
–Todo.
25   –Sí, todo, querida tía.
–Como supongo –prosiguió doña Anuncia– que ya no te **acordarás** siquiera de aquella locura del monjío[9]…
–No señora…
–En ese caso –interrumpió doña Águeda– como no querrás quedarte sola en el mundo el día
30   que nosotras **faltemos**…
–Ni tendrás ningún amorcillo oculto, que sería indecente…
–Y como nosotras no podemos más…
–Y como es tu deber aceptar la felicidad que se te ofrece…
–Te morirás de gusto cuando **sepas** que don Frutos Redondo, el más rico del Espolón, ha
35   pedido hoy mismo tu mano.
Ana, contra el expreso mandato[10] de sus tías, no se murió de gusto. Calló; no se atrevía a dar una negativa categórica.
Pero doña Anuncia no necesitó más para dar rienda suelta al basilisco[11] que llevaba dentro de sus entrañas. Su sombra en las sombras de la pared, parecía ahora la de una bruja[12]
40   gigantesca; otras veces, multiplicándose por los saltos de la llama[13] y por los saltos y contorsiones de la vieja, figuraba todo el infierno desencadenado; había momentos en que la sombra de la señorita de Ozores tenía tres cabezas en la pared y tres o cuatro en el techo, y se diría que de todas ellas salían gritos y alaridos[14], según lo que vociferaba doña Anuncia sola. Doña Águeda misma estaba horrorizada.

Leopoldo Alas "Clarín", *La Regenta*, 1884.

Comprender

1 ¿Qué revela la primera frase del texto acerca de los casamientos en aquella época?
2 ¿Quién es Don Frutos Redondo? ¿Te parece el novio más indicado para Ana?

Comentar

3 Líneas 1 – 7: Analiza el comportamiento y la personalidad del indiano fijándote en particular en la acumulación de adjetivos y superlativos. Aprecia el humorismo de la frase: «Entonces se enamoró mucho más».
4 Líneas 7 – 11: ¿Cómo sugiere el novelista la rapidez de la decisión de las dos tías y cómo interpretas su precipitación?
5 Líneas 12 – 20: ¿En qué se fundamenta la demostración de doña Anuncia?
6 Líneas 21 – 35: ¿Qué elementos estilísticos permiten decir que se trata más de una serie de recriminaciones que de un verdadero diálogo entre las tías y la sobrina?
7 Líneas 36 – 37: Aprecia y justifica la reacción de Ana ante la petición de mano.
8 Líneas 38 – 44: ¿Cuál será el propósito del novelista con esta metamorfosis de doña Anuncia?

Concluir

9 ¿Bajo qué forma se manifiestan a lo largo del texto el egoísmo y la maldad de las tías? ¿Qué reflexiones te inspiran?

Alto

- *Semi-auxiliaire + participe passé (gramm. § 46.2 et 47.0).*
- *Ser et estar + participe passé (gramm. § 33.4).*
- *Le mode subjonctif, différents emplois (gramm. § 53.3 et 53.4).*
- *La valeurs des temps (gramm. § 45.2).*

Obras

1 *«Venía dispuesto a edificar el mayor chalet de Vetusta»* : Remplace **venir** par un autre verbe. **Venir** introduit-il une nuance ?
2 *«Todo ha sido aquí olvidado. Doña Águeda misma estaba horrorizada»* : Précise les valeurs respectives, ici, de **ser** et **estar** suivis du participe passé.
3 Justifie les emplois suivants du subjonctif : *«Todo esto lo pagarías tú con la más negra ingratitud, si a la proposición que vamos a hacerte **contestaras** con una negativa»* – *«La niña saltará de alegría en cuanto **sepa** de lo que se trata»* – *«El día que nosotras **faltemos**…»* – *«Te morirás de gusto cuando **sepas**».*
4 Mets au temps et au mode qui conviennent l'infinitif entre parenthèses : *Si **(tener)** algún amorcillo (amourette) oculto sería indecente.*
5 *«Como supongo que ya no te **acordarás** siquiera de aquella locura del monjío».* Quelle est la valeur de ce futur ? Connais-tu une tournure équivalente ? Traduis la phrase.
6 Traduis depuis *«Tu tía y yo hemos hecho…»* (l. 13) jusqu'à *«…incalificable»* (l. 20).

RANCISCO DE GOYA, *El dos de mayo de* 1808, 814. Óleo sobre lienzo, 266 x 345 cm. Museo del Prado, Madrid.

La insurrección – la rebelión – las cimitarras de los mamelucos, *les cimeterres des mamelouks* – el turbante, *le turban* – el sable del coracero, *le sabre du cuirassier* – clavar un puñal, *planter un poignard* – acuchillar, *frapper avec une arme blanche* – disparar a quemarropa, *tirer à bout portant* – arrojarse a, *se jeter sur* – la sangre derramada, *le sang répandu* – el cadáver – la pelea encarnizada, *le combat acharné* – el vocerío de la turbamulta, *les cris de la foule* – los alaridos de los heridos, *les hurlements des blessés.*

Las causas de la sublevación

Tras la derrota de Trafalgar (1805), Napoleón obtuvo de Godoy, privado (*favori*) de Carlos IV, la autorización para que sus tropas cruzaran España con el pretexto de ir a sorprender a los ingleses en Portugal. En poco tiempo un ejército francés se adueñó de las principales bases estratégicas españolas. Esto provocó el malestar del pueblo y fue uno de los motivos del motín de Aranjuez (1808) dirigido especialmente contra Godoy. Carlos IV abdicó en favor de su hijo Fernando VII. Pero Napoleón le obligó a que devolviera la corona a su padre quien a su vez cedió todos los derechos a José Bonaparte. Conocedor de estos hechos y humillado por las continuas provocaciones de las tropas francesas, el pueblo madrileño se sublevó el 2 de mayo de 1808. Con esta rebelión se inició la llamada Guerra de la Independencia (1807-1813). La lucha fue encarnizada porque el ejército francés tuvo que enfrentarse a todo un pueblo enfurecido: un ejército regular que no estaba preparado contra la técnica de guerrilla utilizada por los madrileños. Los mamelucos, ensañados guerreros de las antiguas milicias egipcias que Napoleón había integrado a su ejército, estuvieron a la altura de su fama. Hubo que lamentar por ambas partes numerosísimas víctimas antes de que el ejército de Napoleón se hiciera amo de la calle.

Pero no acabó ahí la matanza. En la madrugada del 3 de mayo las tropas francesas organizaron una terrible y sistemática represión que desembocó en ejecuciones masivas: los fusilamientos de la Moncloa. Éstos inspiraron a Goya el cuadro *El tres de mayo* reproducido en la página 87.

Comentar

1 ¿Qué famoso episodio histórico representa aquí Goya? Recuerda brevemente el acontecimiento.

2 Identifica a los protagonistas y el bando al que pertenecen. Descríbelos insistiendo en los ademanes y actitudes.

3 Estudia la composición: ¿están representados frente a frente los enemigos? Observa cuidadosamente las posturas de los soldados de Napoleón y su sucesión en el lienzo; ¿no te parece que Goya anuncia ya su ineluctable derrota? Fíjate en el mameluco herido en el centro. ¿Qué valor expresivo y simbólico cobra su figura *(sa silhouette, son corps)*?

4 ¿De qué recursos se vale Goya para dar una impresión de movimiento? Estudia la variedad de las posturas, la sucesión de los términos, la presencia de los caballos y la amplia gama de colores. ¿Cómo se combina el plano horizontal con el vertical?

5 ¿No te parece que se oye el ruido del combate? Imagínalo refiriéndote a lo que ves. ¿Qué atmósfera se desprende del lienzo? Goya lo pintó cuando ya España había recobrado su independencia: ¿qué quiso conmemorar exactamente? ¿Qué valor simbólico adquiere el episodio?

La batalla de los Arapiles[1]

1. (julio de 1812. Victoria
   decisiva de los españoles
   en la Guerra de
   Independencia).
2. internarse, *s'enfoncer*.
3. presenciar, *assister à*.
4. *ici, insensées*.
5. caras.
6. *aigle (emblème de Napoléon)*.
7. *chiffon*.
8. *serpillière*.
9. como si.
10. fregar, *récurer*.
11. *guenille*.
12. *la foule, la populace*.
13. *bandes*.
14. *ici, teinte*.
15. *ici, un amalgame*.
16. *quatre mètres environ*.
17. agarrar, *empoigner*.
18. asir, *saisir*.
19. *la hampe*.
20. dispararse, *faire feu*.
21. *des serres qui agrippaient*.
22. Suplicio.

Napoleón ha instalado a su hermano José en el trono de España. El pueblo español se ha sublevado dando comienzo a la Guerra de Independencia. Las tropas inglesas y portuguesas luchan al lado del pueblo español.

Con unos cuantos portugueses e ingleses me interné[2] tal vez más de lo conveniente en el seno de la desconcertada y fugitiva infantería enemiga. Por todos lados presenciaba[3] luchas insanas[4] y oía los vocablos más insultantes de aquellas dos lenguas que peleaban con sus injurias como los hombres con las armas. En aquella confusión de gritos, de brazos alzados,
5 de semblantes[5] infernales, de ojos desfigurados por la pasión, vi un águila[6] dorada puesta en la punta de un palo, donde se enrollaba inmundo trapo[7] una arpillera[8] sin color, **cual si**[9] **con ella se hubieran fregado**[10] todos los platos de la mesa de todos los reyes europeos. Devoré con los ojos aquel harapo[11], que en una de las oscilaciones de la turba[12] fue desplegado por el viento y mostró una N que había sido de oro y se dibujaba sobre tres fajas[13]
10 cuyo matiz[14] era un pastel[15] de tierra, de sangre, de lodo y de polvo. Todo el ejército de Bonaparte se había limpiado el sudor de mil combates con aquel pañuelo agujereado que **ya no** tenía forma ni color.

Yo vi aquel glorioso signo de guerra a una distancia como de cinco varas[16]. Yo no sé lo que pasó: yo no sé si la bandera vino hasta mí, o si yo corrí hacia la bandera. **Si creyese** en
15 milagros, creería que mi brazo derecho se alargó cinco varas, porque sin saber cómo, yo agarré[17] el palo de la bandera, y lo así[18] tan fuertemente que mi mano se pegó a él y lo sacudió y quiso arrancarlo de donde estaba. Tales momentos no caben dentro de la apreciación de los sentidos. Yo me vi rodeado de gente; caían, rodaban, unos muriendo, otros defendiéndose. Hice esfuerzos para arrancar el asta[19], y una voz gritó en francés:
20 –Tómala.

En el mismo segundo una pistola se **disparó**[20] sobre mí. Una bayoneta **penetró** en mi carne; no supe por dónde, pero sí que **penetró**. Ante mí **había** una figura lívida, un rostro cubierto de sangre, unos ojos que **despedían** fuego, unas garras que **hacían** presa en[21] el asta de la bandera y una boca contraída que **parecía iba** a comerse águila, trapo y asta, y a comerme
25 también a mí. Yo **no vi más**; **sólo sentí** que en **aquel** rodar veloz **llevaba** el águila fuertemente cogida entre mis brazos.

¡Tormento[22] mayor **no** lo experimenté **jamás**! Éste se acabó cuando perdí toda noción de existencia. La batalla de los Arapiles concluyó, al menos para mí.

BENITO PÉREZ GALDÓS, *La batalla de los Arapiles*, 1876.

Comprender

1 Precisa qué guerra evoca el episodio y cuáles son los bandos contrarios.
2 ¿Qué intenta hacer el personaje-narrador durante esta batalla? Finalmente, ¿se sale con la suya *(parvient-il à ses fins)*? Valora el alcance simbólico de su actuación.

Comentar

3 Líneas 1 – 12: ¿En qué momento de la contienda nos encontramos? ¿De qué recursos se vale el narrador para evocar la violencia de la lucha? ¿Te parece que se puede hablar de una descripción de la batalla? Apunta todos los términos despectivos *(péjoratifs)* que se refieren a la bandera y explica la metáfora continuada. ¿Qué valor simbólico cobra el combate?
4 Líneas 13 – 20: ¿En qué estado se encuentra el héroe? Comenta los recursos rítmicos: repeticiones, acumulaciones, etc. y destaca el efecto que producen en el lector. Observa cómo la mano parece ir adquiriendo vida propia y explica lo expresivo de esta animación.

5 Líneas 21 – 28: ¿Cómo se sugiere la inconsciencia del protagonista? ¿Qué procedimientos contribuyen a crear una atmósfera de pesadilla *(cauchemar)*?

6 ¿Nos presenta la batalla Galdós como lo haría un historiador o un militar? Justifica tu contestación.

Concluir

Alto

Obras

- *Le subjonctif, emplois différents du français (gramm. § 53.0).*
- *Prétérit et imparfait de l'indicatif (gramm. § 45.0).*

1 Relève les deux emplois du subjonctif *«se hubieran fregado»* (l. 7) et *«Si creyese»* (l. 14) et explique-les. Complète les amorces suivantes en t'inspirant des situations évoquées dans le texte : *Los soldados luchaban como si... – No habría sido capaz de luchar con tanto ardor si... – Se dirigió hacia la bandera cual si...*

2 *«Tómala»* (l. 20). Mets cet ordre à la forme négative et indique ce que tu observes. Emploie ensuite le style indirect : *«Una voz gritó en francés que...»*. Quelles transformations remarques-tu ?

3 Justifie les emplois du prétérit et de l'imparfait de l'indicatif dans l'avant-dernier paragraphe *«En el mismo...»* (l. 21) jusqu'à *«...mis brazos»* (l. 26). Récris ce paragraphe en mettant au pluriel les sujets qui sont au singulier : *«En el mismo momento varias pistolas...»*.

4 Traduis depuis le début du texte jusqu'à *«...con las armas»* (l. 4).

FRANCISCO DE GOYA, *El tres de mayo de* 1808, 1814.
Óleo sobre lienzo, 266 x 346 cm. Museo del Prado, Madrid.

Comentar

El pelotón de ejecución – apuntar a, *viser* – el farol, *la lanterne* – el contraluz, *le contre-jour* – la postura, la actitud – el fraile, *le moine* – la sangre derramada, *le sang répandu* – llevarse las manos a la cara, *se cacher le visage dans les mains*.

1 Recuerda brevemente los acontecimientos históricos a los que se refiere aquí Goya (p. 85).

2 ¿Qué sentimientos te inspira este cuadro?

3 Estudia cómo la luz estructura la composición, oponiendo paisanos *(civils)* y soldados. Analiza los contrastes entre los dos grupos (postura, expresión, individualización).

4 Describe al hombre de la camisa blanca: fíjate en el lugar que ocupa dentro de la composición general, en la expresión de su cara, en su actitud. ¿Qué dimensión le confiere el pintor?

5 El mensaje de este lienzo supera su circunstancia histórica: precísalo y muéstralo.

No le va a resultar fácil a Napoleón

1. *Les habitués.*
2. *ici, invérifiable.*
3. *émeutes.*
4. *Percés de coups de lance.*
5. *leurs hauts bonnets et leurs dolmans (vestes).*
6. el pueblo bajo.
7. la reja, *la grille.*
8. *pavées.*
9. *escortées.*
10. *les portefaix (porteurs).*
11. *les gagne-petit qui hantent les porches des églises et les marchés.*
12. (ant. residencia real al N. de Madrid, cuartel general de Murat.)
13. *Une lanterne.*
14. *un troupeau.*
15. *dépenaillés.*
16. *courbés sur.*
17. *s'effondrer.*
18. *recroquevillés.*
19. *Ça se complique.*
20. *Bandes.*
21. *groupe.*
22. *tromblons à canon évasé.*
23. *buissons.*
24. *comme si on avait donné un coup de pied dans une fourmilière.*

Estamos en un café de París.

Los contertulios[1] del café cambiaban. Siempre aparecían otros con otras noticias. Cada una más increíble y más inabarcable[2]. **Estaba preso** el Papa. **Había sido ocupada** Roma. La familia real española **estaba secuestrada** por Bonaparte en Bayona. Una comedia de abdicaciones tenía lugar en Bayona. Hasta que, de pronto, la corona aparecía como por truco de magia en la cabeza de José Bonaparte. Ayer rey de Nápoles, hoy de España, mañana Dios sabe de dónde.

Comenzaron a llegar noticias de motines[3] y protestas. Gentes oscuras asaltaban soldados franceses en las calles de Madrid. Alanceados[4] como toros caían a tierra con sus altos gorros y sus dolmanes[5] rojos. Las mujeres, los chisperos[6], la gente de barrio disparaban sus armas de aventura desde azoteas, fosos y ventanas enrejadas[7]. **Se oían disparos** y galopes de caballos en las calles empedradas[8]. Berlinas ligeras pasaban escoltadas[9] por pelotones de caballería. «Los españoles quieren a su rey Fernando y no van a aceptar al francés. Va a correr mucha sangre.» El mismo contertulio del mismo día u otro de la semana posterior, casi con la misma cara y con el mismo acento, que llegaba de Bayona o de Perpiñán, añadía: «**Recogen** a toda la gente sospechosa, a los mozos de cuerda[10], a los ganapanes de atrio de iglesia y de plaza[11] y los **llevan** en la noche a fusilar a la Moncloa[12]». Un farol[13] en la tierra de la cuesta, un bosque en sombras, una manada[14] de presos desgarrados[15] y maldicientes y un pelotón de soldados franceses, doblados hacia[16] la boca de sus fusiles, hacia el racimo de manos al aire y de ojos de odio que los enfrentaban, para desplomarse[17] al golpe de la descarga sobre los torcidos[18] cuerpos ya caídos y la sangre fresca de matadero.

Se habían creado Juntas de rebelión y de desobediencia al francés. Más tarde **fue** la noticia de que los ingleses llegaban a Portugal para apoyar el alzamiento popular. «Esto se enreda[19], amigo. **No** le va a resultar fácil a Don Napoleón someter a los españoles.» «No **se puede hacer** todavía la guerra pero **se hace** la guerrilla.» Partidas[20] no más grandes que una cuadrilla[21] de contrabandistas, salían con sus cuchillos y sus trabucos bocones,[22] de los matorrales[23] de los caminos. Mataban a los franceses y huían. «Es **como si se hubiera** alborotado un hormiguero[24], se lo digo yo.»

Arturo Uslar Pietri, *La isla de Róbinson*, 1981.

Comprender

1 Aclara las circunstancias históricas evocadas en esta página.

Comentar

2 Líneas 1 – 6: ¿Qué ambiente reinaba en los cafés de París en aquella época agitada?
3 Líneas 7 – 12: ¿Qué características del levantamiento destacan estas líneas? ¿Qué papel relevante desempeñó el pueblo llano *(le petit peuple)* contra el invasor extranjero?
4 Líneas 12 – 20: ¿De qué forma se ejerció la represión napoleónica?
5 Líneas 21 – 27: ¿Cómo se iba a resistir al invasor? Elucida la táctica de la guerrilla.

Concluir

6 ¿Qué visión de la Guerra de la Independencia transmite este texto?
7 Relaciona el fragmento de Uslar Pietri con los cuadros de Goya: *El dos de mayo* y *El tres de mayo* de 1808 (pp. 85 y 87).

Alto

- *Les emplois de **ser** et de **estar** (gramm. § 33.0).*
- *Les équivalents de **on** (gramm. § 17.0).*
- *Les pronoms personnels (gramm. § 14.2 et 14.7).*

Obras

1 Repère dans cette page les phrases où apparaissent **ser** et **estar** et justifie leur emploi. Dans les exemples suivants, ajoute le verbe sous-entendu : *Cada noticia… increíble – La corona… en la cabeza de José Bonaparte – Ayer… rey de Nápoles – Los soldados franceses… alanceados como toros por gentes oscuras.*

2 Relève les équivalents de «**on**» et justifie leur emploi.

3 «*Se lo digo yo*» : Traduis cette phrase. Pourquoi le pronom personnel sujet est-il ici exprimé ? A quoi renvoient respectivement **se** et **lo** ?

4 Traduis depuis «*Se habían creado Juntas…*» (l. 21) jusqu'à la fin du texte.

Fiesta de toros en España o el matador corso en peligro, 1808.
Aguafuerte sobre cobre, 349 x 244 cm. Col. particular.

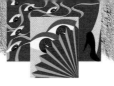

 # La Menegilda (*Habanera*)

1. *(fam.), se débrouiller.*
2. *elle finira à l'hospice.*
3. *(fam.), à merveille.*
4. *laver, récurer.*
5. *aussitôt.*
6. *(fam.), rogner sur les dépenses, carotter.*
7. *Je devins si habile.*
8. *Il vous suffit de réfléchir un peu.*
9. *figurado (imaginado).*
10. *(fam.), le fric.*
11. *tres duros.*
12. *ce que j'avais en trop.*
13. *(pop.), militar.*
14. *echar, mettre à la porte.*
15. *mon livret de domestique.*
16. *un farmacéutico.*
17. *(fam.), gâteux.*
18. *c'est moi la patronne.*

I

Pobre chica
la que tiene que servir.
Más valiera
que se llegase a morir.
5 Porque si es que no sabe
por las mañanas brujulear[1],
aunque mil años viva
su paradero es el hospital[2].

Cuando yo vine aquí
10 lo primero que al pelo[3] aprendí
fue a fregar[4], a barrer,
a guisar, a planchar y a coser,
pero viendo que estas cosas
no me hacían prosperar
15 consulté con mi conciencia
y al punto[5] me dijo: «Aprende a sisar[6]».
Salí tan mañosa[7], que al cabo de un año
tenía seis trajes de seda y satén.
A nada que ustedes discurran un poco[8]...
20 ya saben o al menos
se lo han figurao[9]
de dónde saldría...
para ello el parné[10].

II

Yo iba sola
25 por la mañana a comprar,
y me daban
tres duros para pagar;
y de sesenta reales[11]
gastaba treinta, o un poco más,
30 y lo que me sobraba[12]
me lo guardaba un «melitar»[13].

Yo no sé cómo fue
que un domingo después de comer,
yo no sé qué pasó
35 que mi ama a la calle me echó[14].
Pero al darme el señorito
la cartilla[15] y el parné,
me decía por lo bajo:
«Te espero en Eslava tomando café».
40 Después de este lance serví a un boticario[16].
serví a una señora que andaba muy mal;
me vine a esa casa y allí estoy al pelo,
pues sirvo a un abuelo
que el pobre está lelo[17],
45 y yo soy el ama[18]...
y punto y final.

FEDERICO CHUECA,
La Gran Vía (Zarzuela), 1886.

Comprender

1 ¿Quién es la Menegilda y qué nos cuenta de su historia? Señala las diferentes etapas.

Comentar

2 Versos 1 – 8: ¿De qué manera introducen estos versos el relato que sigue?
3 Versos 9 – 23: ¿A qué evolución del carácter de la protagonista asiste el espectador? Fíjate por ejemplo en los versos 15 y 16.
4 Versos 24 – 31: ¿De qué mañas *(astuces)* se valía la Menegilda para «sisar»? ¿Cómo lo cuenta?
5 Versos 32 – 46: Completa el retrato de la protagonista destacando cómo se va afirmando su personalidad.

Concluir

6 ¿En qué tradiciones arraigan *(s'enracinent)* la figura de la Menegilda, su habla y su vida?
7 Esta canción es muy popular en España. ¿Te parece justificado?

Cartel para la zarzuela *El Puñao de Rosas* de RUPERTO CHAPÍ, 1902. Litografía, 330 x 260 mm. Instituto Complutense de Ciencias Musicales, Madrid.

Cartel para la opereta *La Gran Vía* de FEDERICO CHUECA, 1886. Litografía a pluma, 338 x 255 mm. Biblioteca de la Real Academia de Bellas Artes de San Fernando, Madrid.

BARTOLOMÉ ESTEBAN MURILLO, *Dos mujeres a la ventana*, 1655/60. Óleo sobre lienzo, 124 x 104 cm. National Gallery, Washington.

Comprender

1 Describe este cuadro insistiendo en su composición y su carácter anecdótico.

2 ¿Qué sugieren las posturas, expresiones y vestidos de ambos personajes?

Comentar

3 Destaca el papel pictórico de la luz así como sus juegos con la sombra. Aprecia la sobriedad de los medios empleados.

4 Fíjate ahora en las miradas y expresiones. Caracteriza a cada personaje. ¿Qué tonalidad se desprende del conjunto?

5 ¿A quién van dirigidas las miradas? ¿A alguien que está pasando?, ¿a nosotros? Haz algunas hipótesis.

Concluir

6 Aprecia la ambigüedad que rodea a las dos mujeres. ¿No se desprende del cuadro cierta picardía?

Romance de la Filomena

1. *un compliment galant.*
2. *que des corbeaux lui crèvent les yeux / et que des aigles lui arrachent le cœur.*
3. *mes troupeaux.*
4. *ramènent sa dépouille.*
5. *il frappe à la porte.*
6. *un petit lapin.*
7. *très pâle.*
8. *ces clé perdues fussent-elles en argent / je te les ferai faire en or.*
9. *orge.*
10. *mon portemanteau.*

Estaba la Filomena
sentadita en su balcón
y al pasar un caballero
un requiebro[1] le tiró.

5 Usted gran caballero
ahora tiene la ocasión
mi marido está de caza
en los Montes de León.

Y ahora para que no vuelva
10 le echaré la maldición:
cuervos le saquen los ojos
águilas el corazón[2];

Los perros de mis ganados[3]
le traigan en procesión[4].
15 Aún no había dicho esto
y él a la puerta picó[5].

¡Ábreme la puerta luna
ábreme la puerta sol!
que te traigo un conejito[6]
20 de los Montes de León.

Bajaba por la escalera mudadita
mudadita de color[7].
¿Tú estás turbada de vino
o tú tienes nuevo amor?

25 Ni estoy turbada por vino
ni yo tengo nuevo amor
se me han perdido las llaves
las llaves del corredor.

Si las perdieras de plata
30 de oro te las haré yo[8]
que el orero está en la plaza
el platero en el mesón.

¿De quién es ese caballo
que cebada[9] me pidió?
35 Tuyo maridito mío
que te lo he comprado yo.

¿De quién es ese sombrero
que en mi percha[10] se colgó?
¡Mátame marido mío
40 que estoy viviendo a traición.

Anónimo, siglo XVI.

Comprender
Comentar

1 Resume la historia contada por este romance.

2 Estrofas I y II: Examina esta escena de galanteo. ¿Quién la protagoniza? Destaca el contraste entre la apariencia de la mujer («sentadita») y su pronta reacción.
3 Estrofas III y IV: ¿De qué es reveladora la maldición que le echa la Filomena a su marido? ¿Surtió el efecto deseado? Aprecia el dramatismo que se crea con el lance imprevisto.
4 Estrofa V: ¿Cómo sugiere el poeta lo apurado de la situación en la que se halla la señora?
5 Estrofas VI, VII y VIII: Examina cómo logra la Filomena salirse de los sucesivos aprietos *(mauvais pas)*. ¿Qué visión se nos da del marido?
6 Estrofas IX y X: ¿Cómo consigue el poeta intensificar el dramatismo? ¿Cuál es el desenlace? Coméntalo.

Concluir

7 ¿Qué imagen de la mujer nos brinda este poema? ¿No se habrá compuesto con fines moralizantes?

El burlador[1] de Sevilla

ALEXANDRE EVARISTE FRAGONARD, *Don Juan y el Comendador*, Musée des Beaux-Arts de Strasbourg

1. *Le trompeur, l'abuseur.*
2. *Ainsi, tout deviendra réalité : mon bonheur, tes promesses et tes engagements, tes attentions et ton empressement, ton amour et ta flamme.*
3. *soit témoin.*
4. *jouir.*
5. *matar, ici, éteindre.*
6. *A l'aide !*
7. *misérable.*
8. *Au nom du Roi, à moi !*
9. *un chandelier allumé.*

Sala en el palacio del rey de Nápoles.
Es de noche. Aparecen dos siluetas.

ISABELA
Duque Octavio, por aquí
podrás salir más seguro.

DON JUAN
Duquesa, de nuevo os juro
de cumplir el dulce sí.

ISABELA
5 ¿Mis glorias serán verdades,
promesas y ofrecimientos,
regalos y cumplimientos,
voluntades y amistades?[2]

DON JUAN
Sí, mi bien.

ISABELA
Quiero sacar
10 una luz.

DON JUAN
Pues ¿para qué?

ISABELA
Para que el alma dé fe[3]
del bien que llego a gozar[4].

DON JUAN
Mataréte[5] la luz yo.

ISABELA
¡Ah, cielo! ¿Quién eres, hombre?

DON JUAN
15 ¿Quién soy? Un hombre sin nombre.

ISABELA
¿Que no eres el duque?

DON JUAN
No.

ISABELA
¡Ah, de palacio![6]

DON JUAN
¡Detente!
Dame, duquesa, la mano.

ISABELA
No me detengas villano[7].
20 ¡Ah, del rey![8] ¡Soldados, gente!

Sale el Rey de Nápoles con una vela en un candelero[9].

REY
¿Qué es esto?

ISABELA (*Aparte.*)
¡El rey! ¡Ay, triste!

REY
¿Quién eres?

DON JUAN
¿Quién ha de ser?
Un hombre y una mujer.

REY (*Aparte.*)
Esto en prudencia consiste.
25 ¡Ah, de mi guarda! Prended
a este hombre.

ISABELA
¡Ay, perdido honor!

TIRSO DE MOLINA, *El burlador de Sevilla*,
Jornada primera, 1630.

Comentar

1 Al levantarse el telón, ¿qué se ve? Sitúa la escena de manera precisa, señalando el momento y las circunstancias.

2 Desde el principio, hay una confusión. ¿Qué lances *(coups de théâtre)* acarrea? ¿Consigue el espectador al final saber quiénes son los protagonistas? Resume la escena destacando sus momentos claves.

3 a Versos 1 – 8: ¿Qué ambiente se desprende de este diálogo? Estudia el vocabulario y el ritmo de los octosílabos. ¿Qué significa «cumplir el dulce sí»? Entonces, ¿qué acaba de pasar? ¿Cómo te representas la actuación de los actores (actitud, tono de voz...)?

b Recuerda el valor que tenía la promesa de casamiento en aquella época. Por lo tanto, ¿a quién burla y desafía Don Juan en su primera réplica?

4 Versos 9 – 12: Cuando Isabel quiere «sacar una luz» se produce una ruptura: muéstralo estudiando el juego de los actores, el estilo y el ritmo de sus réplicas.

5 a Versos 13 – 20:«Mataréte la luz yo»: ¿de dónde procede la violencia de esta réplica?

b ¿Cómo reacciona cada uno? ¿Qué te llama la atención en el verso 15: «¿Quién soy? Un hombre sin nombre»? Comenta también el verso 18: «Dame, duquesa, la mano».

6 a Versos 21 – 26: ¿Qué dimensión añade al escándalo la presencia del rey? Analiza el alcance de la réplica del verso 23: «Un hombre y una mujer».

b ¿Qué revelan los apartes del estado de ánimo de quienes los pronuncian? ¿Cómo interpretas que Don Juan sea el único que no utiliza el aparte?

7 Tirso de Molina era un fraile *(un moine)* y condena la conducta de su protagonista: ¿cómo se manifiesta su propósito moralizador? ¿No existen ya, sin embargo, elementos de seducción en los que arraigará el mito de Don Juan?

Alto

Obras

• *Le discours indirect (gramm. § 55.0).*

1 «¡Detente! Dame, duquesa, la mano» – «No me detengas» – «¿Qué es esto? ¿Quién eres?» – «¿Quién ha de ser? Un hombre y una mujer» – «Prended a este hombre».

a Récris au style indirect ce dialogue entre Don Juan, Isabela et le Roi : «*Don Juan le ruega a la duquesa que... Isabela le ordena que... El Rey pregunta... Don Juan contesta...*». Attention à la place des pronoms personnels.

b Si tu commences maintenant avec un verbe au passé *(Don Juan le rogó...)*, qu'observes-tu ?

2 Traduis le vers 22.

EQUIPO CRÓNICA, *Latin Lover*, 1966. Acrílico sobre lienzo,120 x 120 cm. Col. A. Alfaro, Valencia.

Comentar

1 ¿Cuál es el nombre dado por los artistas a su cuadro? ¿Qué significa? ¿Qué efecto produce el empleo de la lengua inglesa?

2 Destaca los tópicos de la seducción «latina» representados en este lienzo: paisaje, momento del día, aspecto del hombre.

3 Fíjate en la composición, en el dibujo y en los colores: ¿qué técnica (o qué estilo artístico) te recuerdan?

4 ¿Cómo interpretas la manera de pintar el pelo?

5 Aprecia la visión del Don Juan latino contemporáneo que nos proporciona Equipo Crónica e intenta definir, a partir de este cuadro, lo que se llamó el "Pop Art".

Lo suntuoso, la suntuosidad, *la somptuosité* – un bodegón, *une nature morte* – lo efímero, lo perecedero, la brevedad de la vida – el ángel – las alas – el globo terráqueo – la efigie, *l'effigie* – el emperador, el césar – el reloj de arena, *le sablier* – la vela extinguida, *la bougie éteinte* – la calavera, *la tête de mort* – las monedas, *les pièces de monnaie* – las joyas, *les bijoux* – una escopeta, *un fusil* – una armadura, *une armure* – un bastón de mando, *un bâton de commandement* – los naipes, *les cartes* – las medallas.

ANTONIO DE PEREDA, *Alegoría de la caducidad*[1], *circa* 1640. Óleo sobre tabla, 139,5 x 174 cm. Kunsthistorisches Museum, Viena.

1. (lo inevitable que es la muerte).

Comprender

1 Presenta la escenificación de este lienzo y examina cómo la oposición entre la luz y la sombra contribuye a dramatizar la escena.
2 Evidencia lo suntuoso del conjunto.
3 ¿Sabes a qué género pictórico y a qué época pertenece esta obra?

Comentar

El personaje y el globo terráqueo
4 Observa atentamente al personaje e identifícalo. ¿Por qué puede parecer ambiguo? ¿Cómo cobra solemnidad su ademán y qué función cumple?
5 ¿Qué significación le atribuyes al globo terráqueo? ¿Cómo interpretas la presencia de la efigie de Carlos V?

Los objetos
6 Algunos objetos alegorizan el tiempo y la muerte, ilustrando la palabra "caducidad": ¿cuáles son? ¿Te parece casual su posición en el cuadro?
7 Trata de definir el alcance simbólico de los otros objetos. ¿Qué vienen a representar en su globalidad?

Concluir

8 Considerando la función del personaje y reflexionando en la relación entre las dos series de objetos, di qué aleccionamiento (*leçon morale*) se desprende de esta "Vanidad".

Ándeme yo caliente…

1. *Pourvu que je sois bien au chaud ! Les autres peuvent bien en rire.*
2. *confiture d'orange.*
3. *eau de vie.*
4. *vaisselle.*
5. *tracas.*
6. *des pilules.*
7. *du boudin qui crépite sur le gril.*
8. *de glands et de châtaignes.*
9. *(ces belles histoires d'antan).*
10. *le marchand.*
11. *nuevos horizontes.*
12. *des coquillages.*
13. *(de mar).*
14. *Philomèle (le rossignol).*
15. *le peuplier.*

Ándeme yo caliente
y ríase la gente [1].

Traten otros del gobierno
del mundo y sus monarquías,
5 mientras gobiernan mis días
mantequillas y pan tierno,
y las mañanas de invierno
naranjada[2] y aguardiente[3],
    y ríase la gente.

10 Coma en dorada vajilla[4]
el Príncipe mil cuidados[5],
como píldoras[6] dorados;
que yo en mi pobre mesilla
quiero más una morcilla
15 que en el asador reviente[7],
    y ríase la gente.

Cuando cubra las montañas
de blanca nieve el Enero,
tenga yo lleno el brasero
20 de bellotas y castañas[8],
y quien las dulces patrañas
del Rey que rabió[9] me cuente,
    y ríase la gente.

Busque muy en hora buena
25 el mercader[10] nuevos soles[11];
yo conchas[12] y caracoles[13]
entre la menuda arena,
escuchando a Filomena[14]
sobre el chopo[15] de la fuente,
30   y ríase la gente.

LUIS DE GÓNGORA,
Letrillas, 1581.

Comprender

1 Desde el punto de vista formal, ¿cómo se caracteriza esta composición? ¿Por qué hace pensar en una canción?
2 Aclara el significado de los dos versos iniciales. ¿No te parecen provocativos? ¿Qué relación ves entre éstos y el contenido del poema?

Comentar

3 Estrofa 1: ¿Qué conducta humana rechaza el poeta? ¿En qué consiste su propio ideal? ¿Cómo logra dar cuenta de él?
4 Estrofa 2: Estudia la visión irónica de la vida del Príncipe haciendo hincapié en la comparación del verso 12. Aprecia el humorismo que crea la contraposición de «la morcilla».
5 Estrofa 3: ¿En qué difiere la estructura de esta estrofa de la de las dos anteriores? ¿Sólo se trata de satisfacer el cuerpo?
6 Estrofa 4: ¿De qué actividad humana se burla ahora el poeta a través del mercader? Comenta el cuadro que nos propone aquí, poniendo de relieve su valor estético.

Concluir

7 Suele asociarse esta letrilla con la tradición literaria del: «Menosprecio de Corte y alabanza de aldea» *(Mépris de Cour et éloge de la campagne)*; estrofa tras estrofa, muestra que la obra constituye una ilustración de este tema.
8 ¿No comparten Pereda y Góngora cierta visión de la vida y de los bienes terrenales? Preconizan sin embargo dos conductas opuestas: ponlo de manifiesto.

El entierro del Conde de Orgaz

EL GRECO, *El entierro del Conde de Orgaz*, 1586. Óleo sobre lienzo, 480 x 360 cm. Iglesia de Santo Tomé, Toledo.

Don Gonzalo Ruiz de Toledo, señor de Orgaz (1) fue el generoso protector de la iglesia de Santo Tomás. Entre las muchas obras de su piedad a esta iglesia, dispuso que fuese ampliada a mayor espacio a costa de su dinero. En 1323 murió el piadoso caballero. Mientras los sacerdotes se preparaban para inhumarlo sucedió el milagro: San Agustín (2) -obispo y Doctor de la Iglesia- y San Esteban (3), cuyo martirio representa El Greco en su túnica, bajaron del cielo y con sus propias manos lo colocaron en el sepulcro. Los dos Santos desaparecieron luego dejando tras su presencia la iglesia embalsamada. En 1586 el cura de la iglesia de Santo Tomás (4), Andrés Núñez, encargó un cuadro a El Greco para celebrar esta leyenda.

A la izquierda El Greco ha retratado a su propio hijo (5), Jorge Manuel y a sí mismo (6) -los dos únicos personajes que miran al espectador- entre los asistentes. Dos de ellos (7) llevan la Cruz de la Orden de Santiago, creada en la Edad Media para combatir a los infieles.

En la parte superior se identifica a la Virgen María (8), San Juan Bautista (9), San Pedro (10) con las llaves del Paraíso y Cristo (11). Un ángel (12) lleva en brazos el alma del Conde bajo la forma de un recién nacido (13).

El entierro, *l'enterrement* – los dos Santos – llevar el cuerpo – la mortaja, *le linceul* – la armadura damasquinada, *l'armure damasquinée* – las capas de ceremonia – los brocados, *les brocarts (riches tissus de soie brodés de fils d'or et d'argent)* – el niño de la izquierda – señalar con el dedo – el monje, *le moine* – los clérigos, los sacerdotes, *les prêtres* – la casulla, *la chasuble* – el sobrepelliz de tul transparente, *le surplis de tulle transparent* – los gentileshombres – la gorguera, *la fraise (autour du cou)* – alzar los ojos al cielo – la fe, *la foi* – los cirios, *les cierges* – el ángel, *l'ange* – los músicos, *les musiciens* – los apóstoles, *les apôtres* – el Paraíso, *le Paradis* – las nubes, *les nuages* – los pliegues de los vestidos, *les plis des vêtements* – arrodillarse, *s'agenouiller* – pedir algo – interceder, *intercéder* – Cristo en la Gloria, *Christ en Gloire* – líneas horizontales, verticales – movimiento ascendente.

Comentar

1 Estudia la composición del cuadro y determina claramente los dos mundos representados. Busca las líneas que estructuran la obra.

2 Repara en la luz: ¿ilumina la composición un foco *(un foyer)* preciso? ¿Qué papel desempeñan a este respecto los colores, los oros y los amarillos en particular?

3 **La parte inferior del cuadro.** ¿No sorprende la posición del cuerpo del caballero de Orgaz? ¿Por qué no lo habrá pintado El Greco con la rigidez *(la rigidité)* cadavérica? Comenta la postura de los Santos, el colorido de sus capas en relación con el cuerpo del Conde y su armadura.

4 ¿De qué manera enmarca *(encadre)* el pintor esta escena? ¿Cómo separa el mundo terrenal del mundo celestial? Fíjate en las caras, expresiones, miradas de los hidalgos que asisten al entierro: ¿qué reflejan? ¿Con qué recursos pictóricos los valora El Greco? ¿Qué función atribuyes a las manos que surgen del fondo oscuro?

5 **La parte superior.** Muestra cómo y en qué difiere su composición de la de la parte inferior. ¿Qué papel desempeña cada personaje? ¿Hacia quién convergen todas las miradas?

6 ¿Cómo se enlazan los dos mundos, el terrenal y el celestial? Fíjate en la organización vertical y ascendente del cuadro, las posturas y actitudes de los personajes, los movimientos, el desgarrón *(la déchirure)* de las nubes.

7 ¿Te parece que esta obra consigue plasmar la espiritualidad de la fe? Entre los personajes sólo El Greco y su hijo miran al espectador: ¿cómo lo interpretas? ¿Es significativo el ademán de Jorge Manuel?

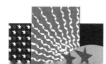

Dulcinea

GUSTAVE DORÉ, *Dulcinea*, 1863. Grabado.

Sancho Panza le da cuenta a Don Quijote de una visita imaginaria que hizo a Dulcinea.

Yo le dije de la manera que vuestra merced, por su servicio, quedaba haciendo penitencia, desnudo de la cintura arriba, metido entre estas sie-
5 rras como si fuera salvaje, durmiendo en el suelo, sin comer pan a man-teles[1] ni sin **peinarse** la barba, llo-rando y maldiciendo su fortuna[2].

–En decir que maldecía mi fortuna
10 dijiste mal –dijo Don Quijote–; porque antes la bendigo[3] y bendeciré todos los días de mi vida, por **haber-me** hecho digno de merecer amar tan alta señora como Dulcinea del
15 Toboso.

–Tan alta es –respondió Sancho–, que a buena fe que me lleva a mí más de un coto[4].

–Pues ¿cómo, Sancho? –dijo don Quijote–. ¿**Haste** medido tú con ella?
20 –**Medíme** en esta manera –respondió Sancho–: que **llegándole** a ayudar a poner un costal de trigo[5] sobre un jumento[6], llegamos tan juntos, que eché de ver que me llevaba más de un gran palmo[7].

–Pero no me negarás, Sancho, una cosa: cuando llegaste junto a ella, ¿no sentiste un olor sabeo[8], una fragancia aromática[9] y un no sé qué de bueno, que yo no acierto a **darle**
25 nombre? Digo, ¿un tuho o tufo[10] como si estuvieras en la tienda de algún curioso guantero[11]?

–Lo que sé decir –dijo Sancho– es que sentí un olorcillo algo hombruno[12]; y debía de ser que ella, con el mucho ejercicio, estaba sudada y algo correosa[13].

–No sería eso –respondió Don Quijote–; sino que tú debías de estar romadizado[14], o te debis-te de oler a ti mismo; porque yo sé bien a lo que huele aquella rosa entre espinas, aquel lirio[15]
30 del campo, aquel ámbar desleído[16].

–Todo puede ser –respondió Sancho–; que muchas veces sale de mí aquel olor que entonces me pareció que salía de su merced de la señora Dulcinea; pero no hay de qué maravillarse: que un diablo parece a otro.

–Pero dime: ¿qué joya[17] fue la que te dio al **despedirte**, por las nuevas[18] que de mí le llevaste?
35 Porque es usada y antigua costumbre entre los caballeros y damas andantes[19] dar a los escu-deros, doncellas o enanos que les llevan nuevas, de sus damas a ellos, a ellas de sus andantes, alguna rica joya de albricias[20], en agradecimiento de su recado[21].

–Bien puede eso ser así, y yo la tengo por buena usanza[22]; pero eso debió de ser en los tiem-pos pasados; que ahora sólo se debe de acostumbrar a dar un pedazo de pan y queso, que
40 eso fue lo que me dio mi señora Dulcinea, por las bardas de un corral[23], cuando de ella me despedí; y aun, por más señas[24], era el queso ovejuno[25].

MIGUEL DE CERVANTES, *Don Quijote de la Mancha*, 1605.

1. *manger à table (litt. man-ger pain sur nappe).*
2. *son sort.*
3. *au contraire je le bénis.*
4. *elle me dépasse de plus de quatre pouces.*
5. *un sac de blé.*
6. *un âne.*
7. *(une vingtaine de cm).*
8. *un parfum d'Orient.*
9. *une senteur aromatique.*
10. *tuho, tufo, exhalaison.*
11. *(les gantiers étaient aussi parfumeurs).*
12. *des effluves un peu hom-masses.*
13. *sentait le vieux cuir.*
14. *romadizarse, s'enrhu-mer, avoir le nez bouché.*
15. *lis.*
16. *ambre liquide (parfum).*
17. *bijou.*
18. *noticias.*
19. *errants.*
20. *en récompense.*
21. *message.*
22. *coutume.*
23. *par-dessus le mur d'une basse-cour.*
24. *pour être tout à fait précis.*
25. *de brebis.*

Comprender

1 Presenta a los dos protagonistas y di de quién están hablando.
2 ¿En qué contrasta la visión que da Sancho de Dulcinea con la que tiene Don Quijote de ella?

Comentar

3 Líneas 1 – 15: ¿A qué héroes imita Don Quijote al hacer tal penitencia? Analiza sus palabras: ¿cómo las entiendes y qué opinas del modo de expresarse de Don Quijote?
4 Líneas 16 – 22: ¿Le da a la palabra «alta» el mismo sentido Sancho que Don Quijote? Aclara el equívoco. ¿Por qué parece preocupado el caballero andante al interrogar a Sancho? ¿Qué opinas de la escena descrita por éste?
5 Líneas 23 – 33: Estudia la contraposición de los puntos de vista de Don Quijote y Sancho: entresaca las palabras precisas y opuestas con que cada uno de ellos evoca las cualidades de Dulcinea, señala las diferentes metáforas empleadas por los interlocutores comparándolas entre sí. «Un diablo parece a otro» es un refrán popular, ¿qué opinas de su uso en este caso concreto?
6 Líneas 34 – 41: ¿En qué contrasta el universo en que vive Don Quijote con el que presenta Sancho? Fíjate en los lugares, los personajes y las costumbres tan diferentes. Aprecia la última precisión de Sancho.

Concluir

7 ¿Por qué la constante oposición entre los pareceres de ambos interlocutores produce un marcado efecto humorístico? ¿Escribió este diálogo Cervantes con la intención de hacernos compartir el punto de vista de Sancho?, ¿de Don Quijote?, ¿o de ninguno de los dos? Justifica tu contestación y trata de aclarar el vínculo que se establece entre el lector y los personajes creados por Cervantes.

Alto

- Le passage du discours direct au discours indirect (gramm. § 55.0).
- L'enclise (gramm. § 14.5).

Obras

1 Transpose au style indirect le passage qui va de la ligne 9 à la ligne 18, en commençant par : *Don Quijote dijo que en decir... – Sancho contestó que...*
2 Relève soigneusement tous les verbes suivis d'un pronom enclitique. Plusieurs de ces enclises ne s'effectuent plus dans la langue moderne. Lesquelles ? Remplace-les par la tournure actuelle.

Don Quijote, cerámica de arte.

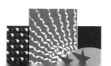

DIEGO DE VELÁZQUEZ, *El triunfo de Baco*, o *Los borrachos*, 1628. Óleo sobre lienzo, 165 x 227 cm. Museo del Prado, Madrid.

Los vendimiadores, *les vendangeurs* – los gañanes, *les valets de ferme* – celebrar, *fêter* – un dios, *un dieu* – la piel tostada y curtida, *la peau brunie et tannée* – el cutis fino y pálido, *la peau fine et pâle* – la coronación, *le couronnement* – una corona de hojas de parra, *une couronne de feuilles de vigne* – el tazón de loza, *le bol en faïence* – la copa, *la coupe* – la manta, *la couverture* – el vino tinto, *le vin rouge* – arrodillarse, *s'agenouiller* – mitológico, *mythologique* – la humanización, *l'humanisation*.

Comprender

1 Describe la escena e identifica a los personajes fijándote en su atuendo.
2 ¿Qué sabes del papel de Baco en la mitología grecolatina?

Comentar

3 Observa las miradas, los ademanes y las posturas de los protagonistas e imagina lo que estará aconteciendo.
4 Destaca los rasgos concretos que remiten a la mitología clásica y los que se refieren a la vida popular de la época de Velázquez. ¿Qué efecto produce la mezcla?

Concluir

5 El lienzo de Velázquez tiene dos títulos: ¿cuál te parece más adecuado? Justifica tu contestación.

HERMAN BRAUN-VEGA, *Bodegón* (*Velázquez*), 1993. Acrílico sobre tabla, 120 x 140 cm.

La cocinera mestiza, *la cuisinière métisse* – las vituallas, *les victuailles* – el pollo desplumado, *le poulet plumé* – el bogavante, *le homard* – los cuartos de carne, *les quartiers de viande* – el aguacate, *l'avocat* – las cebollas, *les oignons* – las berenjenas, *les aubergines* – un banquete opíparo, *un banquet somptueux* – estar de comilona, *faire ripaille* – brindar por, *lever son verre à* – celebrar un acontecimiento, *fêter un événement* – el periódico arrugado, *le journal froissé* – los titulares, *les gros titres*.

Comprender   **1** ¿Qué adviertes al comparar esta obra con el lienzo de Velázquez de la página anterior? ¿Se trata de una simple imitación?

Comentar   **2** Entresaca los elementos añadidos a la obra de Velázquez por el pintor contemporáneo: personajes, viandas, decorado. Valora el impacto de estas modificaciones.

3 El pintor ha colocado en el primer plano los elementos de un bodegón (*une nature morte*), confirmando el nuevo título. ¿No habrá cierto humorismo en ello?

4 Herman Braun-Vega es un artista peruano. Analiza cómo la creación se refiere, directa o indirectamente, a la realidad latinoamericana contemporánea.

5 Fíjate en los titulares del periódico. ¿No influyen en nuestra manera de entender la escena representada?

Concluir   **6** Tanto Velázquez como Braun-Vega mezclan épocas y personajes. ¿Es con la misma intención?

MOROS Y CRISTIANOS

San Pedro de la Nave, Zamora.
Arte visigótico, siglo VII.

San Miguel de la Escalada, León.
Arte mozárabe, siglo X.

Santo Domingo de Silos, Bur
Arte románico, siglos XI-XII.

Formación de los reinos cristianos

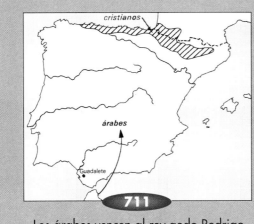

cristianos

árabes

Guadalete

711

Los árabes vencen al rey godo Rodrigo
en Guadalete

León

Navarra

Valencia

Califato de Córdoba

1094

El Cid
conquista Valencia

Califato de Córdoba

Abderramán I
(† 787)

Almanzor
(† 1002)

Los Almorávides

Mezquita de Córdoba.
Siglos VIII a X (2.400 m²).

E S P A Ñ A

Blasón
de los Reyes Católicos.

Catedral
de Burgos.
Arte gótico,
siglos XIII-XV.

Universidad
de Salamanca.
Arte plateresco,
siglo XVI.

1230 Fernando III reúne los reinos de León y Castilla	**1469** Boda de Isabel de Castilla y Fernando de Aragón

Expansión

Fin de la Reconquista

1212

Victoria cristiana
en Navas de Tolosa

1492

Toma de Granada
Descubrimiento de América

División (Reinos de Taifa) y decadencia

Boabdil
(último rey de Granada)

La Giralda de Sevilla.
Siglo XII.

La Alhambra
de Granada.
Siglo XIV.

Confidencias de Boabdil, 1492

1. recrearse, *se délasser, éprouver du plaisir.*
2. *atavique, héréditaire.*
3. *les jets d'eau.*
4. traspasar, *traverser.*
5. *irisar, iriser.*
6. *visages.*
7. *bassins.*
8. *l'irrigation.*
9. oler, *sentir.*
10. *odorat.*
11. *péché.*
12. *habitudes.*
13. *mollesse castratrice.*
14. *sur le chemin de la damnation.*
15. *les antichambres.*
16. *grossier.*
17. aferrarse a, *s'accrocher à.*
18. despreciar, *mépriser.*
19. *les ongles négligés.*
20. *assouvir leur faim.*
21. *oursins.*
22. *carreaux de faïence émaillée.*
23. *la douceur.*
24. *les lucarnes.*
25. *ici, la suavité.*
26. *les seuils.*
27. *les brûle-parfums.*
28. *vêtements légers.*

Los cristianos han apresado (ont fait prisonnier) *a Boabdil, último sultán del reino árabe de Granada.*

Me llama la atención, a primera vista, que los cristianos no se recreen[1] con el agua; la utilizan para beber, y apenas. Nosotros, quizá por un recuerdo atávico[2] y colectivo del desierto, la veneramos: nuestro lujo consiste en admirarla y escucharla correr, en extasiarnos ante los surtidores[3], en contemplar cómo la luz la traspasa[4] y la irisa[5], en ver nuestros jardines y
5 nuestros rostros[6] reflejados en las verdes albercas[7], en administrarla en los riegos[8] de nuestra agricultura, y en adivinarla bajo el aroma de las flores. Los cristianos no huelen[9] (mejor será decir que no tienen olfato[10]). Nosotros nos bañamos y nos perfumamos; ellos consideran pecado[11] tales hábitos[12], como si se tratase de una blandura castradora[13], de un tributo al cuerpo que lo pusiera en trance de condenación[14]; las casas de baños son para ellos
10 las antesalas[15] del infierno, o acaso el mismo infierno.
Todo es tosco[16] y elemental entre ellos. Comen cuando pueden y lo que pueden, sea o no impuro; creen en los ideales más que en las ideas; se aferran[17] a la tierra, y a la vez la desprecian[18]; adoran a su Dios sin lavarse las manos y con las uñas descuidadas[19] y sucias, y cuando van a la guerra, sus soldados van para saciar su hambre[20], no para defender algo. Su sen-
15 tido de la intimidad, alrededor de la cual se cierran como erizos de mar[21], también es tosco. Nunca como ahora me he sentido tan hostil a mi cuerpo. Vestido con sus pesadas ropas opacas, sin ocasión de lavarme de continuo, como nosotros hacemos hasta por prescripción religiosa, percibo olores míos no percibidos antes. Evoco a menudo –y hace sólo unos días que estoy preso– el vapor de los baños, la humedad goteando sobre los azulejos[22], el enter-
20 necimiento[23] de la música y de la luz coloreada por las claraboyas[24], la tersura[25] de la piel penetrada por el calor y los masajes, el aroma del humo que sale por los umbrales[26] perforados desde los pebeteros[27] subterráneos, e impregna nuestras ropas livianas[28].

ANTONIO GALA, *El manuscrito carmesí*, 1990.

Comprender

1 ¿Quién se expresa a lo largo de este texto? ¿Qué opone el narrador? ¿Por qué emplea, ya la primera persona del singular, ya la primera del plural?

Comentar

2 Líneas 1 – 3: ¿Qué valor tiene el agua entre los árabes? ¿Cómo te lo explicas? ¿Qué se les reprocha a los cristianos?

3 Líneas 3 – 6: Fíjate en la acumulación de verbos de percepción. ¿A qué sentidos remitirán? ¿Qué nos revelan del carácter árabe y de su civilización?

4 Líneas 6 –10: ¿Qué se les echa en cara ahora a los cristianos? ¿Por qué «ellos consideran pecado tales hábitos»? ¿Qué visión se nos ofrece de la religión cristiana en estas líneas?

5 Líneas 11 – 14: ¿Qué defectos de los cristianos se van denunciando? Trata de aclarar históricamente las palabras siguientes: «se aferran a la tierra, y a la vez la desprecian; adoran a su Dios sin lavarse las manos…»

6 Líneas 14 – 22: ¿Qué valor cobra la evocación final? ¿En qué medida remata ésta el retrato sensual del rey Boabdil y el refinamiento de la civilización árabe?

Concluir

7 ¿Hacia quién irá la simpatía de Antonio Gala? ¿Hacia Boabdil o hacia los cristianos? Explica los motivos y di si los compartes.

La Alhambra de Granada
(el patio de los leones),
siglo XIV.

Alto

- *Les prépositions **por** y **para** (gramm. § 27.4, 27.5).*
- *Les verbes à diphtongue (gramm. § 37.0).*
- *L'emploi du subjonctif : point de vue, sentiment, appréciation (gramm. § 52.3).*

Obras

1 Relève les différents emplois des prépositions **por** et **para** dans le texte et justifie-les.
2 «*Los cristianos no huelen*» : Mets ce verbe à l'imparfait de l'indicatif, au passé simple et au futur. A quels temps, et à quels modes un verbe diphtongue-t-il ?
3 «*Me llama la atención que los cristianos no se recreen con el agua*» : Introduis l'amorce «*Me llama la atención que…*» dans les affirmations suivantes : *Los cristianos utilizan el agua para beber – Creen en los ideales más que en las ideas – Se aferran a la tierra y a la vez la desprecian – Van a la guerra para saciar su hambre.*

El día de los torneos[1]

1. des tournois.
2. (frontaliers).
3. (territoire habité par les Maures).
4. une Mauresque.
5. apartarse, s'écarter.
6. bonita, jolie.
7. ici, chevalier.
8. une chrétienne captive.
9. alors que j'étais toute petite.
10. bien volontiers.
11. ici, le linge.
12. en soie et hollande (très fine toile de coton).
13. (entre los territorios moros y cristianos).
14. guiar, guider.
15. chasser.
16. une de mes sœurs.
17. jalousies (treillis de bois ou de métal placé devant une fenêtre).
18. car voici que je vous ramène.
19. por la que.

Romance de los llamados «fronterizos»[2] que narran historias de la época de la Reconquista, relacionadas con las luchas entre moros y cristianos.

El día de los torneos,
pasé por la morería[3]
y vi una mora[4] lavando
al pie de una fuente fría.
5 –Apártate[5], mora bella;
apártate mora linda[6],
que va a beber mi caballo
de ese agua cristalina.
–No soy mora, caballero[7],
10 que soy cristiana cautiva[8];
me cautivaron los moros
siendo chiquitita[9] y niña.
–¿Te quieres venir conmigo?
–De buena gana[10] me iría,
15 mas los pañuelos[11] que lavo,
¿dónde me los dejaría?
–Los de seda y los de holanda[12],
aquí en mi caballo irían
y los que nada valieran
20 la corriente llevaría.
Al pasar por la frontera[13],
la morita se reía

y el caballero le dice:
–¿De qué te ríes, morita?
25 –No me río del caballo,
ni tampoco del que guía[14].
Me río al ver estos campos
que son de la patria mía.
Al llegar a aquellos montes,
30 ella a llorar se ponía.
–¿Por qué lloras, mora bella;
por qué lloras mora linda?
–Lloro porque en estos montes,
mi padre cazar[15] solía.
35 –¿Cómo se llama tu padre?
–Mi padre Juan de la Oliva.
–Dios mío, ¿qué es lo que oigo?
Virgen Sagrada María,
pensaba que era una mora
40 y llevo una hermana mía[16].
Abra usted, madre, las puertas,
ventanas y celosías[17]
que aquí le traigo[18] la hija
que[19] lloraba noche y día.

Romance anónimo del siglo XVI.
Cantado por JOAQUÍN DÍAZ, *Cancionero de Romances.*

Comentar

1 Resume la historia contada por este romance, siguiendo el orden del relato.
2 Versos 1 – 8: ¿Es importante que la narración se haga en primera persona? ¿Es el protagonista caballero cristiano o moro? ¿Qué opinas de los adjetivos que emplea para calificar a la joven? ¿No resulta algo contradictorio su deseo de que se aparte? ¿Cómo lo explicas?
3 Versos 9 – 12: ¿Qué revelación le hace la moza al caballero? ¿Con qué motivos cautivarían los moros a la joven? Comenta el pleonasmo del verso 12.
4 Versos 13 – 20: ¿Qué sentimientos animan al caballero al proponerle a la moza su liberación? ¿Vacila ésta? ¿Cómo nos informan estos versos sobre las condiciones de su cautiverio? Explica el comportamiento del mozo que quiere irse con los paños «de seda y holanda».
5 Versos 21 – 40: ¿Dónde se sitúa ahora la historia? ¿Qué traduce el empleo del diminutivo «morita» por el caballero y el poeta? Estudia la gradación de los sentimientos experimentados por la moza. Analiza los procedimientos con los que se mantiene la suspensión hasta la revelación final del verso 40.
6 Versos 41 – 44: ¿De dónde nace la emoción de estos últimos versos del poema?

Alto

• *La versification.*

Obras

1 A partir de vers simples, 5 et 6 par exemple, compte le nombre de syllabes jusqu'à la dernière voyelle accentuée. Combien en trouves-tu ? Sais-tu comment s'appellent ces vers en espagnol ?

2 Compte maintenant celles des vers suivants, 7 et 8. Comment doit-on les lire (ou les dire) pour qu'ils aient le même nombre de syllabes que les précédents ? Comment nomme-t-on ce procédé poétique ? Entraîne-toi à repérer ce phénomène dans d'autres vers et à lire le poème en respectant son rythme syllabique.

3 Ce texte possède une rime unique dite assonante *(la asonancia)*. Dis en quoi elle consiste et quelle est sa place.

José Moreno Carbonero, *La rendición de Granada*, 1892. Óleo sobre lienzo, 140 x 214 cm. Capilla Real, Granada.

¿Dónde estará don Rodrigo?

1. *ici, del bordado.*
2. *(vieilli), lo esperábamos.*
3. *les nombreux exploits.*
4. *de tajar, trancher.*
5. *(vieilli), el combate.*
6. *il lui fallait changer de bliaut (au Moyen-Age, sorte de longue chemise).*
7. *rougi de sang.*
8. *les rangs.*
9. *(vieilli), disminuían.*
10. *prêtait l'oreille au moindre bruit.*
11. *sur le ton de la réprimande.*
12. *il devait y avoir une razzia.*
13. *(vieilli), el ejército, la tropa.*
14. *je me penchai à la fenêtre.*
15. *le tohu-bohu.*
16. *des coups d'épée.*
17. *les torches.*
18. *possédés du démon.*
19. *(vieilli), soldados.*
20. *la cotte de mailles.*
21. *rayer le plancher avec les éperons.*
22. *des compresses d'eau froide.*
23. *escurrir, correr, couler.*
24. *(fam.), les poils, la toison.*
25. *se fijó.*
26. *del verbo oler, sentir.*

Y yo, de cuando en cuando, preguntaba a mi madre, doña Mencía:

–¿Dónde estará ahora don Rodrigo, mi padre?

5 Y ella, levantando los ojos del lienzo[1] y mirándome con mucho amor, me decía:

–Matando moros.

Y mientras lo aguardábamos[2], mi madre, con los ojos brillantes y la boca llena de agua, me

10 contaba las muchas hazañas[3] de mi padre…

Cómo de un solo golpe de su espada tajadora[4] partía en dos a un moro gigante; y cómo, cuando terminaba la lid[5], don Rodrigo **había de mudarse** de brial[6], porque el brazo

15 le quedaba tinto en sangre[7] hasta el codo de tantas heridas como hacía en los haces[8] enemigos… Y yo, aunque no me cansaba de oír estas historias, notaba que las lámparas se menguaban[9] mucho, que mi madre, impa-

20 ciente y con la frente arrugada, hacía oído a cada nada[10], y que a mí me llegaba el sueño con mucha prisa.

Como yo le preguntase a la dueña mientras me acostaba que por qué no llegaba don

Fiesta de moros y cristianos, Alicante, 1996.

25 Rodrigo, mi padre, me dijo con cara de mucho retintín[11] que «habría algara[12] en Madrigal».
Caí dormido en la cama de tal manera, que la dueña **hubo de llevarme** la mano para acabar la señal de la cruz…

Y casi al alba, me despertó un gran ruido que hacían las voces de muchos hombres y el chocar de sus armas. Y conociendo que **sería la mesnada**[13] de mi padre que llegaba, me levan-

30 té de un salto, me asomé al alféizar[14], y casi me asusté por la algarabía[15] que allí se traían.
Todos los hombres cantaban, brincaban, daban cuchilladas[16] en el aire y movían las teas[17] encendidas haciendo ruedas en el aire. En la noche tan oscura parecían endemoniados[18]. Pero a pesar de todo, y por ver a mi padre don Rodrigo, me trasladé a las barandas del corredor por verlo entrar… y vi cómo lo pasaban entre los mesnaderos[19], con la barba clavada en la

35 loriga[20], la espada tajadora arrastrándole y arañando las tarimas con los acicates[21].
Y me convencí que debían ser muy malas heridas las que padecía, cuando vi cómo mi madre y la dueña le ponían sobre la frente paños de agua fría[22], que le escurría[23] por toda la pelambrera[24] de su cara. Todas las ropas y armas que le quitaron las fueron sacando fuera. Y como me pareciese que su brial tenía grandes manchas rojizas, pensé otra vez en las malas heri-

40 das que debía sufrir, y con tiento bajé y me acerqué a las ropas por ver la sangre aquella…
Mi padre daba ahora grandes voces y todos los criados de la casa entraban y salían en su cámara llevando aguas y vinagres, de manera que nadie se paró[25] en mí. Tomé el brial entre mis manos, y como la sangre aquella me pareciese demasiado ligera, la olí[26] y me olió a vino tinto…, cosa que no sabía explicarme.

Francisco García Pavón, *Cuentos de mamá*, 1972.

Comprender

1 Con la ayuda de la fecha de la novela y de las fotos que ilustran el documento, aclara el contexto en el cual sitúa el autor la historia. ¿No podría ser Rodrigo un personaje famoso de la historia de España?

2 ¿Quién es el narrador? ¿Es importante que tenga el lector este enfoque particular?

3 «La sangre aquella [...] me olió a vino tinto..., cosa que no sabía explicarme» (l. 44). ¿No cobra el texto una nueva dimensión con esta última frase?

Comentar

4 Líneas 1 – 22: Entresaca las palabras y expresiones evocadoras de la época medieval. ¿Con qué período histórico relacionas la narración? Pon de relieve el carácter épico del relato. ¿Cuáles pueden ser los sentimientos del niño al oír a su madre?

5 Líneas 23 – 27: Comenta la afirmación de la dueña y el tono que emplea. ¿No puede ser esta frase una de las claves del texto?

6 Líneas 28 – 35: ¿Qué visión tiene el niño de la vuelta de la «mesnada» de su padre? ¿Qué vocabulario sigue empleando el niño? ¿Cómo explicarías la alegría de los hombres al volver del "combate"? ¿Qué espectáculo ofrece el padre?

7 Líneas 36 – 44: ¿Está preocupado e inquieto el niño? ¿Qué desea comprobar al acercarse a la ropa del padre? ¿Qué revela la última frase?

Concluir

8 Muestra cómo mantiene el autor la ambigüedad y el interés hasta el final, poniendo de manifiesto los recursos humorísticos empleados.

Alto

- La valeur des temps (gramm. § 45.2 et 45.3).
- Transposer d'un temps à un autre.

Obras

1 «¿Dónde **estará** don Rodrigo?» (l. 3) – «**Habría** algara en Madrigal» (l. 25) – «**Sería** la mesnada de mi padre» (l. 29). Quelle est ici la valeur du futur et du conditionnel ? Réemploie l'un et l'autre pour imaginer ce que don Rodrigo et ses amis doivent faire (*me imagino que...*) ou ont dû faire (*pensaba que...*). Suggestions : *celebrar las fiestas de moros y cristianos, pasar la noche bebiendo, partir en dos a un moro gigante, matar moros de zarzuela...*

2 Transpose le dernier paragraphe au présent de l'indicatif jusqu'à «*...la sangre aquella*» (l. 40).

3 Traduis le début du texte jusqu'à «*...me llegaba el sueño con mucha prisa*» (l. 22).

Fiesta de moros y cristianos, Alicante, 1996.

Pasan los pueblos como las nubes

Acueducto romano de Segovia, siglo II.

1. *sourate (chapitre du Coran).*
2. *asentarse, establecerse.*
3. *los visigodos, les wisigoths.*
4. *fermes.*
5. *ici, le confort.*
6. *pulir, civilizar.*
7. *tentes en peau de chèvre.*
8. *d'un seul coup de sabre.*
9. *ancêtres.*
10. *lignages.*
11. *señorear, dominer, régner sur.*
12. *(así designaban los árabes a España cuando la dominaban).*
13. *despreciar, mépriser.*
14. *(la dinastía de los Almohades destronó a los Almorávides en el siglo XII).*
15. *(nombres de los reyes de Castilla y León).*

En la España musulmana del siglo XIV, habla el filósofo e historiador ibn Jaldun:

–**Esta** misma tierra que ahora pisamos estuvo, en los tiempos más antiguos, poblada por **aquellos** romanos tan famosos **cuya sólida cultura** aún admiramos. Levantaron puentes y edificios para la eternidad y **muchos de ellos** aún perduran y nos asombran, pero, como dice el Libro Santo en su sura[1] XXVII: «Ves los montes y crees que son inamovibles y, sin embar- go, pasarán como las nubes».

5 Donde estuvieron los romanos se asentaron[2] los godos[3], en sus mismas casas y alquerías[4]. Pero al asentarse perdieron la costumbre de guerrear y se aficionaron a la comodidad y al rega- lo[5] de la vida ciudadana, al vino y a los demás placeres, adquirieron instrucción. En una pala- bra, **se fueron puliendo**[6] y **se hicieron** sedentarios.

10 Entonces **llegamos los árabes**, que éramos nómadas, habitantes de tiendas de piel de cabra[7], y de un solo sablazo[8] conquistamos el Guadalquivir y toda la tierra hasta los montes del norte. Nuestros antepasados[9] fundaron su preeminencia en una sola virtud: el valor militar. Del ejer- cicio de **esa** virtud por hombres singulares proceden los actuales linajes[10] que señorean[11] Al- Ándalus[12]. Pero fijaos si

15 hemos evolucionado que ahora despreciamos[13] **esa** antigua cualidad sin advertir que es la única que asiste a los beréberes

20 almohades[14] que nos afli- gen por el sur y a los alfon- sos[15] cristianos que nos ahogan por el norte.

JUAN ESLAVA GALÁN, *Guadalquivir*, 1990.

Teatro romano de Mérida, 24 a. C.

Comentar

1 ¿Qué evoca ibn Jaldun y con qué intención?

2 a Líneas 1 – 5: ¿Cómo se explica la admiración del árabe por la «sólida cultura» de los romanos? ¿Cuál fue la aportación de éstos a España? Mira las fotos del acueducto de Segovia y del teatro de Mérida y comenta la frase: «levantaron puentes y edificios para la eternidad». ¿Qué otras construcciones romanas conoces?

b Aclara la significación de la sura XXVII. ¿Por qué la cita ibn Jaldun?

3 Líneas 6 – 9: ¿Sabrías decir de dónde procedían los godos y cómo los llamaban los romanos? Entresaca detalles del texto que justifican este apelativo. «Se fueron puliendo y se hicieron sedentarios»: a partir de las fotos, caracteriza la civilización hispanogoda.

4 Líneas 10 – 23: ¿Fue fácil la conquista de la península por los árabes? ¿Cómo lo recalca el narrador? ¿Cuáles eran las relaciones entre reinos cristianos y moros? ¿Qué teme ibn Jaldun que le pase a Al-Ándalus y por qué? ¿Se verán confirmados sus temores?

5 Según el sabio árabe, ¿en qué se basa la preeminencia de una nación? ¿Te parece que tiene razón? Argumenta tu opinión con ejemplos precisos.

6 La presencia árabe en España duró casi ocho siglos. ¿Se pueden apreciar aún huellas de su civilización en las costumbres españolas de hoy? Puntualiza.

Alto

- *Les démonstratifs (gramm. § 12.0).*
- *Les équivalents de **dont** (gramm. § 21.4 et 21.5).*
- *L'expression du devenir (gramm. § 30.0 et 49.2).*
- *Révision du présent et de l'impératif.*

Obras

1 Justifie l'emploi des adjectifs démonstratifs **esta** et **aquellos** dans la première phrase. Commente celui de **esa** dans la dernière.

2 a *«Aquellos romanos **cuya sólida cultura** aún admiramos levantaron edificios y **muchos de ellos** aún perduran»* : Par quel relatif peux-tu remplacer *«y muchos de ellos»* ? Pourquoi *«cuyo»* est-il impossible ici ?

b Écris trois phrases comprenant le relatif **cuyo** et qui aient un rapport avec Segovia, Mérida et Santa María del Naranco.

3 Transpose au présent le deuxième alinéa *(«Donde estuvieron… sedentarios»)* et traduis la dernière phrase.

4 *«Entonces llegamos los árabes»* : Comment expliques-tu que le verbe soit à la première personne du pluriel ? Pourquoi **entonces** est-il placé en tête de phrase ? Traduis correctement ces deux tournures idiomatiques.

5 *«Fijaos»* : Quel est l'infinitif de cette forme verbale ? A quel mode est-elle ? Conjugue le verbe à toutes les personnes de ce mode.

Sᵗᵃ *María del Naranco*, arte prerrománico, Asturias, siglo IX.

Fíbulas aquiliformes, arte visigótico, siglo VII.

GRAN
VI

3

HISPANOAMÉRICA

LA HISTORIA INTERMINABLE

1. *la première vague.*
2. (conquistador del Imperio inca, 1475-1541).
3. (antiguo nombre del Imperio inca).
4. (de la provincia española de Extremadura).
5. *paysans et féaux.*
6. (partidarios de Diego de Almagro, 1475-1538, conquistador del Perú. Una verdadera guerra civil opuso Pizarro a Almagro. Éste fue asesinado y lo fue Pizarro a su vez).
7. (la encomienda consistía en asignar un grupo de indios a un encomendero para que éste aprovechase su trabajo y percibiese los tributos a cambio de instruirles en la religión católica y protegerles).
8. (último emperador inca, 1502-1533, ejecutado por Pizarro en la plaza de Cajamarca, cf. l. 4).
9. (bebida alcohólica a base de maíz).
10. desparramarse, *se répandre.*
11. *les recoins.*
12. (mi padre).
13. *inconditionnel.*
14. *rébellions, incursions guerrières.*
15. *une indienne aux cheveux nattés et aux jupons multicolores.*
16. *branches.*
17. despuntar, *poindre.*
18. *origines.*
19. *puisse-t-il y avoir.*
20. *des mélanges.*
21. *le métissage.*
22. avecindarse, *s'établir.*
23. después de.

Los Vargas llegaron al Perú con la primera oleada[1] de españoles, aquella que, con Pizarro[2] a la cabeza, fundó Piura, escaló los Andes y, en la plaza de Cajamarca, dio un golpe de muerte al Tahuantinsuyo[3]. Eran, como aquél, extremeños[4], de Trujillo, y habían tomado el apellido –usanza de la época– del señor de la región, un tal Juan de Vargas, en cuyas tierras habían servido como labriegos y feudatarios[5].

Hombres humildes e ignorantes, analfabetos muchos de ellos y seguramente feroces, como los tiempos en que vivían, estuvieron repartidos en los bandos de almagristas[6] y pizarristas y aparecen inevitablemente en las distribuciones de encomiendas[7], en las entradas y expediciones como protagonistas o comparsas de todos los grandes hechos que marcan esa etapa aventurera y violenta de la historia del Perú. Había un Vargas en el puñado de conquistadores que vio por primera vez a Atahualpa[8], tomando chicha[9] en el cráneo de Huáscar, el hermano al que había hecho matar, en la tarde aquella que precedió a la terrible emboscada.

Aunque se entremataron abundantemente en las guerras civiles y en las rebeliones, muchos sobrevivieron y se reprodujeron y se desparramaron[10] por todos los recovecos[11] de ese país en el que al cabo de los siglos, el apellido Vargas resultaría uno de los más multiplicados.

Por el único Vargas que siempre sentí una irrefrenable simpatía fue por el abuelo Marcelino, a quien mi progenitor[12] detestaba (y quizás por eso mismo). Nunca lo conocí, pero cuando yo fui recuperado por mi padre a los 10 años de edad, aquel viejecillo temerario todavía vivía. Su nombre era tabú en la casa. Había sido un partidario desenfrenado[13] del caudillo liberal Augusto Durán, y compañero suyo en todas sus sublevaciones, montoneras[14], prisiones y exilios, de manera que mi pobre abuela vivió siempre a la diabla, haciendo milagros para dar de comer a sus cinco hijos. Y a la vejez, el incansable don Marcelino coronó su carrera de irresponsable fugándose del hogar con «una india de trenza y pollera»[15], con la que terminó sus días, oscuramente, de jefe de estación de ferrocarril, en un pueblecito de la sierra.

Como yo, la mayoría de latinoamericanos tiene una o dos ramas[16] familiares en las que, más pronto o más tarde, despunta[17] el vínculo europeo. Español sobre todo para las que llevan mucho tiempo en ese lado del Atlántico y, para las más recientes, italiano, portugués, alemán, inglés, francés o centroeuropeo. Y en todas esas estirpes[18] ha habido, hay y ojalá haya[19] cada vez más, mezclas[20] y juntas con el elemento indígena o con el africano, que llegó a América al mismo tiempo que los descubridores. El mestizaje[21] ha sido más rápido en países como México y más lento en otros –como Perú–, pero ha venido ocurriendo de una manera sistemática hasta el extremo de que cabe asegurar que no hay familia europea avecindada[22] en América Latina que, luego de[23] dos o tres generaciones, no se haya indianizado un poco.

MARIO VARGAS LLOSA, *El País*, 12/05/1991.

Comprender
Comentar

1 ¿Qué nos relata Vargas Llosa aquí? ¿Por qué nos puede interesar una historia tan personal?

2 Líneas 1 – 25: Entresaca los rasgos característicos de muchos de los conquistadores del Perú. Ponlos en orden, trata de explicarlos y esboza un retrato genérico.

3 Líneas 26 – 52: ¿Por qué siente el autor una simpatía exclusiva por su abuelo Marcelino? ¿Qué ejemplo encontraría el joven en este antepasado?

4 Líneas 53 – 72: ¿Qué caracteriza la mayor parte de los países latinoamericanos? Comenta el deseo de mestizaje expresado por el autor.

5 ¿Es este mestizaje histórico, propio de la colonización española, un hecho positivo? Aduce los argumentos que justifiquen tu contestatación.

Concluir

Alto

Obras

• *Les pronoms relatifs (gramm. § 21.0).*

1 «*Un tal Juan de Vargas, en cuyas tierras habían servido como labriegos*». Après avoir revu les règles d'emploi du relatif *cuyo*, introduis-le pour relier les propositions suivantes :
– *Atahualpa mandó matar a Huáscar y tomó chicha en su cráneo.*
– *El autor nos habla de su abuelo Marcelino; su nombre era tabú en casa.*
– *Los latinoamericanos tienen una o dos ramas familiares; su vínculo europeo despunta más pronto o más tarde.*
2 «*El hermano al que había hecho matar*» – «*El abuelo Marcelino, a quien mi progenitor detestaba*» – «*Una india con la que terminó sus días*». Les relatifs *que* et *quien* sont-ils ici interchangeables ? En est-il de même dans la phrase «*una o dos ramas en las que despunta…*» ? Pourquoi ? Inspire-toi du texte pour rédiger des phrases dans lesquelles tu emploieras ces relatifs en variant les prépositions qui les précèdent, *en, con, de, para*.
3 Traduis depuis «*Había un Vargas…*» (l. 20) jusqu'à «*…uno de los más multiplicados*» (l. 32).

Posar, *poser* – el estudio fotográfico – el telón de fondo – endomingado, *endimanché* – mestizo, cholo, *métis* – gente acomodada, *des gens aisés* – estar muy serio – mirar al fotógrafo.

Comentar

1 Comenta este retrato de familia valorando todos los elementos de su escenificación *(mise en scène)*: los diferentes personajes y sus vestidos; sus actitudes (¿por qué está sentado el hombre y no la mujer?); su ordenación *(mise en place)*. ¿Existe una jerarquía?
2 Este es el retrato típico de una familia mestiza: ¿qué reflexiones te inspira acerca de la sociedad peruana de la época y del comportamiento de los cholos? Destaca el papel básicamente social de tal retrato.

MARTÍN CHAMBI, *Retrato de la familia Jara Vidalón*, Cuzco, 1923.

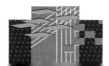

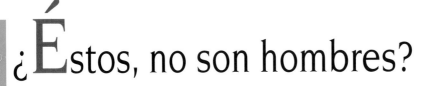

¿Éstos, no son hombres?

1. *moine dominicain.*
2. *(gens) doux, inoffensifs.*
3. *ici, mauvais traitements.*
4. *maltratados.*
5. *incurrir en una enferme-dad, tomber malade.*
6. *Et que faites-vous pour qu'on leur enseigne la religion ?*
7. *guardar fiestas (participar en los ritos religiosos los días de fiesta).*
8. *Ne sont-ils pas doués de rai-son ?*
9. *(el letargo es un sueño profundo).*
10. *qui n'ont pas ni ne veulent avoir foi en Jésus-Christ.*
11. *ébahis.*
12. *ici, déroutés.*
13. *obstinés.*
14. *affligés.*
15. *(Virrey de Indias y Almirante del mar océa-no).*
16. *ils conviennent d'aller répri-mander et effrayer.*
17. *qui avait accusé.*
18. *autoridad, poder.*
19. *ici, alors que le roi les leur donnait.*
20. *imperdonables.*

En 1511, *el fraile dominico*[1] *Antonio de Montesinos, pronuncia el siguiente sermón ante los españoles de La Hispaniola (isla dividida hoy entre la República Dominicana y Haití). Su amigo fray Bartolomé de Las Casas, también domi-nico, transcribe sus palabras y comenta los sucesos.*

«Decid, ¿con qué derecho y con qué justicia tenéis en tan cruel y horrible servidumbre estos indios? ¿Con qué autoridad habéis hecho tan detestables guerras a estas gentes que esta-ban en sus tierras mansas[2] y pacíficas, donde tan infinitas de ellas, con muertes y estragos[3] nunca oídos, habéis consumido? ¿Cómo los tenéis tan opresos y fatigados[4], sin darles de comer ni curarlos en sus enfermedades, que de los excesivos trabajos que les dais incurren[5]

5   y se os mueren, y por mejor decir, los matáis, por sacar y adquirir oro cada día? ¿Y qué cui-dado tenéis de quien los doctrine[6], y conozcan a su Dios y creador, sean bautizados, oigan misa, guarden las fiestas[7] y domingos? ¿Éstos, no son hombres? ¿No tienen ánimas racio-nales?[8] ¿No sois obligados a amarlos como a vosotros mismos? ¿Esto no entendéis? ¿Esto

10   no sentís? ¿Cómo estáis en tanta profundidad de sueño tan letárgico[9] dormidos? Tened por cierto, que en el estado que estáis no os podéis más salvar que los moros o turcos que care-cen y no quieren la fe de Jesucristo[10].»

Finalmente los dejó atónitos[11], a muchos como fuera de sentido[12], a otros más empederni-dos[13] y algunos algo compungidos[14], pero a ninguno, a lo que yo después entendí, conver-

15   tido.

Él salido, queda la iglesia llena de murmuro, que según yo creo, apenas dejaron acabar la misa; se junta toda la ciudad en casa del Almirante Don Diego Colón[15], hijo del primero que descubrió estas Indias, y los oficiales del rey acuerdan ir a reprender y asombrar[16] al predi-cador, sembrador de doctrina nueva, nunca oída y que había dicho contra[17] el rey y su

20   señorío[18], afirmando que no podían tener los indios, dándoselos el rey[19], y éstas eran cosas gravísimas e irremisibles[20].

BARTOLOMÉ DE LAS CASAS, *Historia general de las Indias*, 1552-1556.

Comprender

1 ¿Cuándo y dónde se verifica esta escena?
2 ¿Qué papel les tocaba desempeñar a los religiosos en la conquista de América?
3 ¿Quiénes serán los españoles presentes y cómo reaccionan?

Comentar

4 Líneas 1 – 12: Aclara las acusaciones concretas que profiere el predicador. Comenta la pre-gunta: «¿Éstos, no son hombres?». ¿Qué efecto surten las repetidas negaciones de la segunda parte del discurso? ¿Cómo explicas la comparación de los españoles con los moros y los turcos?
5 Líneas 13 – 21: Analiza y comenta las reacciones de los personajes más señalados. ¿Qué concepto se forman del predicador? ¿Te parece que éste amenaza efectivamente el poder real?

Concluir

Alto

6 ¿Siguen siendo de actualidad las palabras de la homilía *(homélie, sermon)* de Antonio de Montesinos? Justifica tu contestación.

• *La désignation : démonstratifs et indéfinis (gramm. § 12.0, 18.0 et 19.0).*
• *L'impératif (gramm. § 42.0, 43.0).*

Obras

1 Relève les démonstratifs et indéfinis en gras et justifie leur emploi en précisant leur sens.
2 *«Decid»* (l. 1), *«Tened»* (l. 10). Mets ces deux verbes au singulier. Quelles seraient les formes employées aujourd'hui par le prédicateur s'il vouvoyait ses auditeurs ?

caña de azúcar – el
...ataz, *le contremaître –*
...n el espinazo encor-
...do, *l'échine courbée –* la
...ta, la escopeta y la
...ana, *la cravache, le fusil*
...la *cartouchière –* el
...emán despreciativo,
...este de mépris –* la acé-
...a, *la bête de somme –* el
...go, *le fouet –* el caña-
...al, *le champ de cannes à*
...re – el ingenio, *la*
...*ique de sucre –* el amo,
...aître – la hamaca –
...var una vida regala-
...*mener une vie de rêve.*

DIEGO RIVERA,
...antación de azúcar en
Morelos, 1930.
...ural, 435 x 282 cm.
Palacio de Cortés,
...ernavaca, México.

Comentar

1 ¿Dónde transcurre la acción y en qué época? Diferencia los tres términos del mural dicien-do lo que representa cada uno de ellos.

2 Estudia detenidamente la composición del primer término: analiza las actitudes, los ademanes, las líneas y los colores. ¿Cómo explicas el tratamiento del rostro de los indios? Destaca los ele-mentos pictóricos que recalcan el contraste entre el capataz y los esclavos.

3 ¿Con qué recursos se amplía la denuncia en el segundo término?

4 En la parte superior reunió Rivera el cañaveral, la casa-hacienda y el ingenio. ¿Qué inte-rés ofrece esta yuxtaposición?

5 El mural presenta una construcción piramidal. Muéstralo poniendo de manifiesto el signifi-cado que habrá querido darle el pintor.

6 ¿Qué visión de la época colonial le propone Rivera al espectador y mediante qué recursos plásticos?

LAS MISIONES JESUÍTICAS DE LOS GUARANÍES

1. *un royaume.*
2. *catéchèse (enseignement de la religion chrétienne).*
3. *afin qu'ils fussent réduits au christianisme et à la civilisation.*
4. *une assemblée.*
5. *subvenir aux besoins des veuves et des malades.*
6. *hors de leur portée.*
7. *Florissantes.*

Serie: *«Cartagena de Indias, ciudad colonial», La otra mirada de Latinoamérica, T.V.E.*

En el siglo XVII, en el territorio de los indios guaraníes, en el límite entre Argentina, Brasil y Paraguay, los jesuitas fundaron un reino[1] ideal. Fascinante para unos, irritante para otros, nadie permaneció indiferente ante esa experiencia excepcional que duró más de un siglo.

A partir de 1602, los jesuitas instituyeron un modo de catequesis[2] estable en las aldeas de misioneros, que tomaron el nombre de «reducciones», pues allí se llevaba a los indios a la vida cristiana y a la civilización: *ad ecclesiam et vitam civilem esse reducti*[3].

Las comunidades se gobernaban a sí mismas, bajo la vigilancia espiritual de un religioso. Los jesuitas habían preservado el poder de los jefes tradicionales, los caciques, y cada aldea poseía un cabildo[4] o consejo de notables. El producto del trabajo, agrícola o artesanal, volvía a la comunidad. Cada familia recibía lo necesario para vivir y el excedente permitía atender las necesidades de las viudas y de los enfermos[5], pagar la ofrenda para el culto y los impuestos a la Corona española.

Irritados por el hecho de que los indios quedaban así fuera de su alcance[6], los colonos españoles redoblaron sus ataques, a tal punto que en 1650 los jesuitas solicitaron al Rey de España la autorización para armar a las reducciones. Consiguieron así defenderse y proceder al establecimiento de treinta misiones. Florecientes[7] y densamente pobladas, algunas de ellas contaban más de 6.000 indios.

La experiencia de las misiones jesuíticas llegó a su fin después de 1750, primero con la firma por España y Portugal de tratados coloniales que imponían nuevas fronteras, pero sobre todo con la expulsión de los jesuitas en 1768.

CAROLINE HAARDT, *El Correo de la Unesco*, 01/1991.

Comentar

1 Discrepan las opiniones respecto a las misiones jesuitas: «fascinantes para unos, irritantes para otros». ¿Qué justifica juicios tan opuestos?

2 ¿Qué aspecto de la vida de las misiones te parece más interesante? ¿No ilustra este texto otra cara de la colonización española?

ERIC BRISSAUD, *Misión jesuítica San Miguel, Brasil.*

Visita a la misión San Miguel

1. *Zone frontalière.*
2. *établies.*
3. *convoités.*
4. *enquêter.*
5. *cavaliers.*
6. *escapar, échapper.*
7. *forcejear, se débattre, résister.*

1750. *Zona fronteriza[1] entre Argentina, Brasil y Paraguay, donde están asentadas[2] las misiones jesuitas, en territorios codiciados[3] por españoles y portugueses. El Cardenal Altamirano, mandado por el Papa para investigar[4] sobre las poderosas misiones, está visitando la más antigua de ellas en compañía de Cabeza, Gobernador español, de Hontar, Gobernador portugués, y de unos Padres jesuitas.*

EXTERIOR - DÍA

(1) *Gran plano general de una plantación de bananos vista desde un promontorio. La cámara sigue los racimos de plátanos que suben por un rudimentario montacargas hasta los carros donde se amontonan.*

La cámara se detiene en un grupo de tres jinetes[5], Altamirano, Cabeza y Hontar.

(2) *Plano de conjunto (fuerte picado) de una parte de la plantación donde los indios, vestidos todos con largas túnicas blancas, están recogiendo la fruta.*

(3) *Plano medio corto del Padre Gabriel.*

(4) *Primer plano de la cara de un indio guaraní.*

ALTAMIRANO: Es impresionante.
CABEZA: Quizás se me escape[6] algo...

(*en off*) ...pero no veo la diferencia entre esta plantación y la mía.
PADRE GABRIEL (*en off*): Ésa es la diferencia...

...que esta plantación es de ellos, Eminencia.

PADRE MENDOZA (*en off*): Eminencia...

(5) *La cámara sigue al Padre Mendoza que se separa del grupo de jinetes y se dirige hacia el indio que está de pie al lado del carro donde se cargan los plátanos. Mendoza coge del brazo al indio tratando de levantarle la túnica. Este forcejea[7].*

(6) *Plano medio corto de Altamirano que asiste en silencio a la escena.*

(7) *Plano medio corto del Padre Mendoza y del indio con la túnica levantada, dejando su espalda al descubierto.*

(8) *Plano medio corto de Altamirano.*

(*en off*) ...ésta es otra diferencia...

(*in*) ...¡un esclavo huido y comprado por un español a un traficante de esclavos!
ALTAMIRANO (*en off*): Ya veo.

(*in*): ¿Es eso legal?

Fotogramas
de la película
de ROLAND JOFFÉ,
La Misión, 1986.

8. *quelques blessures.*
9. *l'âme emprisonnée.*
10. *des sabots.*
11. *Atelier de lutherie.*
12. *le manche.*
13. *alborotar, faire du tapage.*
14. *vos revenus.*
15. *ce que vous avez réussi à faire.*
16. *salvar, sauver. (Les Missions étaient devenues un État dans l'État et leur puissance économique excitait les convoitises, tant espagnoles que portugaises. En 1768 Carlos III ordonna l'expulsion des Jésuites d'Espagne et d'Amérique, signant l'arrêt de mort des Missions).*

(9) *Plano medio corto de Cabeza que se dirige a Altamirano, fuera de campo.*

(10) *Primer plano de la cara del Padre Gabriel, de perfil, que se dirige a Cabeza.*

(11) *Plano medio largo de Altamirano y Cabeza, montados en sus caballos blancos. De espaldas, a la izquierda, el Padre Mendoza.*

(12) *Primer plano de la cara del Padre Gabriel, parcialmente escondida por el caballo de Cabeza que pasa delante de él.*

(13) *Plano de conjunto del grupo de los jinetes y de los Padres. La cámara sigue a Cabeza que se va, seguido por Altamirano y luego Hontar.*

CABEZA: La oferta y la demanda. Es la ley del comercio.

PADRE GABRIEL: ¿Y la ley de las almas?
CABEZA (*en off*): ¿Qué son unas heridas[8] comparadas con lo que ofrece Vuestra Merced?...

...(*in*) ¡Los tormentos del Infierno! ¡El alma encarcelada[9]!...

(*en off*) ...Pensad en ello, Eminencia.

ALTAMIRANO: Bien. Padre Ibáñez, ¿continuamos?

El Padre Gabriel se queda mirándolos al lado del carro donde los indios siguen cargando fruta. En off y superpuesto al ruido de los cascos[10] de los caballos, empieza y va creciendo el tema musical de una flauta.

(14) **INTERIOR - DÍA**. *Taller de guitarrería[11]. Primerísimo plano de unas manos que están limando el mástil[12] de un violín. Un trávelin vertical muestra al indio que está trabajando.* (15) *Plano medio de Altamirano que recorre el taller, mirando lo que están haciendo los obreros.* (16) *Primerísimo plano de unas manos que juntan las partes de una flauta. Un rápido trávelin vertical nos enseña la cara de Altamirano, quien estaba juntando los trozos de la flauta.* (17) **EXTERIOR - DÍA**. *Plano de conjunto de una calle de la Misión. Altamirano sigue su visita, acompañado de un Padre jesuita guaraní que está dándole explicaciones.* (18) **INTERIOR - DÍA**. *Primer plano de la cara de un indio concentrado en su trabajo.* (19) *Primer plano de sus manos que están trabajando barro.* (20) *Plano medio corto de Altamirano y del Padre Gabriel que asisten a la escena.* (21) **EXTERIOR - DÍA**. *Plano medio largo del Padre Mendoza que, con otros jesuitas y niños guaraníes, recorre una calle de la Misión. Con el fin del plano cesa el tema musical de la flauta.*

(22) *Plano de conjunto de unos indios en una plaza. Surge detrás de ellos, corriendo y alborotando[13], un grupo de niños a los que sigue la cámara (panorámica).*

ALTAMIRANO (*en off*): ¿Cuáles fueron sus ingresos[14] el año pasado Padre?
PADRE (*en off*): ¿El año pasado? 120.000 escudos.
ALTAMIRANO (*en off*): ¿Y cómo se distribuyeron?

La cámara se detiene en Altamirano y el Padre jesuita director de la Misión, que están hablando en una plaza, delante de la iglesia.

PADRE (*in*): Por igual entre ellos. Esto es una comunidad.
ALTAMIRANO (*in*): ¡Ah! ¡Ah sí! ¡Hay un grupo radical francés que enseña esa misma doctrina!

(23) *Plano medio corto del Padre jesuita, de frente, y de Altamirano, de espaldas y de tres cuartos.*

PADRE: Eminencia, ¡era la doctrina de los antiguos cristianos!
ALTAMIRANO: Bien. Me ha impresionado mucho lo que ha logrado[15] aquí, Padre.
PADRE: ¿Y esto nos salvará[16]?

(24) (*Como* (22)). *Altamirano se va. Lo sigue la cámara.*

ALTAMIRANO: Espero que pueda, Padre.

ROLAND JOFFÉ, *La Misión*, 1986.

Hontar y el Cardenal Altamirano.

Comentar

1 La secuencia consta de tres momentos bien definidos: ponlos de manifiesto, tratando de darle a cada uno el título que mejor te parezca.

2 Planos ①–③: Comenta la reflexión del Cardenal Altamirano a la luz de lo que enseña la cámara. ¿No se oponen las palabras de Cabeza a las de Altamirano? ¿Con qué intención las pronuncia el Gobernador?

3 ¿Qué noción determinante destaca la intervención del Padre Gabriel? ¿No asoma ya la actitud de los jesuitas frente a los indios?

4 Planos ④–⑦: Analiza la teatralidad de la escena. Comenta los procedimientos (técnica fílmica, actuación de los actores) que potencian este aspecto. ¿Por qué forcejea el indio cuando el Padre Mendoza quiere descubrir su espalda? ¿Qué realidad histórica se denuncia?

5 Planos ⑧–⑪: ¿No parece irrisoria *(dérisoire)* la pregunta del Cardenal? ¿No traiciona la réplica de Cabeza (plano 9) la realidad de sus pensamientos? ¿En qué es cínico este personaje?

6 Comenta las razones aducidas tanto por el Padre Gabriel como por Cabeza. ¿Qué revelan de uno y otro? ¿Por qué, desde el plano 6, van sucediéndose planos medios cortos y primeros planos?

7 Plano ⑫: Analiza detenidamente este plano (composición, focalización, movimientos): ¿qué sentimientos te infunde? ¿Por qué se dirige ahora Cabeza al Cardenal y no al Padre Gabriel?

8 Plano ⑬: ¿No encierra cierto simbolismo la composición de la imagen? ¿Dónde y con quién se queda el Padre Gabriel? Comenta lo que pasa en la banda sonora: ¿qué efecto crea la superposición del tema de la flauta al ruido de los cascos?

9 Los planos ⑭–⑮ y ⑯ ponen de manifiesto la gran importancia que los jesuitas concedían a la música en la educación de los indios: ¿cómo lo explicarías?

10 Planos ⑭–㉑: ¿Qué elemento específicamente fílmico le da su unidad a esta serie de planos? ¿Puedes justificar el procedimiento? ¿Qué quiso traducir el director? ¿Qué sentimientos animan, a tu parecer, a los diferentes personajes y en particular al Cardenal? ¿Qué aspectos refuerza la ausencia de diálogo?

11 Planos ㉒–㉔: ¿No hay cierta contraposición entre estos planos y los anteriores? ¿Por qué es importante la presencia del grupo de niños que corren y alborotan? ¿Qué datos se nos proporciona acerca de la forma de vida de las misiones? ¿No resulta extraña la comparación del Cardenal con «un grupo radical francés»? ¿Tienen los dos clérigos la misma visión? ¿Qué preocupación es la del director de la Misión? ¿No es enigmática la respuesta del Cardenal?

12 Haz un balance de las realidades históricas presentes en esta secuencia. ¿Te parece objetiva la visión del director de la película? Argumenta tu respuesta.

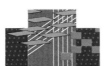

Tupac Amaru

1. jefe.
2. descuartizar, écarteler.
3. les degrés.
4. malheur.
5. (Tupac Amaru descendait de l'Inca par sa mère).
6. sanglot.
7. organizaste la expedición militar.
8. les pleurs.
9. la poudre traça des chemins.
10. la couverture.
11. la conque, (servait de trompette).
12. les liens.
13. l'aube.
14. déchirée.
15. profundos.
16. l'argile.
17. les métiers à tisser.
18. une semence.
19. le sillon.
20. germinar, germer.

José Gabriel Condorcanqui, llamado Tupac Amaru (éste era el nombre del último soberano inca), mestizo y cacique[1] de Tungasuca (Perú), encabezó un levantamiento de los indios contra los españoles en 1780. Al año siguiente era descuartizado[2] y decapitado en Cuzco.

Condorcanqui Tupac Amaru,
sabio señor, padre justo,
viste subir a Tungasuca
la primavera desolada
5 de los escalones[3] andinos,
y con ella sal y desdicha[4],
iniquidades y tormentos.

Señor Inca[5], padre cacique,
todo en tus ojos se guardaba
10 como en un cofre calcinado
por el amor y la tristeza.
El indio te mostró la espalda
en que las nuevas mordeduras
brillaban en las cicatrices
15 de otros castigos apagados,
y era una espalda y otra espalda,
toda la altura sacudida
por las cascadas del sollozo[6].

Era un sollozo y otro sollozo.
20 Hasta que armaste la jornada[7]
de los pueblos color de tierra,
recogiste el llanto[8] en tu copa
y endureciste los senderos.
Llegó el padre de las montañas,
25 la pólvora levantó caminos[9],
y hacia los pueblos humillados
llegó el padre de la batalla.
Tiraron la manta[10] en el polvo,

se unieron los viejos cuchillos,
30 y la caracola[11] marina
llamó los vínculos[12] dispersos.
Contra la piedra sanguinaria,
contra la inercia desdichada,
contra el metal de las cadenas.
35 Pero dividieron tu pueblo
y al hermano contra el hermano
enviaron, hasta que cayeron
las piedras de tu fortaleza.
Ataron tus miembros cansados
40 a cuatro caballos rabiosos
y descuartizaron la luz
del amanecer[13] implacable.

Tupac Amaru, sol vencido,
desde tu gloria desgarrada[14]
45 sube como el sol en el mar
una luz desaparecida.
Los hondos[15] pueblos de la arcilla[16],
los telares[17] sacrificados,
las húmedas casas de arena
50 dicen en silencio: «Tupac»,
y Tupac es una semilla[18],
dicen en silencio: «Tupac»,
y Tupac se guarda en el surco[19],
dicen en silencio: «Tupac»
55 y Tupac germina[20] en la tierra.

PABLO NERUDA, *Canto General*, 1950.

Comentar

1 ¿Qué relación establece el poeta con Tupac Amaru al invocarle? ¿No recuerda esta composición la poesía bíblica y la figura de Jesucristo? Define el ambiente creado por Neruda.
2 Pon de relieve lo entrañable que es el vínculo entre la naturaleza y los indígenas. Justifica tu contestación apoyándote en ejemplos precisos.
3 Muestra cómo la expresión poética trasciende los acontecimientos históricos para alcanzar la epopeya, estudiando la estructura del poema así como las palabras, el ritmo y las metáforas.

AUGUSTO DÍAZ MORI, *Tupac Amaru precursor de la Independencia*,
1971, Óleo sobre lienzo, 130 x 200 cm. (detalle).

La sierra, *la chaîne de montagnes* – un prócer, *un grand homme* – el uniforme del libertador – la armadura del conquistador – el hábito del fraile dominico, *l'habit du frère dominicain* – el poncho del indio quechua – la pollera de la india, *la jupe de l'Indienne* – el dogo, *le dogue* – encabritarse, *se cabrer* – el pergamino, *le parchemin* – la alegoría.

Comentar

1 Identifica a los distintos personajes o grupos y descríbelos.

2 ¿De qué procedimientos se vale el pintor para darle un alcance simbólico a la obra? Estudia en especial la composición del lienzo (simetrías, movimiento, tamaño relativo de las figuras).

3 Observa y analiza el semblante, el ademán y la forma de vestir de Tupac Amaru: ¿qué visión del personaje nos propone Díaz Mori?

4 Fíjate en el pergamino y en el título del lienzo: ¿te parece que son fiel expresión del contenido simbólico de la obra? Justifícate.

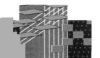

Cimarrón y Perro

1. *dogue (chien)*.
2. *faillit se jeter sur lui*.
3. *à l'aube*.
4. *tourbillon de fouets*.
5. *des chaudrons et des litières de paille (les cases des esclaves)*.
6. *negro fugitivo*.
7. *des os*.
8. *arracher aux fourmis*.
9. *se pelotonna, épuisé*.
10. *arrimarse, acercarse*.
11. *cauchemar*.
12. *la plantation*.
13. *les fit se dresser*.
14. *trop de coups de fouet*.
15. *regresar, volver*.
16. *danger*.
17. *le contremaître*.
18. *chemises*.
19. *du cirage âcre de ses guêtres*.
20. *dentelles*.
21. *relents de cire fondue*.
22. *les soufflets*.
23. *feutre mité*.
24. *avait changé de camp*.

La anécdota pasa en Cuba a fines del siglo XVIII. Perro, dogo[1] cazador de negros, acaba de huir de su amo blanco. En el monte, encuentra a Cimarrón, negro fugitivo.

Olía a negro. Y ahí estaba el negro, en efecto, con su calzón rayado, boca abajo, dormido. Perro estuvo por arrojarse sobre él[2] siguiendo una consigna lanzada de madrugada[3], en medio de un gran revuelo de látigos[4], allá donde había calderos y literas de paja[5]. Al lado del cimarrón[6] quedaban huesos[7] de costillas roídas. Perro se acercó lentamente, con las orejas

5 desconfiadas, decidido a arrebatar a las hormigas[8] algún sabor a carne... Más valía permanecer, por ahora, al lado del hombre. Perro dio tres vueltas sobre sí mismo y se ovilló rendido[9]. Sus patas corrieron un sueño malo. Al alba, Cimarrón le echó un brazo por encima. Perro se arrimó[10] a su pecho, buscando calor. Ambos seguían en plena fuga, con los nervios estremecidos por una misma pesadilla[11].

10 Por hábito, Cimarrón y Perro se despertaron cuando sonó la campana del ingenio[12]. La revelación de que habían dormido juntos, cuerpo con cuerpo, los enderezó[13] de un salto. Después de adosarse a dos troncos, se miraron largamente. Perro ofreciéndose a tomar dueño. El negro ansioso de recuperar alguna amistad.
–¿Te vas conmigo? –preguntó Cimarrón.

15 Perro lo siguió dócilmente. Allá abajo había demasiados latigazos[14], demasiadas cadenas, para quienes regresaban[15] arrepentidos. Ya no olía a negro. Ahora, Perro estaba mucho más atento al olor a blanco, olor a peligro[16]. Porque el mayoral[17] olía a blanco, a pesar del almidón planchado de sus guayaberas[18] y del betún acre de sus polainas[19] de piel de cerdo. Era el mismo olor de las señoritas de la casa, a pesar del perfume que despedían sus encajes[20]. El

20 olor del cura, a pesar del tufo de cera derretida[21] y de incienso, que hacía tan desagradable la sombra, tan fresca, sin embargo, de la capilla. El mismo que llevaba el organista encima, a pesar de que los fuelles[22] del armonio le hubiesen echado encima tantos y tantos soplos de fieltro apolillado[23]. Había que huir ahora del olor a blanco. Perro había cambiado de bando[24].

ALEJO CARPENTIER, *Los fugitivos*, 1956.

Comprender

Comentar

1 Presenta a los protagonistas. ¿Has advertido que su nombre es a la vez nombre propio y nombre común? ¿Son Perro y Cimarrón un perro y un cimarrón cualquiera?

2 Líneas 1 – 3: «Olía a negro»: ¿qué punto de vista adopta el narrador? ¿Qué papel desempeña el olor en este texto? Explica lo del «gran revuelo de látigos, allá donde había calderos y literas de paja»: ¿con qué intención lo recuerda ahora el narrador?

3 Líneas 3 – 9: ¿Por qué no se arrojó Perro sobre Cimarrón? ¿En qué situación se encuentra ahora? Estudia cómo el sueño reúne a los dos.

4 Líneas 10 – 14: «Se despertaron cuando sonó la campana del ingenio»: ¿qué importancia cobra esta precisión? Comenta el empleo de la palabra «revelación». Estudia el humorismo y la ternura *(la tendresse)* del tono de la narración.

5 Líneas 15 – 24: ¿Por qué se va Perro con Cimarrón? Interpreta la repetición de «demasiados» y el empleo del indefinido «quienes». «Ya no olía a negro»: ¿cómo lo explicas? ¿En qué resulta sorprendente y divertido el amalgama que hace Perro de todos los blancos del ingenio? ¿Cómo pueden tener todos y cada uno un «olor a peligro»?

Concluir

6 Muestra cómo, mediante una anécdota al parecer insignificante, el novelista cubano denuncia el sistema opresivo de la colonia. ¿Qué interés ofrece el que lo veamos todo por los ojos del perro?

Alto

- *Oler a, saber a.*
- *Les adverbes de lieu (gramm. § 12.0).*
- *L'obligation (gramm. § 32.0).*

Obras

1 «*Oler a*», «*un olor a*», «*un sabor a*» : Reprends cette construction dans deux phrases en rapport avec le texte.

2 «*Ahí estaba el negro*» (l. 1) – «*allá donde había calderos*» (l. 3) – «*Allá abajo había demasiados latigazos*» (l. 15). Justifie l'emploi des adverbes de lieu dans chacune de ces phrases.

3 «*Había que huir*» : Transforme cette tournure impersonnelle en une obligation personnelle ayant pour sujet «*Perro y Cimarrón*».

EDDY CHÉRASARD,
Mercado de esclavos
Haití.

Una vista panorámica – los barcos negreros – arribar, *accoster* – en fila – esposado, *menotté* – los grillos, *les fers* – casi desnudo – descalzo, *pied nu* – el puerto – las casas coloniales – la trata de los negros – examinar, palpar – los colonos – el sombrero de copa, *le chapeau haut-de-forme* – el quitasol (la sombrilla), *l'ombrelle* – pregonar la mercancía, *vanter la marchandise* – la subasta, *la vente aux enchères* – subastar – la mesa del negrero – el libro de cuentas.

Comentar

1 Observa la organización de este cuadro y explica cuáles son las etapas de lo que sucede. ¿A qué época de la historia de las Antillas se refiere el artista?

2 ¿Sobre qué contrastes ha basado el pintor su obra?

3 En el primer término, de izquierda a derecha, pueden verse cuatro escenas bien definidas: coméntalas detalladamente.

4 ¿Qué visión de la historia de su país nos propone el artista? ¿Con qué realidades históricas y socioeconómicas relacionas la trata de los negros en esa zona geográfica?

Balear¹ a la Virgen de Guadalupe

1. *Fusiller.*
2. *prière.*
3. *manteau, cape.*
4. *Les étoiles volèrent en éclats.*
5. *les chérubins.*
6. *en joue, feu.*
7. *la statue.*
8. *par jour.*
9. *fauteurs de troubles, séditieux.*
10. *scapulaires (morceaux d'étoffe bénits que l'on porte sur soi).*
11. *(autor del célebre Grito de Dolores, 1810, que inició la Guerra de la Independencia mexicana).*
12. *la bannière.*
13. *libre.*
14. *jefes.*
15. *puerto mexicano en el Golfo de México.*
16. *puerto venezolano.*
17. *étrange.*

La escena pasa en Veracruz (México) hacia 1820.

La Virgen de Guadalupe no tuvo tiempo de abrir los brazos, imitando a su hijo en la cruz, antes de recibir la descarga.

Permaneció con las manos unidas en oración² y la mirada baja y dulce, hasta que las balas le perforaron los ojos y la boca, y en seguida el manto³ azul y los cálidos pies maternales.

5 **Se hicieron** polvo las estrellas⁴, se quebraron en mil pedazos los cuernos de la luna, los querubes⁵ huyeron escandalizados.

El comandante del fuerte de San Juan de Ulúa volvió a repetir la orden, **apunten, fuego**⁶, como si un solo fusilamiento de la imagen⁷ de la virgen independentista no **bastase** y apenas dos ejecuciones diarias⁸ **mereciese** la efigie venerada por los pobres y los alborotadores⁹ que la portaban 10 en sus escapularios¹⁰ y en las banderas de su insurgencia.

El cura Hidalgo¹¹, en Guanajuato, el cura Morelos, en Michoacán, y ahora el cura Quintana, aquí en Veracruz: todos se lanzaban a la revuelta con el pendón¹² de la Guadalupana en alto. Y aunque a ellos, al cabo, **se les capturaba y decapitaba** –pero ese maldito Quintana aún **andaba** suelto¹³– a ella, a la Virgen, **se la podía fusilar** a placer cuando faltaban cabecillas¹⁴ rebeldes que poner en 15 su lugar.

Baltasar Bustos miró esta ceremonia del fusilamiento de la Virgen al llegar a Veracruz¹⁵ de Maracaibo¹⁶, y decidió que había llegado al más extraño¹⁷ país de América.

CARLOS FUENTES, *La Campaña*, 1990.

Comprender

1 Aclara las circunstancias geográficas e históricas de esta escena. ¿Quiénes eran los que se rebelaban y contra quiénes? ¿Qué representaba para los insurgentes la Virgen de Guadalupe? (*Cf.* p.141)

Comentar

2 Líneas 1 – 6: ¿Por qué sorprende la escena descrita aquí? Analiza cómo Carlos Fuentes pone de manifiesto lo paradójico de la situación entresacando los detalles que remiten por una parte a la descripción tradicional de la Virgen, y por otra parte a la violencia del fusilamiento.
3 Líneas 7 – 10: ¿Cómo te explicas el empeño (*l'acharnement*) del comandante en fusilar a una imagen? ¿Qué símbolos encierra?
4 Líneas 11 – 15: ¿Quiénes promovieron la independencia en México? ¿Te extraña? ¿Conoces a otros religiosos que se hicieron famosos en la historia colonial? «A la Virgen, se la podía fusilar a placer»: define el tono de esta frase.
5 Líneas 16 – 17: ¿Cuál fue la reacción del argentino Baltasar Bustos al presenciar la escena? ¿Qué nos revela la última frase de su carácter y cultura?

Concluir

6 ¿Qué visión nos da Carlos Fuentes de la guerra de independencia mexicana? Muestra cómo se mezclan en esta página elementos realistas, fantásticos y hasta de humor negro.

Alto

- *Se* équivalent de *on* (gramm. § 17.2).
- *Como si + imparf. du subj.* (gramm. § 53.4).
- *Discours direct et indirect* (gramm. § 55.0).

Obras

1 Repère dans le texte les verbes employés avec la tournure indéfinie **se** et explique dans chaque cas comment se fait l'accord.

2 Complète les phrases suivantes : *El narrador presenta la ejecución de la Virgen como si…* – *Los militares españoles mandaban balear a la Virgen como si…*

3 *«El comandante volvió a repetir la orden, apunten, fuego»*. Transpose cette phrase au style indirect en commençant ainsi : *«El comandante volvió a mandarles que…»*.

4 Traduis *«ese maldito Quintana aún andaba suelto»*.

Virgen de la Merced como peregrina, siglo XVIII. Museo histórico regional de Cuzco (Perú).

• ¿En qué se diferencia esta virgen americana y barroca de una representación europea tradicional?

La trata de los negros

1. *propriétaire terrien.*
2. *brigantin (navire).*
3. *despejar, débarrasser.*
4. *En un clin d'œil.*
5. *ici, les fûts.*
6. *la réserve d'eau.*
7. *les cordages.*
8. *les ballots de marchandises.*
9. *le pont.*
10. *Les nègres (nés en Afrique).*
11. *les souffreteux.*
12. *la cale.*
13. *clouer les écoutilles.*
14. *les trappes de la cale du navire.*
15. *Allons !*
16. *mépris.*
17. *je vais finir par croire.*
18. *padecer, souffrir.*
19. *Il n'en est rien.*
20. *des grottes.*
21. *des marais.*
22. *méphitique, puant.*
23. *ici, regret.*
24. *l'ardeur.*
25. *négrillonne.*
26. *saucisses.*
27. *regalar, offrir.*
28. *Et toujours cette manie de.*
29. *ici, traqués.*
30. *ici, en sauvant leur peau.*

Cuba, 1830. Don Cándido Gamboa, hacendado[1] y negrero conversa con su esposa doña Rosa. Le está contando cómo su bergantín[2] El Veloz, procedente de África con un cargamento de esclavos, consiguió evitar el navío inglés que le venía persiguiendo, gracias a las iniciativas del capitán Carricarte.

–Dio orden, pues, de despejar[3] el puente, **a fin de** facilitar la maniobra y aligerar el buque lo que pudiese, y como lo dijo lo hizo. En un santiamén[4] fueron al mar los cascos[5] del agua de repuesto[6], no poca jarcia[7] y los fardos[8] que había sobre cubierta[9]...

–¿Los bozales[10] quieres decir? ¡Qué horror! –exclamó doña Rosa, llevándose ambas manos

5 a la cabeza.

–Pues es claro –continuó Gamboa imperturbable–. ¿Tú no ves que **por** salvar 80 ó 100 fardos iba a exponer su libertad el capitán, la de la marinería y la del resto del cargamento, que era triple mayor en número? Sólo tenía sobre cubierta los muy enfermos, los enclenques[11], aquellos que de todos modos morirían, mucho más pronto si los volvían al sollado[12] donde esta-

10 ban como sardinas, **porque** fue preciso clavar las escotillas[13].

–¡Las escotillas! –repitió doña Rosa–. Es decir, las tapas de la bodega del buque[14] de manera que los de abajo a estas horas han muerto sofocados. ¡Pobrecitos!

–¡Ca![15] –dijo don Cándido con el más exquisito desprecio[16]–. Nada de eso, mujer. Sobre que voy creyendo[17] que tú te has figurado que los sacos de carbón sienten y padecen[18] como noso-

15 tros. No hay tal[19].

Vamos, dime, ¿cómo viven allá en su tierra? En cuevas[20] o pantanos[21]. Y ¿qué aire respiran en esos lugares? Ninguno, o aire mefítico[22]. El único sentimiento[23] de Carricarte ahora es que con el afán[24] y la precipitación de limpiar el puente, echaron al agua los marineros una muleque[25] de doce años muy graciosa, que ya repetía palabras en español y que le dio el rey

20 de Gotto a cambio de salchichas[26] de Vich y dos muleques de siete a ocho años que le regaló[27] la reina del propio lugar **por** un pan de azúcar y una caja de té **para** su mesa privada.

–¡Ángeles de Dios! –volvió a exclamar doña Rosa. Y reflexionando que acaso no estaban bautizados añadió –de todos modos, esas almas...

–Y dale con[28] creer que los fardos de África tienen alma y que son ángeles. Ésas son blas-

25 femias, Rosa. Pues de ahí nace el error de ciertas gentes... **Cuando el mundo se persuada** que los negros son animales y no hombres, **entonces acabará** uno de los motivos que alegan los ingleses **para** perseguir la trata de África. Cosa semejante ocurre en España con el tabaco: **prohíben** el tráfico, y los que viven de eso, cuando se ven apurados[29] **por** los carabineros, sueltan la carga y escapan con el pellejo[30] y el caballo. ¿Crees tú que el tabaco tiene

30 alma?

CIRILO VILLAVERDE, *Cecilia Valdés o La loma del Ángel*, 1882.

Comprender

1 ¿Cuál es el tema de la conversación entre don Cándido Gamboa y su mujer? ¿Tienen el mismo parecer? ¿Algo te indigna?

Comentar

2 Líneas 1 – 5: ¿Qué te sugiere el empleo por Gamboa de la palabra «fardos»? ¿Te parece sincera la reacción de doña Rosa?

3 Líneas 6 – 12: ¿Qué efecto surte la precisión de las cifras? ¿Qué es lo que más le importa al negrero? ¿Cuáles son los rasgos dominantes de su carácter? ¿Qué opinas de los sentimientos ahora expresados por doña Rosa?

4 Líneas 13 – 23: ¿Notas una progresión en la manera que tiene Gamboa de calificar a los negros? ¿Qué matiz introduce el empleo de la nueva expresión: «los sacos de carbón»? ¿Te parecen válidos los argumentos aducidos por el hacendado? ¿Qué impresión te causa el episodio dedicado a los muleques? ¿No revelan algunos detalles lo paradójico del mercado triangular? Di lo que piensas ahora de doña Rosa cuando se le ocurre que «acaso no estaban bautizados».

5 Líneas 24 – 30: ¿A qué remiten las justificaciones de don Cándido Gamboa? ¿Cómo se vale de la religión cristiana? ¿En qué medida la pregunta final remata perfectamente el retrato cínico del negrero?

Concluir

6 Más allá de la mera anécdota destaca el mensaje humanitario de Cirilo Villaverde.

Alto

• *Para et por* (gramm. § 27.4, 27.5).
• *Le mode subjonctif, emplois différents du français* (gramm. § 53.3).

Obras

1 Relève les emplois de **para** et de **por** et justifie-les.
2 En t'inspirant de la construction «*por salvar* 80 ó 100 fardos», donne un équivalent à la subordonnée de cause : «*porque fue preciso clavar las escotillas*».
3 Transpose au futur à partir de «*Cosa semejante ocurre en España…*» (l. 27) jusqu'à «*…y el caballo*» (l. 29). Veille particulièrement au temps et au mode des subordonnées.
4 Transpose au présent du début «*Dio orden…*» jusqu'à «*…sobre cubierta*» (l. 3).
5 Traduis depuis «*Y dale con creer…*» (l. 24) jusqu'à la fin.

Avisos de prensa, La Habana, 1839.

1. *Section.*
2. *sin defectos.*
3. *inteligencia, aquí, conocimiento.*
4. *de belle allure.*
5. *de hauteur.*
6. *sangsues.*

PARTE[1] ECONOMICA.

Ventas de animales.

Se vende una negra criolla, jóven sana y sin tachas,[2] muy humilde y fiel, buena cocinera, con alguna inteligencia[3] en lavado y plancha, y escelente para manejar niños, en la cantidad de 500 pesos. En la calle de Daoiz, número 150, impondrán de lo demas. 3‖11

Se vende un hermoso caballo de bonita estampa,[4] de seis cuartas tres pulgadas de alzada,[5] de

SE ALQUILAN POSESIONES para viviendas. Negras para el servicio de casa. Negros para peones y para todo trabajo, y se dan negritos para jugar con niños. De todo darán razon en la calle de Daoiz núme 11. mzo. 21

SANGUIJUELAS[6] superiores acabadas de llegar de la península, se hallan de venta en la

Comentar

1 Empezó la trata de los negros en América en 1509. ¿Por qué y para qué? ¿Qué reflexiones te inspira el que estos avisos se publicaran en 1839?
2 ¿Qué opinas del título «Ventas de animales»?
3 Analiza detalladamente el retrato que se hace de la esclava y compáralo con los anuncios que siguen.
4 «Se alquilan posesiones…»: ¿Qué se alquilaba también con las casas? ¿En qué resulta esto revelador de la condición de los negros?
5 «Se vende un hermoso caballo» – «se dan negritos»: Comenta estas frases.

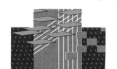

Un canto para Bolívar

*Simón Bolívar (1783-1830) recibió el título de **Libertador** en 1813. Liberó Venezuela, Colombia, Panamá, Ecuador y Perú de la Corona española. En 1825 se creó el estado de Bolivia en honor al Libertador.*

1. *demeure.*
2. *la caña de azúcar.*
3. *l'étain.*
4. *un resplandor.*
5. *le nitrate.*
6. *les filons.*
7. *ton héritage.*
8. *clochers.*

Padre nuestro que estás en la tierra, en el agua, en el aire
todo lleva tu nombre, padre, en nuestra morada[1]:
tu apellido la caña[2] levanta a la dulzura,
el estaño[3] bolívar tiene un fulgor[4] bolívar,
5   el pájaro bolívar sobre el volcán bolívar,
la patata, el salitre[5], las sombras especiales,
las corrientes, las vetas[6] de la fosfórica piedra,
todo lo nuestro viene de tu vida apagada,
tu herencia[7] fueron ríos, llanuras, campanarios[8],
10   tu herencia es el pan nuestro de cada día, padre.

Por eso hay una ronda de manos junto a ti.
Junto a mi mano hay otra y hay otra junto a ella,
y otra más, hasta el fondo del continente oscuro.
Y otra mano que tú no conociste entonces
15   viene también, Bolívar, a estrechar la tuya.

Libertador, un mundo de paz nació en tus brazos.
La paz, el pan, el trigo de tu sangre nacieron,
de nuestra joven sangre venida de tu sangre
saldrán paz, pan y trigo para el mundo que haremos.
20   Tu voz nace, Bolívar, tu mano otra vez nace
padre nuestro que estás en la tierra, en el agua, en el aire
Bolívar, Bolívar, Bolívar.

PABLO NERUDA.
Cantado por QUILAPAYÚN, 1982.

Comprender

1 ¿Qué oración cristiana imita Pablo Neruda? ¿Qué modificaciones introduce el poeta?

2 ¿Qué valor cobra en este canto la figura de Bolívar?

Comentar

3 Versos 1 – 10: Relaciona los elementos naturales citados con zonas geográficas de Hispanoamérica. ¿Por qué los asocia el poeta con el nombre del Libertador, utilizado aquí como adjetivo?

4 Versos 11 – 15: Explica la fuerza simbólica y poética de la «ronda de manos». ¿Qué visión continental heredada de Bolívar refleja esta metáfora?

5 Versos 16 – 22: ¿Cómo se reúnen Jesucristo y Dios Padre en la persona del Libertador? Entresaca los símbolos bíblicos utilizados.

Concluir

6 ¿En qué medida se puede hablar en este canto de poesía comprometida (engagée)? ¿Por qué seguirá vivo hoy en día el recuerdo de Bolívar en la mente de los hispanoamericanos?

Alto

- Les possessifs (gramm. § 13.0, 13.1, 13.3).
- Le tutoiement et le vouvoiement (gramm. § 14.3).

Obras

1 Relève les possessifs du texte et distingue les formes atones et les formes toniques.

2 Au lieu de tutoyer Bolívar comme Neruda, emploie le vouvoiement dans la 2ᵉ strophe.

Comentar

1 La iconografía habitual suele representar a Bolívar vestido de uniforme militar. Fijándote en los elementos constitutivos del cuadro, trata de explicar por qué el pintor lo habrá representado vestido de paisano (habillé en civil).

2 Durante su estancia en Cuzco en 1825, cuando asumía la Presidencia del Gobierno peruano, Bolívar redactó una serie de decretos por los que emancipaba al Indio, proclamando que «la igualdad entre todos los ciudadanos es la base de la República». Muestra cómo traducen el retrato y la composición del cuadro la fe y la determinación del Libertador.

3 ¿Qué significados simbólicos tendrá tanto la edificación de la casa como el sembrado y el paisaje? ¿Qué reflexiones te inspira la inscripción «Patria o Muerte»?

4 Situándose la escena en 1825 ¿no te llaman la atención ciertos anacronismos? Comenta este aspecto. ¿En qué medida puede seguir siendo de actualidad, para los latinoamericanos de hoy, el mensaje político de Bolívar?

Serán juzgados como traidores, *Ils seront jugés comme traîtres.* (Riva Aguero fue el primer Presidente electo del Perú, 1823. Torre Tagle se hizo con el poder cinco meses después de la elección de Aguero. Estos dos Presidentes complotaron el regreso de los españoles, traicionando a la nueva república peruana y a Bolívar).

Construir una casa nueva – los albañiles, *les maçons* – los adobes, *les briques de terre crue* – el lema «Patria o Muerte», *le slogan* «*La Patrie ou la Mort*» – labrar la tierra, *labourer la terre* – sembrar, *semer* – los campos cultivados – los trigales, *les champs de blé* – el campesino, *le paysan* – Bolívar, el Libertador – unas cuartillas manuscritas, *des feuillets manuscrits* – un discurso, una proclamación – el periódico – el titular, *le gros titre* – la primera plana, *la première page.*

HERMAN BRAUN-VEGA, *Bolívar en Cuzco en 1825.* Panel izquierdo del díptico *Bolívar, luz y penumbras*, 1983. Acrílico sobre madera, 150 x 150 cm.

Plutarco debe de ser un negro

1. (de finales del s. XIX).
2. llevarse un disgusto tremendo, *être profondément contrarié.*
3. *extraviar, égarer.*
4. *le sac à main.*
5. *le parapluie.*
6. *les réprimandes.*
7. *ne fut pas échaudée.*
8. *sujetar, fixer.*
9. *des épingles de nourrice.*
10. *en mettant le cap sur la Péninsule.*
11. *par erreur.*
12. *tostar, el tueste, hâler, le hâle.*
13. *la caserne.*
14. *rangs.*
15. *ici, retrouver.*
16. *d'être aux arrêts.*
17. *prétendu.*
18. *manifeste.*
19. *le charbon.*
20. *la fanfare.*
21. *l'armée.*

Ya se sabe que **la España de entonces**[1] era igual que una de esas señoritas distraídas que lo pierden **todo**, y que **al volver** a casa después de dar un paseo se llevan un disgusto tremendo[2] **al darse cuenta** de que han extraviado[3] el bolso[4], o el paraguas[5], o el zapato del pie derecho.

A pesar de las regañinas[6], España no escarmentó[7]. Ella hacía lo posible por evitar estas pérdidas, e incluso **se sujetaba**[8] las colonias al mapa con grandes imperdibles[9] **para que no se las quitaran.** Pero fue inútil: poco después perdió a Cuba. Y no siguió perdiendo joyas, por la sencilla razón de que ya no le quedaba ninguna.

En el último transporte de tropas, que salió precipitadamente de La Habana con rumbo a la Península[10], embarcaron por equivocación[11] a Plutarco. El sol tropical había tostado[12] tanto a los soldados de nuestros heroicos regimientos, que era difícil diferenciar su tueste provisional de la negrura racial. Sólo algunos meses después, en el cuartel[13] de Pamplona al que fue destinado el batallón que incluyó a Plutarco en sus filas[14], se dio cuenta el comandante del error: mientras todos sus hombres recobraban[15] poco a poco su blancura de origen, Plutarco seguía oscuro como boca de lobo.

–Debe de ser un negro –dedujo el comandante, cuya perspicacia nadie se atrevía a discutir en el cuartel por miedo al arresto[16].

Y para salir de dudas, **ordenó al médico** regimental **que le hiciera** la «reacción rumba». Esta reacción, rigurosamente científica, consiste en someter al presunto[17] negro a la audición de una rumba. Si el individuo con el cual se experimenta la baila, es señal inequívoca[18] de que es más negro que la hulla[19]. Y la reacción de Plutarco fue positiva porque se puso a bailar la rumba con verdadero frenesí, a pesar de que la banda[20] del regimiento la tocó muy mal. Fue expulsado del ejército[21], como es lógico.

ÁLVARO DE LAIGLESIA, *Sólo se mueren los tontos*, 1955.

Comentar

1 Sitúa históricamente la escena y resume la anécdota destacando los diferentes momentos del texto.

2 Líneas 1 – 4: ¿Qué opinas de la comparación de la España de entonces con una señorita distraída? ¿Cómo refleja el ambiente general de aquel tiempo?

3 Líneas 5 – 8: ¿De qué regañinas se tratará? ¿Cómo caracteriza el autor a España? ¿A qué hechos históricos remite en concreto la caricatura? ¿Puedes precisar el propósito humorístico de Álvaro de Laiglesia?

4 Líneas 9 – 15: ¿Qué revela el adverbio «precipitadamente»? ¿Qué te parece el nombre de Plutarco? ¿Qué tonalidad va cobrando la equivocación a través de la hipérbole?

5 Líneas 16 – 23: Muestra cómo se vale el autor de la burla irónica para desembocar en una farsa grotesca. Trata de precisar cuál será el blanco *(la cible)* de la sátira.

6 Matiza el papel de la risa a lo largo de esta página. ¿Qué alcance tendrán las frases «Y no siguió perdiendo joyas, por la sencilla razón de que ya no le quedaba ninguna» (l. 7) y «Fue expulsado del ejército, como es lógico» (l. 23).

Alto

- Quelques emplois de l'infinitif (gramm. § 44.2).
- Le mode subjonctif (gramm. § 52.1 et 53.2).
- La concordance des temps (gramm. § 54.0).
- Le futur de l'indicatif exprimant la probabilité (gramm. § 45.2).

Obras

1 Justifie l'emploi de **al** + infinitif dans les exemples en caractère gras dans le texte : **al volver, al darse cuenta**. Donne une tournure équivalente.

2 Traduis les deux phrases : «*E incluso se sujetaba las colonias al mapa para que no se las quitaran*» – «*Y para salir de dudas, ordenó al médico regimental que le hiciera la "reacción rumba"*». Quelles remarques t'inspirent ces deux traductions ? Mets ces phrases au présent. Complète les amorces suivantes : *El comandante le mandó a Plutarco que... – El ejército exige que los soldados... – Álvaro de Laiglesia aconseja a España que...*

3 Donne un équivalent pour «***Debe de ser** un negro*».

Insurrectos cubanos de la
guerra hispanoamericana.
Le Petit Journal, 22/05/1898.

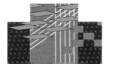

«HASTA LA VISTA, "BABY"»

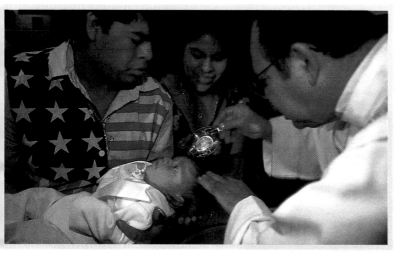

STEVE MAC CURRY, *Un bautizo en el corazón de la colonia hispana de Sunset Boulevard*, Los Ángeles, 1993.

1. *a mis à la mode*
   l'expression.
2. *recensés.*
3. *déclinante.*
4. *(l'une des communes de l'aire*
   métropolitaine du Grand
   Miami).
5. *Le franchissement.*
6. *se plier.*
7. *leurs hôtes.*
8. *enflammée.*
9. *a progressé.*

El crecimiento de lo latino en Estados Unidos alarma a una minoría blanca.

La frase «hasta la vista, *baby*» fue el primer intento serio de Hollywood para llegar a la audiencia latina de Estados Unidos. En 1991, cuando Arnold Schwarzenegger popularizó el latiguillo[1] en castellano, en EE.UU. estaban censados[2] 23 millones de hispanos. La fuerza demográfica de los hispanos les está llevando a conseguir algunas victorias. Este mismo mes se ha celebrado en Nuevo México la primera ceremonia bilingüe de nacionalización de emigrantes. Paralelamente, las grandes multinacionales han iniciado una carrera para acaparar el mercado, ante la alarma de la menguante[3] minoría blanca que contempla con preocupación cómo, por primera vez, una minoría se abre hueco sin necesidad de renunciar a su idioma.

Los concejales hispanos de Dade County[4], la zona más importante de Florida, acaban de conseguir la anulación de una ley que convertía el inglés en la única lengua oficial. La superación[5] de esta barrera legal **permitirá que** los dos millones de habitantes, en su mayoría hispanos, **utilicen** el castellano en todas sus comunicaciones con la Administración. La utilidad de la nueva reglamentación es muy limitada, pero el simbolismo de este triunfo hispano ha abierto una polémica en el Estado de Florida.

Los defensores del predominio anglosajón consideran que los inmigrantes deben ajustarse[6] a la lengua y costumbres de EE.UU., mientras que otros grupos creen que no se puede penalizar al casi millón de habitantes de Florida que no habla inglés o lo habla mal. Para los críticos, la actitud de los latinos es la de unos invitados que menosprecian la comida de sus anfitriones[7] después de haberse llenado el estómago. Los más radicales **temen que** en los Estados donde la población hispana es notable, **se repita** el caos del bilingüismo de Canadá o Bélgica. Florida no es Estados Unidos, y no todos los hispanos se sienten identificados con los que llegaron de Cuba. Miami es una ciudad inundada de nostalgia por La Habana, y en ella se han desarrollado ya varias generaciones de emigrantes cubanos que no han tenido dificultades para mantener sus señas de identidad. Cuando el diario *Miami Herald* publicó una lista con los nombres de los inmigrantes cubanos que se habían enriquecido sin hablar una palabra en inglés, la sección de cartas al director recibió la reacción airada[8] de numerosos norteamericanos. Los anglohablantes **temen que** el desarrollo del español en Norteamérica **acabe** para siempre con el mito del *melting pot* que ha unido en un mismo ideal y una misma lengua a todos los emigrantes que han llegado a Estados Unidos. A pesar de que el caso de Florida es extremo, la irritación anglosajona ha subido de grado[9] a la misma velocidad que las estadísticas que reflejan la explosión demográfica latina. Mientras que los blancos crecerán en las próximas décadas a un ritmo del 29 %, los hispanos lo harán al 237 %.

José Rodríguez, descendiente de mexicanos, ha triunfado con su tienda de camisetas de Washington DC. Rodríguez es un firme partidario del inglés «y del español, porque la diversidad da riqueza». Rodríguez le enseñará ambas lenguas a su hijo, pero no es partidario de llevar el orgullo de la raza latina demasiado lejos. «Cuando mi padre llegó de México

45 entendió que si no aprendía inglés nunca saldría del barrio. Ése es el problema de muchos latinos, que se aíslan con la gente que habla su idioma y luego se quejan de estar marginados».

En California, que junto con Florida, Nueva York y Tejas tiene el mayor porcentaje de hispanos, un grupo de estudiantes acaba de vencer una batalla histórica. Tras mantenerse en huelga

50 del hambre 15 días y realizar fuertes protestas, la Universidad de California (UCLA) acaba de autorizar la inversión necesaria para crear un centro de estudios chicanos. Así como en los años setenta se crearon centros de estudios afrocamericanos, los latinos consideran que ha llegado el momento de seguir ese camino. Sin embargo, a diferencia de los negros, los hispanos hablan un segundo idioma y no están dispuestos a sacrificarlo.

EMMANUELA ROIG, *El País Internacional*, 26/07/1993.

Comentar

1 ¿Qué temores, esperanzas y conflictos pone de manifiesto Emmanuela Roig?
2 Líneas 1 – 10: ¿Qué realidad norteamericana revela el éxito del latiguillo «hasta la vista, "baby"»?
3 Líneas 11 – 15: Explica en qué consiste el repentino interés que las multinacionales experimentan por lo hispano. Comenta la expresión «la menguante minoría».
4 Líneas 16 – 21: ¿Por qué hace hincapié la periodista en el triunfo de los concejales hispanos de Dade County? ¿Qué repercusiones puede tener?
5 Líneas 22 – 40: ¿Qué argumentos aducen los defensores del predominio anglosajón para oponerse al desarrollo del español en EE.UU.? ¿Te parecen justificados? ¿A qué particularidad se debe que el conflicto lingüístico alcance tal paroxismo en el caso de Florida? (Recuerda las tensiones pasadas y presentes entre EE.UU. y Cuba.) ¿Cómo explicas entonces que la articulista afirme que «la irritación» se generaliza?
6 Líneas 41 – 47: ¿Por qué resulta ejemplar el caso de José Rodríguez? ¿Ha de considerarse acertada su manera de enfocar el problema?
7 Líneas 48 – 54: Se evoca una nueva victoria de los hispanos: explica su alcance. ¿Qué ejemplo del pasado les sirvió de estimulante a los estudiantes californianos en su lucha?
8 ¿Se comprende el interés que manifiesta una periodista española por un asunto tan conflictivo de la sociedad norteamericana?

Alto

- *La valeur des temps, le passé simple (gramm. § 45.1).*
- *L'emploi du subjonctif (gramm. § 52.2, 53.2).*

Obras

1 Le texte est écrit, en général, au présent et au passé composé. Néanmoins dans un certain nombre de cas l'auteur a utilisé des verbes au passé simple. Relève-les et justifie leur emploi.
2 *«La superación de esta barrera legal **permitirá que** los dos millones de habitantes... **utilicen**»* (l. 17) – *«Los más radicales **temen que**... **se repita**»* (l. 26). Réemploie ces différentes valeurs du subjonctif dans deux phrases se rapportant au texte.

Una pirámide – una hamaca – descansar cómodamente: *se prélasser* – a contraluz, *à contre-jour* – una paronomasia (semejanza fonética entre dos vocablos muy parecidos pero de significado distinto).

La pirámide fotografiada, llamada «el Castillo», es uno de los monumentos del sitio maya de Chichén-Itzá. Cada 21 de marzo, la luz del sol proyecta en una cara de la pirámide la sombra de una de las escaleras, representación del dios Quetzalcóatl (la serpiente emplumada). El movimiento del astro da la ilusión de que una serpiente repta pirámide abajo. Es un acontecimiento espectacular que atrae cada año a muchísimos turistas.

Comprender
Comentar

1 ¿Quién promueve la campaña publicitaria? ¿Con qué fin?

2 Describe las dos fotografías. ¿Cómo sirven al propósito del anunciante?

3 Analiza el lema que las enmarca (su disposición en la página, la tipografía empleada, la paronomasia): ¿por qué resulta particularmente adecuado?

4 Lee ahora el texto que figura al pie del anuncio: «La magia de México gira siempre en torno al sol». Muestra cómo el publicitario juega con dos imágenes del sol, tanto en el texto como en las fotografías.

Concluir

5 ¿Te parece que México se resume con una pirámide y una playa? Aprecia la visión que se nos da de este país. ¿Dónde reside para ti la verdadera magia de México?

Contra la Kodak

1. (que inspira terror)
2. yacer, *gésir, reposer* (cf. *ci-gît*).
3. ya no existen.
4. resquebrajarse, *se craqueler.*
5. *le grincement.*

Cosa terrible[1] es la fotografía.
Pensar que en estos objetos cuadrangulares
yace[2] un instante de mil novecientos cincuenta y nueve.
Rostros que ya no son[3]
₅ aire que ya no existe.
Porque el tiempo se venga
de quienes rompen el orden natural deteniéndolo,
las fotos se resquebrajan[4], amarillean.
No son la música del pasado.
₁₀ No son el verso
sino el crujido[5]
de nuestra irremediable cacofonía.

JOSÉ EMILIO PACHECO, *Alta traición*, 1969-1972.

Comprender
Comentar

1 ¿Qué simboliza la marca Kodak?

2 Versos 1 – 5: ¿No resulta extraño el adjetivo del primer verso? ¿En qué son paradójicos estos «objetos cuadrangulares»? Comenta el uso del verbo «yacer» y aclara los versos 4 y 5.

3 Versos 6 – 12: ¿De quiénes se venga el tiempo y por qué? Explica la oposición entre los versos 9 – 10 y los versos 11 – 12.

Concluir

4 En fin de cuentas, ¿por qué no le gustan las fotos a José Emilio Pacheco?

Un santo

Un grupo de viejas devotas mexicanas se presentan en casa de Anacleto Morones que tiene gran fama de hombre santo. Él no está, pero sí su ayudante con quien las ancianas traban conversación.

1. *(el que vende talismanes, aleluyas -images pieuses-, y vive de la fe supersticiosa del pueblo).*
2. *imágenes de santos.*
3. *(amér.), je portais son bric-à-brac.*
4. *les neuvaines (prières qui durent 9 jours).*
5. *(unos 35 kilos).*
6. *pèlerins.*
7. *agenouillé.*
8. *une fourmilière.*
9. *un éclat de bois.*
10. *en triomphe sur une litière.*
11. *le comble.*
12. *postrarse, se prosterner.*
13. *je passais ma vie bouche bée.*
14. *embobiner.*
15. *un porcher.*
16. *Ingrat.*
17. *que cela te plaise ou non.*
18. *en prison.*
19. *sans laisser de trace.*
20. *bendecir, bénir.*
21. *arrodillarse, s'agenouiller.*
22. *le scapulaire (image religieuse brodée sur un tissu).*

–Siempre has sido muy diablo, Lucas Lucatero.

–Por algo fui ayudante de Anacleto Morones. Él sí que era el vivo demonio.

–No blasfemes.

–Es que ustedes no lo conocieron.

–Lo conocimos como santo.

–Pero no como santero[1].

–¿Qué cosas dices, Lucas?

–Eso ustedes no lo saben; pero él antes vendía santos[2]. En las ferias. En la puerta de las iglesias. Y yo le cargaba el tambalache[3].

Por allí íbamos los dos, uno detrás de otro, de pueblo en pueblo. Él por delante y yo cargándole el tambalache con las novenas[4] de San Pantaleón, de San Ambrosio y de San Pascual, que pesaban cuanto menos tres arrobas[5].

Un día encontramos a unos peregrinos[6]. Anacleto estaba arrodillado[7] encima de un hormiguero[8], enseñándome cómo mordiéndose la lengua no pican las hormigas. Entonces pasaron los peregrinos. Lo vieron. Se pararon a ver la curiosidad aquella. Preguntaron: «¿Cómo **puedes** estar encima del hormiguero sin que **te piquen** las hormigas?»

Entonces él se puso brazos en cruz y comenzó a decir que **acababa** de llegar de Roma, de donde **traía** un mensaje y **era** portador de una astilla[9] de la Santa Cruz donde Cristo fue crucificado.

Ellos lo llevaron de allí en sus brazos. Lo llevaron en andas[10] hasta Amula. Y allí fue el acabóse[11]; la gente se postraba[12] frente a él y le pedía milagros.

Eso fue el comienzo. Y yo nomás me vivía con la boca abierta[13], mirándolo engatusar[14] al montón de peregrinos que iban a verlo.

–Eres puro hablador y de sobra hasta blasfemo. ¿Quién eras tú antes de conocerlo? Un arreapuercos[15]. Y él te hizo rico. Te dio lo que tienes. Desagradecido[16].

–Hasta eso, le agradezco que me haya matado el hambre, pero eso no quita que él fuera el vivo diablo. Lo sigue siendo, en cualquier lugar donde esté.

–Está en el cielo. Entre los ángeles. Allí **es donde** está, mal que te pese[17].

–Yo sabía que estaba en la cárcel[18].

–Eso fue **hace** mucho. De allí se fugó. Desapareció sin dejar rastro[19]. Ahora está en el cielo en cuerpo y alma presentes. Y desde allá nos bendice[20]. Muchachas, ¡arrodíllense[21]! **Recemos** el "Penitentes somos, Señor", para que el Santo Niño **interceda** por **nosotras**.

Y aquellas viejas se arrodillaron, besando a cada Padre Nuestro el escapulario[22] donde estaba bordado el retrato de Anacleto Morones.

JUAN RULFO, *Anacleto Morones*, 1953.

Comprender

1 ¿Cuál es el objeto de la discusión entre Lucas y las devotas? ¿De qué quieren convencerse respectivamente?

Comentar

2 Líneas 1 – 7: Presenta las dos visiones contrapuestas. Caracteriza el tono de las mujeres y el de Lucas.
3 Líneas 8 – 23: Aclara los hechos relatados. Define el tipo de relaciones que se habían establecido entre Anacleto y el pueblo. ¿Qué opina Lucas?

4 Líneas 24 – 34: ¿Cómo se nota que las mujeres siguen reacias *(fermées)* a cualquier demostración? Explica su actitud. Destaca el humorismo de la discusión sobre el paradero *(l'endroit où se trouve)* del santero.

Concluir

5 Para ti, ¿era un santo el santero? ¿No te hace pensar Anacleto Morones en ciertos personajes de la novela picaresca española?

Alto

- *Style direct et style indirect (gramm. § 55.0).*
- *«C'est... que» (gramm. § 23.0).*
- *Les équivalents de «il y a» et «depuis» (gramm. § 29.0).*

Obras

1 Mets au style direct la phrase qui va de la ligne 17 à 19 en commençant ainsi : *Y comenzó a decir: «…».*
2 Mets au style indirect les phrases : **a.** *«¿Cómo puedes estar encima del hormiguero sin que te piquen las hormigas?»* → *Preguntaron los peregrinos a Anacleto Morones cómo…*
b. *«Muchachas, ¡arrodíllense! Recemos para que el Santo Niño interceda por nosotras»* → *Una de las ancianas mandó a sus compañeras que…*
3 *«Allí **es donde** está»* (l. 28). En suivant ce modèle construis trois phrases en rapport avec le texte dans lesquelles l'équivalent espagnol de «c'est... que» introduira respectivement un complément de temps, de manière et de cause.
4 *«Eso fue **hace** mucho»* (l. 30). Quel est le mot sous-entendu ? Traduis cette phrase.
5 Traduis depuis *«Eres puro hablador…»* (l. 24) jusqu'à *«Muchachas, ¡arrodíllense!»* (l. 31).

MIREILLE VAUTIER, *Fiesta de la Virgen de Guadalupe*, México, 1991.

La bandera, *la bannière* – la efigie, *l'effigie, la représentation* – bordar, *broder* – la seda, *la soie* – los hilos de oro, *les fils d'or* – el manto de la Virgen – la dulce mirada – remilgado, *mièvre* – el mestizo – solemne – la gravedad.

La Virgen de Guadalupe es la Patrona de México. El origen de su culto se remonta a su aparición al indio Juan Diego (1531) en el cerro de Tepeyac, lugar donde los aztecas veneraban a Tonantzin, la madre de los dioses.
Hidalgo, en 1810, y los insurgentes que luchaban por la independencia hicieron de la imagen de la Virgen su estandarte, convirtiéndose entonces la «Lupita» en el símbolo del nacionalismo mexicano.

Comentar

1 Describe la escena precisando dónde pasa y con qué motivo.
2 Fíjate en la composición: analiza y comenta el contraste que captó el fotógrafo.
3 ¿Cómo explicas el fervor de muchos mexicanos por la «Lupita»?

Indocumentados[1]

1. *Clandestins.*
2. *Au poste frontière.*
3. *la police des frontières.*
4. *écran.*
5. *l'appareil.*
6. *sens.*
7. *les fantômes.*
8. *pescar, ici, pincer.*
9. *ici, regulière.*
10. *accueil.*
11. *couloir polonais (allusion au couloir de Dantzig, zone neutre qui, au début du siècle, reliait la Pologne à la mer).*
12. *bien sûr.*
13. *colarse, ici, passer subrepticement.*
14. *celui qui appliquait avec le plus de zèle.*
15. *amendes.*
16. *les employeurs.*
17. *l'effondrement.*
18. *un degré.*
19. *disfrazar, ici, masquer.*

En el puesto fronterizo[2] entre Mexamérica / Norte y Baja Oklahoma el agente de la migra[3] Mazzo Balls mira atentamente su pantalla[4] infrarroja detectadora de emanaciones caloríficas del cuerpo humano. Pero esta noche **no** se lee **nada** en la pantalla. Las ondas de calor **no** activan el aparato[5] detector **ni** se transforman en imágenes espectrales en la
5   pantalla. Sin embargo, el sexto sentido[6] del agente Mazzo Balls le dice que los fantasmas[7] están cruzando la frontera prohibida esta noche igual que todas las noches. La excepción **no** confirma **ninguna** regla, le **enseñaron** en su cuerpo de entrenamiento para pescar[8] indocumentados. La invasión desde el Sur es pareja[9], sin solución de continuidad: es una inundación. Ocurre a todas horas.
10   Esta noche sería la primera noche de sus tres años de servicio (solitario servicio en esta tierra de nadie de la llanura texana) en que el agente Mazzo Balls no detectara por lo menos a un mexicano, hondureño o salvadoreño que intentara introducirse en Baja Oklahoma, no contento con la buena recepción[10] que **se le tributó** en Mexamérica, esa especie de corredor polaco[11] entre México y los Estados de Norteamérica que
15   supuestamente[12] se declaró independiente de ambos países, **aunque** en realidad **servía** a los intereses de ambos, absorbiendo al ochenta por ciento de los indocumentados que antaño se colaban[13] a Texas, California, hasta el Medio Oeste y los Grandes Lagos…
El agente Mazzo Balls era el más celoso implementador[14] de la versión final de la Ley Simpson-Nobody que a cambio de un metafísico control de la frontera norteamericana,
20   sancionó con multas[15] y prisión a los empleadores[16] de indocumentados. Las dificultades para la entrada y empleo de mano de obra latinoamericana **no sólo** acentuó la crisis social de México y Centroamérica, **sino** que provocó el desplome[17] de la estructura del empleo en los Estados Unidos. La ausencia de trabajadores hispanos en hospitales, campos, restoranes, transportes, manufacturas, dejó un horrendo vacío que, en contra de
25   las leyes de la física no fue llenado por nadie. **Nadie** quiso hacer lo que no hacían ellos, pero **todos tuvieron que descender** un peldaño[18] en prestaciones, sueldos, ocupaciones, para disfrazar[19] el vacío del trabajo.

CARLOS FUENTES, *Cristóbal Nonato*, 1991.

ROBERTO CÓRDOVA, *Capturados por la migra*, 1990.

Comprender

1 ¿Existe Mexamérica? Refiriéndote al texto (l. 1, 13 – 17) sitúa en el mapa este territorio ficticio.
2 ¿Por qué «invasión» e «inundación» (l. 8 y 9) son dos palabras claves del extracto?

Comentar

3 Líneas 1 – 5: ¿Qué ambiente consigue crear Carlos Fuentes en estas líneas?
4 Líneas 5 – 9: ¿Cómo te explicas la extrema vigilancia de Mazzo Balls? Aprecia el retrato del agente de la migra.
5 Líneas 10 – 20: ¿Por qué contratan a indocumentados empleadores norteamericanos? Fíjate en el apellido Mazzo Balls: ¿no hay cierta paradoja entre el celo del agente y sus orígenes? ¿Qué significado tiene la palabra «Nobody»?
6 Líneas 20 – 27: ¿Cuáles fueron las consecuencias sociales y económicas de la aplicación de esta ley? Aclara ahora lo irónico de la ley «Simpson-Nobody».

Concluir

7 ¿Qué pretende denunciar esta demostración reducida al absurdo?

Alto

- *La négation (gramm. § 26.0).*
- *Les équivalents de «on» (gramm. § 17.0).*
- *L'obligation (gramm. § 32.0).*
- *Les verbes à diphtongue (gramm. § 37.0).*
- *Conjugaison à l'impératif d'un verbe pronominal (gramm. § 43.3 et 16.1).*
- *Aunque + indicatif (gramm. § 51.1).*

Obras

1 Relève les tournures négatives en caractères gras, justifie leur emploi en t'aidant du § 26 de la grammaire. Tu donneras une autre construction chaque fois que cela sera possible.
2 Comment traduis-tu : «le **enseñaron** en su cuerpo de entrenamiento» et «no contento con la buena recepción que **se le tributó**» ? Imagine deux exemples qui restent en rapport avec le texte où tu utiliseras la 3ᵉ personne du pluriel et *se* + 3ᵉ personne du singulier pour traduire l'impersonnel «on».
3 Dans la phrase : «todos **tuvieron que descender** un peldaño», justifie l'emploi de **tener que** + infinitif et donne des équivalents possibles.
4 Conjugue au présent de l'indicatif et du subjonctif ainsi qu'à l'impératif les verbes à diphtongue : **moverse, colarse, descender**. A l'impératif, que remarques-tu pour les verbes pronominaux *moverse* et *colarse* ?
5 Traduis la phrase : «Mexamérica se declaró independiente de ambos países **aunque** en realidad **servía** a los intereses de ambos». Quel mode doit-on employer en français dans la concessive ? Pourquoi l'espagnol emploie-t-il ici l'indicatif ?

ROBERTO CÓRDOVA,
Cruzando la alambrada,
1990.

Mercados guatemaltecos[1]

1. *de Guatemala.*
2. *la foule.*
3. *les paniers.*
4. *trenzar, tresser.*
5. *poterie.*
6. *lys (fleur).*
7. *hérons.*
8. *jeu de cartes.*

Yo vi en Quetzaltenango
la muchedumbre[2]
fértil
del mercado,
5 los cestos[3]
con el amor trenzados[4],
con antiguos
dolores,
las telas
10 de color turbulento,
raza roja,
cabezas de vasija[5],
perfiles
de metálica azucena[6],
15 graves miradas blancas,
sonrisas como vuelos
de garzas[7] en el río,
pies de color de cobre,
gentes
20 de la tierra,
indios
dignos como
monarcas de baraja[8].

PABLO NERUDA,
Oda a Guatemala, 1954.

MIREILLE VAUTIER, *India maya de Nebaj.*

Comprender

Comentar

1 ¿Qué importancia cobra la presencia del «yo vi» al principio del primer verso?

2 ¿Por qué puede ser «fértil» (verso 3) la muchedumbre del mercado y cómo lo recalca poéticamente Neruda? ¿Qué artesanías se presentan aquí (versos 5 – 10) y cómo se sugiere su aspecto tradicional? Relaciona los versos 9 y 10 con las fotos.

3 Los mayas dejaron unas hermosas cerámicas: explicita los versos 11 y 12.

4 Analiza la metáfora y la comparación que utiliza Neruda (versos 13 – 20) para evocar a los guatemaltecos.

5 ¿Qué aporta la última comparación (versos 21 – 23)? Fíjate en la rima interna «indios/dignos»: ¿por qué insiste Neruda en la dignidad de los indios?

Concluir

6 Muestra cómo Neruda da a entender que la artesanía vendida en los mercados es creación y expresión de todo un pueblo.

Serie: «*Indios de Guatemala: vida cotidiana y tradiciones*», Otros pueblos, T.V.E.

MIREILLE VAUTIER, *Mujeres mayas en el mercado de Patzun.*

Comentar

1 En Guatemala, cada pueblo tiene su traje local. Las mujeres lo visten cada día. Puedes comprobar que las mujeres de Patzun llevan todas el mismo «huipil» *(corsage)*, muy diferente del que viste la chiquilla de Nebaj. Sin embargo, ¿en qué se parecen todos estos vestidos? (*Cf.* el poema de Pablo Neruda, v. 10 – 11.) ¿Qué detalles te permiten decir que son indias estas mujeres?

2 La chiquilla de Nebaj tendrá unos doce años. Fíjate en sus manos: ¿qué nos revelan de la vida que lleva?

¡La anexión es un hecho!

1. *le rapport.*
2. quitar.
3. (en 1898).
4. (danza de Polinesia).
5. *éventails.*
6. invertir, *investir.*
7. sumar, ici, *s'élever à.*
8. *sans être en désaccord avec le point de vue.*
9. correr, circular.
10. *le monocle.*
11. *crachat.*
12. *paupières.*
13. terciar, intervenir.
14. desnaturalizar, *bannir.*
15. enarbolar, *arborer.*
16. (se trata del senador).

Serie: «Costa Rica, Golfito, se fue la multinacional», La otra mirada de Latinoamérica, T.V.E.

Están reunidos en Chicago el presidente de la Compañía Bananera y un senador norteamericano para escuchar el informe[1] que presenta Maker Thompson, director delegado de la Compañía en un país de Centroamérica.

Maker Thompson, saliéndose un poco del sillón, empezó a hablar ensayando algunos ademanes.

–Sin restar[2] valor en lo más mínimo a la forma como se anexaron las islas Hawai[3], debo principiar mi información haciendo ver que los territorios que ahora tratamos de anexar no están

5 poblados de bailarines de *ula ula*[4], sino de hombres que en todas las épocas han combatido, y donde las palmeras no son abanicos[5], sino espadas. A la hora de la conquista española combatieron hasta la muerte con bravos capitanes, la flor de Flandes, y después con los más audaces corsarios ingleses, holandeses, franceses.

–Por eso el señor senador –dijo el presidente de la Compañía– expuso ya que los métodos

10 pacíficos **son los que** deben emplearse. Nada de aventuras armadas innecesarias. Pacíficamente como se hizo en Hawai. Procurar primero que el capital invertido[6] sume[7] las dos terceras partes, y entonces, proceder.

–Y por eso yo, sin disentir del criterio[8] del señor senador, expliqué **cuán diversos** son los habitantes de los países de América Central de los de las islas Hawai, para corroborar en todo el

15 propósito de la anexión pacífica.

–¡Bravo! –exclamó el presidente de la Compañía.

–Y es más: siguiendo esa política de penetración económica, se **ha conseguido** ya: primero: que en la zona que dominamos en Bananera sólo corra[9] nuestro signo monetario: el dólar, y no la moneda del país.

20 –Es un paso muy apreciable –subrayó el senador levantando los ojos del mapa al tiempo de soltar el monóculo[10], como una escupida[11] verde de sus párpados[12] rosados.

–Segundo –siguió Maker Thompson– : **hemos abolido** el uso del español o castellano, y en Bananera sólo se habla inglés, así como en los demás territorios en que nuestra Compañía opera en Centroamérica.

25 –¡Excelente! ¡Excelente! –tercíó[13] el presidente de la Compañía.

–Y por último: **hemos** también **desnaturalizado**[14] el uso de la bandera nacional: sólo se enarbola[15] la nuestra.

–Un poco romántico, pero...

–Pero útil –cortó la palabra al felino orangután[16] el presidente–. ¡Usan nuestra moneda,

30 emplean nuestro idioma, enarbolan nuestros colores!... ¡La anexión es un hecho!

MIGUEL ÁNGEL ASTURIAS, *El papa verde*, 1954.

Comentar

1 ¿De qué nacionalidad son todos los protagonistas? Precisa el objetivo de la discusión. ¿Por qué estará presente un senador?

2 Líneas 1 – 8: ¿Por qué opone Maker Thompson a los centroamericanos y a los hawaianos? ¿De qué quiere convencer a sus interlocutores? ¿Te parece justificada la presentación que hace del pasado histórico? ¿A qué acontecimientos y épocas remite?

3 Líneas 9 – 16: Estudia las palabras del presidente de la Compañía y caracteriza al personaje; comenta en particular su última frase. Aclara el significado del verbo «proceder»; ¿por qué no tiene complemento? ¿Te parece sincera la contestación de Maker Thompson? Justifícate.

4 Líneas 17 – 28: Detalla las diferentes medidas adoptadas por la Compañía y pondera su alcance y las posibles consecuencias. Analiza las intervenciones del presidente y del senador: muestra cómo sirven para conformar el retrato de ambos personajes.

5 Líneas 29 – 30: Estudia la curiosa caracterización física del senador que hace Asturias. Comenta las últimas palabras del presidente; fíjate en su tono y modo de expresarse.

6 ¿Cómo se representan Centroamérica los políticos y hombres de negocios norteamericanos según el guatemalteco Miguel Ángel Asturias? ¿En qué medida te parece corresponder a una realidad la evocación literaria? Compara, por ejemplo, con la situación de Costa Rica presentada en el vídeo.

Alto

- *L'emploi du passé composé (gramm. § 45.1).*
- *«C'est... que» (gramm. § 23.0).*
- *L'article neutre **lo** (gramm. § 10.0).*

Obras

1 Dans les trois dernières répliques de Maker Thompson (l.17, 22 et 26) justifie l'alternance du passé composé et du présent.

2 Transforme les phrases suivantes en employant une tournure de renforcement selon le modèle : *Los métodos pacíficos deben emplearse* → *«los métodos pacíficos **son los que** deben emplearse»* (l. 9).
Los métodos pacíficos debían emplearse – En Bananera se habla inglés – Por vías pacíficas se anexaron las islas Hawai.

3 *«Expliqué **cuán diversos** son los habitantes»* (l. 13). Traduis cette expression. Par quelle tournure équivalente pourrait-on la remplacer ?

La plantación de piñas, *la plantation d'ananas* – la recolección, *la cueillette* – el peón hondureño, *l'ouvrier agricole hondurien* – amontonar, *entasser* – contabilizar – vigilar, *surveiller* – el calibre.

MIREILLE VAUTIER, *Standard Fruit Company*, Honduras.

Comentar

1 Sitúa la escena y descríbela haciendo hincapié en las labores de los distintos protagonistas.

2 Fíjate en el nombre de la compañía, ¿es hondureña? ¿Cómo explicas esa situación? Imagina cuál será el destino de la cosecha. Observa que la mayor parte del trabajo se hace a mano, ¿lo puedes explicar?

3 Trata de sintetizar tus observaciones, deduciendo cuáles serán las relaciones económicas y políticas imperantes entre un país como Honduras y EE.UU.

EL ZOMBI¹ SE LO LLEVÓ

1. fantasma (Antillas).
2. misterioso.
3. amenazador.
4. sorcier (Antilles).
5. internarse, s'enfoncer.
6. blandir, brandir.
7. ancêtres.
8. leur proie.
9. une bave immonde jaillissant de su bouche.
10. lançant des flammes.
11. horrible.
12. ici, la gueule.
13. battirent rapidement en retraite.
14. le maléfice.
15. llena.

En 1938, en un pueblo del sur de la República Dominicana, cercano a la frontera con Haití, Felipe, un niño, acaba de desaparecer. Ha empezado la búsqueda.

¿Quién era ese negro grandote y ordinario, grotesco y sigiloso², torvo³ y silencioso? ¿Era realmente un zombi o un bacá⁴? ¿Se llevó él a Felipe? Ésa era la gran pregunta. La
5 cuestión es que desde temprano había desaparecido el negro y esa ausencia era notoria. Comenzaron, pues, las especulaciones y ello fue una motivación para que el padre de Felipe, don Jacinto, decidiera continuar
10 la búsqueda desafiando la densa oscuridad del bosque.

A las 2:00 de la mañana, aproximadamente, el grupo «capitaneado» por don Jacinto escuchó que alguien muy pesado trataba
15 de huir internándose⁵ más adentro de la espesura.

–¡Corran, por aquí! –gritó uno del grupo.

Todos giraron hacia la dirección señalada, blandiendo⁶ machetes y puñales, mientras
20 la madre de Felipe sostenía en alto un crucifijo de plata recuerdo de sus antepasados⁷.

Noche de luna llena, a unos cincuenta metros alcanzaron su presa⁸. Era «el
25 Zombi», denunciando su rostro un terrible parecido con el mismo demonio, brotándole de la grotesca boca una baba inmunda⁹, con los ojos encandilados¹⁰ y sosteniendo por los cabellos la cabeza de un
30 niño, que aunque don Jacinto y el grupo no sabrían decir quién·era, estaban seguros que era la de Felipe.

A las voces del grupo acudieron los demás, todos dispuestos a enfrentarse al enemi-
35 go, pero he aquí que aquel demonio fue convirtiéndose en un horripilante¹¹ animal

Altar Vodú, Museo nacional de Guanabacoa, Cub

con cuernos de toro y fauces¹² de lobo furioso. El grupo retrocedió, mientras aquella «cosa» inmunda amenazaba con atacar,
40 cuando uno exclamó:

–¡Corran, que es un bacá!

Todos emprendieron retirada a prisa¹³. Ya, ¿para qué morir bajo el hechizo¹⁴ de ese ser satánico? Felipe estaba muerto, perdido,
45 víctima de «el Zombi».

¿Mito o realidad?

El Sur fronterizo es una zona repleta¹⁵ de leyendas. Sus habitantes creen en el poder mágico de seres espirituales, divinidades,
50 bacases y zombíes, que habitan en un plano extranatural y controlan las actividades humanas.

RUBÉN DARÍO VALLEJO, *El Caribe*, 10/08/1991.

Comentar

1 Sitúa en el mapa Haití y la República Dominicana. ¿Qué sabes de la población de estos países, de sus orígenes, costumbres y creencias?

2 Líneas 1 – 16: ¿Por qué resulta inquietante la figura del negro y cómo se suscita la curiosidad del lector?

3 Líneas 17 – 32: ¿Por qué la madre de Felipe empuña un crucifijo de plata? Estudia la presentación que se nos hace del zombi; apunta los rasgos que remiten a la bestialidad y los que denuncian el carácter demoníaco del ser.

4 Líneas 33 – 45: ¿En qué seres te hace pensar la nueva apariencia del personaje? ¿Por qué echan todos a correr de repente?

5 Líneas 46 – 52: ¿Qué consigue demostrar el desenlace?

6 En su conjunto, este texto no es un cuento sino el relato que un anciano de 73 años hace de la muerte de su hermano. Lo publicó un periódico de gran tirada en Santo Domingo. ¿Qué opinas de esto y qué conclusión sacas?

Alto

- *Les démonstratifs (gramm. § 12.0).*
- *La concordance des temps (gramm. § 54.0).*

Obras

1 Tu trouveras dans le texte un certain nombre de démonstratifs ; relève-les et justifie la forme employée.

2 Dans les phrases suivantes, transforme la deuxième proposition en une subordonnée introduite par **para que** selon le modèle : *Ello fue una motivación y don Jacinto decidió continuar la búsqueda* → «*ello fue una motivación **para que** don Jacinto **decidiera** continuar la búsqueda*».
Todos echarán a correr tras él y el zombi no se escapará – El zombi se convierte en fiera y los campesinos tienen miedo – Todos emprendieron retirada y no murió nadie más.

FELIPE, LEONARDO Y DAVID, *Figurilla de papel machacado*, Arte mexicano. Exposición *Les magiciens de la terre*, París, 1990.

Y usted agita la cucharilla[1] en el vaso

1. *la petite cuillère.*
2. *de jeunes recrues (militaires).*
3. *maisons d'habitation.*
4. *le moulin (à canne à sucre).*
5. *le bâtiment des chaudières.*
6. *baraquements.*
7. *la puanteur.*
8. *logés.*
9. *convoqués.*
10. *implacable.*
11. *ont le crâne rasé.*
12. *à la récolte de la canne.*
13. *souffrent de maladies.*
14. *coupantes.*
15. *une permission.*
16. *putride.*
17. *negarse, se refuser.*
18. *enfermar, tomber malade.*
19. *entregar, remettre.*
20. *une lame de rasoir.*
21. *des lacets.*
22. *lettre interceptée (par l'autorité militaire).*
23. *des lunettes noires.*

Reinaldo Arenas vivía exiliado en Estados Unidos desde 1980. Murió en diciembre del año 1990, en Nueva York. El Central es una plantación cañera donde, en 1970, bajo el régimen castrista, jóvenes reclutas[2] estaban sometidos a trabajos forzados.

¿Ha visitado usted el círculo que forman las casas de vivienda[3] y que se conoce con el nombre de batey?

¿Visitó usted ya el trapiche[4], la casa de calderas[5], la casa de administración, los almacenes, la gran casa del amo y los árboles de recreo? Todo, desde luego, lejos de los barracones[6],
5 donde no llegue el hedor[7].

Ellos marchan en filas, y usted agita la cucharilla en el vaso.

Ellos **son mal albergados[8]**, son mal alimentados, se bañan, si llega el carro del agua; apenas si duermen. Y usted agita la cucharilla en el vaso.

Ellos **son citados[9] por una orden** impostergable[10]. **Ellos son pelados al rape[11]**; son envueltos
10 en telas ásperas. Ellos tienen que soportar el calor con esas telas. Ellos no pueden hablar **si no se les autoriza.** Y usted agita la cucharilla en el vaso.

Ellos salen una vez al mes (48 horas de permiso), pero no pueden llegar a la casa pues el transporte está dedicado al tiro de la caña[12]. Y usted agita la cucharilla en el vaso.

Ellos padecen plagas[13] colectivas; sin querer se sacan los ojos con las filosas[14] hojas de la
15 caña; queriendo se cortan las manos para obtener una licencia[15]. Y usted agita la cucharilla en el vaso.

Ellos beben agua podrida[16]: ellos pierden los dientes; ellos padecen hernias, y si se niegan[17] a trabajar **son sometidos** a un consejo de guerra. Y usted agita la cucharilla en el vaso.

Para ellos cuando la madre enferma[18] no hay salida; si muere **es posible que se le concedan**
20 **24 horas.**

Ellos no sueñan con países lejanos. Ignoran los estilos artísticos, las categorías de la lujuria y las resonancias de los grandes idiomas.

Ellos no han pensado jamás cruzar el mar. **Esperan que** al final del mes **se les entregue[19]** una **cuchilla** de afeitar[20] (rusa), unos cordones[21] para las botas (cubanos), y alguna carta
25 retenida[22] (familiar).

Ellos no esperan. Sus aspiraciones oscilan entre un sombrero y unos espejuelos calobares[23].

Ellos.

Ellos.

Ellos.

Reinaldo Arenas, El Central, 1970.

Comprender

1 «Ellos» y «Usted» representan dos grupos que se ignoran: identifícalos.
2 ¿Qué efecto surte la repetición obsesiva a lo largo del texto de la oración «Y usted agita la cucharilla en el vaso»? ¿Cuál será la meta del escritor?

Comentar

3 Líneas 1 – 5: ¿Qué evoca, históricamente, el cuadro descrito por Reinaldo Arenas?
4 Líneas 6 – 18: ¿Qué condiciones de vida actual denuncia aquí el autor? ¿Mediante qué procedimientos?

5 Líneas 19 – 25: Muestra la gradación y deshumanización en los trabajos y sufrimientos. Explica el papel de los paréntesis.

6 Líneas 26 – 29: Comenta la repetición de «ellos» al final del fragmento. ¿Por qué los designa claramente Reinaldo Arenas?

Concluir

7 ¿No entraña el texto cierto paralelismo entre el pasado y el presente? Valora y matiza la crítica que dirige el autor al régimen castrista.

Alto
Obras

- *Les équivalents de «on» (gramm. § 17.2).*
- *L'emploi de ser, la voix passive (gramm. § 33.4).*

1 Relève les phrases du texte où apparaissent des équivalents de l'indéfini «on». Quelle remarque peux-tu faire concernant l'accord du verbe ?

2 Ont été soulignées dans le texte les formes passives dans lesquelles est employé le verbe «ser». Transpose-les à la forme active en introduisant, lorsque c'est nécessaire, la 3ᵉ personne du pluriel (tournure indéfinie).

Luis Magán, ¡Yo me quedo!¹ La Habana, 1991.
1. *Moi, je reste !*

En 1980, por el puerto de Mariel, el régimen castrista permitió que más de 120.000 cubanos salieran de la isla y se exilaran a Estados Unidos. Los apodaron «los marielitos».

- ¿Qué objetivos persigue el cartel propagandista? ¿De qué medios se vale, tanto plásticos como retóricos? ¿Qué puede revelar su presencia de la situación que conoce el régimen?

Se lo debe sólo a la Revolución

1. (amér.), la voiture.
2. siffler.
3. un petit air de guaracha (danse cubaine).
4. une amulette, un gri-gri.
5. de La Havane.
6. attentif à.
7. un galet.
8. Inopinément.
9. detener, arrêter.
10. hacer señas, faire signe.
11. tiré à quatre épingles.
12. le veston boutonné.
13. à pois.
14. un procès.
15. avocat.
16. sa serviette.
17. Cabinet.
18. plaide les causes civiles et criminelles.
19. la servitude de passage (droit d'accès).
20. un petit domaine.
21. (environ 160 ha).
22. un animal.
23. le chauffeur.
24. une sottise.

El narrador viaja en un taxi colectivo.

El chófer no dice nada, sino que pone el carro[1] en marcha y **comienza** a silbar[2] un airecito de guaracha[3]. En el parabrisas **cuelga** un «santo»[4] –¡qué extraña concomitancia no desmentida entre los taxistas habaneros[5] y las religiones africanas!–. Y, **mientras conduce, el chófer parece estar** más pendiente[6] del «santo» –plumita, cruz, canto rodado[7]– a la altura del retro-
5 visor, que del asfalto y de los stops. Inesperadamente[8], el chófer detiene[9] el carro y pregunta a un negro que agita las manos en la acera para dónde va, y el negro contesta con una sonrisa que para la Altura de Miramar, a la otra orilla de Almendares, y el chófer dice okey y le hace señas[10] para que suba. Y el negro abre la portezuela, entra, saluda y da las buenas tardes. Es un negro muy acicalado[11], con el saco cerrado[12] y una corbata de lunares[13] y sus zapatos
10 están lustrados con un brillo de espejo, y se conoce que tiene muchas ganas de conversar porque, sin que nadie **se lo** pregunte, explica que esta misma mañana **ha ganado** un pleito[14], porque él es abogado[15], y para demostrarlo saca de su cartera de mano[16] –ancha, limpia, reluciente, de cuero de puerco– una tarjeta: Francisco Gálvez, Bufete[17] Rhan. Abogado especializado, criminalista y civilista[18], O'Neill número 51, Apto 214, y **se la entrega** al
15 chófer, y el chófer sonríe y da las gracias. A continuación el negro explica que era un pleito muy difícil de ganar, pero que, no obstante, él lo **ha ganado**. Y que lo que estaba en litigio era la servidumbre de paso[19] de una finquita[20] de una docena de «caballerías»[21] en la carretera de Santiago del Valle. Y que éste es ya su segundo pleito en que **ha obtenido** un pronunciamiento favorable, y que el ser abogado **se lo debe** sólo y exclusivamente a la
20 Revolución, y que él –que había vivido durante toda su vida como un cochinático[22] en Guanabacoa– tiene hoy en día un título universitario gracias a la Revolución. Y –en voz baja– que no comprende cómo el driver[23], siendo como es hombre blanco, pueda creer en supersticiones africanas, porque los «santos» son una bobada[24], y que para tener una religión la única que merece la pena es la católica apostólica romana, y que lo que es necesa-
25 rio es moralizar más el país y terminar con las supersticiones.

ALFONSO GROSSO, *Inés just coming*, 1968.

Comprender

1 Haz una presentación del personaje que constituye el centro de interés de este texto.

Comentar

2 Líneas 1 – 8: ¿Qué le llama la atención al narrador? ¿Cómo explicas la acumulación de los detalles descriptivos? ¿Será pura coincidencia que el pasajero siguiente sea un negro?

3 Líneas 8 – 15 : ¿Qué puedes deducir del retrato del personaje? ¿Qué demuestra su manera de entablar la conversación y de entregar su tarjeta? ¿Cómo refleja el estilo el carácter del negro?

4 Líneas 15 – 21 : Analiza la técnica narrativa, fijándote en las numerosas conjunciones «y» e «y que». ¿Qué traduce el ritmo de las oraciones? Precisa el propósito del novelista al emplear un estilo coloquial.

5 Líneas 21 – 25 : ¿De dónde procede la gracia del final? ¿Qué revelan las últimas palabras del abogado negro: «es necesario moralizar más el país y terminar con las supersticiones»?

Concluir

6 ¿Se compromete el narrador en la historia que cuenta? ¿Qué valor cobra así el relato?

ROBERT VAN DER HILST, *El coche en el salón*, La Habana, 1987.

- Aprecia el carácter insólito de la foto y busca explicaciones acerca de la presencia del coche, sin ruedas, dentro de la casa.

Alto

- Les verbes à diphtongue (gramm. § 37.0).
- La valeur des temps (gramm. § 45.0 et 45.1).
- La combinaison des pronoms personnels **se lo** (gramm. § 14.7).
- Le mode subjonctif, emplois différents du français (gramm. § 53.3).

Obras

1 Conjugue au présent de l'indicatif et du subjonctif les verbes «*comenzar*» et «*colgar*». Attention aux modifications orthographiques !

2 Justifie l'emploi du passé composé pour les deux verbes : **ha ganado, ha obtenido**. Transpose le récit au passé depuis le début jusqu'à «*...para que suba*». Respecte, autant que faire se peut, les nuances des temps du passé (imparfait, passé simple, passé composé). N'oublie pas la concordance des temps !

3 Reconstruis les phrases suivantes en substituant les compléments directs d'objet et les compléments indirects d'attribution par les pronoms personnels qui conviennent. Suis le modèle du texte : *Entrega la tarjeta al chófer* → ***Se la entrega** al chófer*.

Vender los santos a los turistas – Preguntar a un negro para dónde va – Le reprocha su superstición al blanco.

4 Transpose au futur la phrase suivante : «*Mientras conduce, el chófer está más pendiente del santo que del asfalto*». Revois le verbe «*conducir*» (p. 204).

Vídeo

Serie: «Obras de restauración en La Habana colonial», Equinoccio, T.V.E.

Petróleodestino

1. *propriétaires terriens et ouvriers agricoles.*
2. *avocaillons.*
3. (largo poema de asunto heroico).
4. (epopeya del poeta griego Homero que refiere los viajes de Ulises después de la toma de Troya).
5. malos, perversos.
6. *économies.*
7. *Tout obtenir.*
8. (amér.), *les terrains vagues.*
9. *grands ensembles.*
10. *découvrir dans le premier grenier venu.*
11. (monstruo mitológico con cuerpo de hombre y cabeza de toro que vivía en un laberinto; devoraba a los hombres y fue muerto por Teseo).
12. (La maldición que pesaba sobre Midas le hacía trocar en oro todo lo que tocaba).
13. (*le destin est un as*).
14. medir, *mesurer.*
15. *bouillon sombre, âcre et putride.*

–Ya no somos el país rural de hacendados y peones[1], de guerrilleros y leguleyos[2]. **Nos hemos convertido en** otra cosa y hay que reflejar eso en los libros. La noción mágica de la realidad que el petróleo ha despertado en nosotros. Tal vez una especie de epopeya[3] primitiva. La *Odisea*[4] del venezolano que no puede regresar a su vida ordinaria perdido entre los dioses y

5 los fantasmas malvados[5]. Todo este delirio que nos posee. Ser ricos sin trabajo, ni ahorro[6]. Alcanzar todo[7] sin esfuerzo, los inmigrantes, los especuladores, los intermediarios, los traficantes de influencias, los peladeros[8] que **se convierten en** urbanizaciones[9], la sensación de poderse topar en cualquier desván con[10] una lámpara de Aladino. Eso hay que buscar el modo de decirlo.

10 –Tú me dijiste que estabas escribiendo –dijo Isotta.

–Sí, tomo notas y hasta he desarrollado algunas partes. Sería una novela mítica y realista a la vez. Tal vez podría llamarse *El laberinto* o *El Minotauro*[11]. El petróleo es como un Minotauro en el fondo de su laberinto **por el que** andamos perdidos en busca de la riqueza o la muerte.

15 Arimán Vela comenzó a hablar:

–Yo no creo eso. El Minotauro puede ser fecundo y nuestro mito es esterilizante. **Nos ha hecho estériles** el petróleo. Nuestro mito es Midas[12]. Ya le tengo el nombre al poema y al personaje, se llamaría *Midaseldestino*, así, en una sola palabra. Hay de todo en esa palabra. Destino, el destino, hace el destino, haz el destino, as el destino[13], das el destino. Todo eso

20 es Midaseldestino. Midas, **el que mide**[14], el que da, el que hace, el que convierte en oro estéril y muerto lo que toca. Hay que llegarles a las gentes sencillas por el mito, como les llegó Homero y como les llegó Jesús. **Lo que** hace falta no es un tratado sobre el petróleo. Con eso no se hace nada, sino con una emoción poética capaz de provocar una revelación y una acción. No hacer una descripción geológica de la formación del petróleo en nuestra tierra, sino hablar

25 de los millones de solsticios que **se convirtieron en** ese caldo oscuro, acre y podrido[15]. El caldo que da la locura de la riqueza. Eso lo tiene que entender todo el mundo, los niños y el pueblo.

Arturo Uslar Pietri, *Estación de máscaras*, 1964.

Comprender

1 Aclara el sentido de las dos primeras frases del texto, poniendo de manifiesto: **a.** la razón por la cual Venezuela ha conocido importantes transformaciones en la segunda mitad de este siglo; **b.** el propósito de los personajes.

Comentar

2 Líneas 1 – 9: ¿Con qué palabras y comparaciones se evoca la historia reciente del país? ¿Te parecen adaptadas a la evocación de transformaciones económicas? ¿Qué cambios de mentalidades han acarreado (*entraîné*) éstas? ¿Frente a qué dificultades se encuentra el escritor?

3 Líneas 10 – 21: Aclara la comparación que ha de servir de base a la novela: «el petróleo es como un Minotauro». ¿Qué otro mito le opone Arimán Vela? Explicita las sugerencias contenidas en el título «*Midaseldestino*».

4 Líneas 21 – 27: ¿Qué argumentos aduce Arimán Vela para preferir el mito o la epopeya a «un tratado sobre el petróleo» para dar cuenta de la historia de su país? ¿Compartes esta opinión? Ilustra tu respuesta con ejemplos concretos.

Concluir

5 A tu parecer, ¿consiste la labor del escritor en describir la realidad o transformarla por la «emoción poética» (l. 23)?

MIREILLE VAUTIER, *Caracas, centro ciudad y sus autopistas urbanas*, 1988.

Alto

- Les équivalents de **devenir** (gramm. § 30.2, 30.3).
- La proposition relative (gramm. § 21.1, 21.2).

Obras

1 *«Nos hemos convertido en otra cosa»* – *«nos ha hecho estériles»* : Reprends ces expressions et d'autres du § 30.3 de la grammaire dans trois ou quatre phrases évoquant les transformations du Vénézuela.

2 *El laberinto se parece al del Minotauro; andamos perdidos por el laberinto* → *El laberinto por el que andamos perdidos se parece al del Minotauro*. Sur ce modèle, relie les phrases suivantes à l'aide d'un relatif (la 1ʳᵉ phrase sera la proposition principale, la 2ᵉ deviendra la subordonnée) :

– *Los dioses modernos son el petróleo y la vida fácil / el venezolano anda perdido entre los dioses modernos.*

– *La novela podría llamarse "El laberinto" / estoy escribiendo una novela.*

– *La riqueza puede ser nuestra muerte / vamos en busca de la riqueza.*

– *Ese caldo oscuro da la locura / los millones de solsticios se convirtieron en ese caldo oscuro.*

3 Traduis le dernier paragraphe, depuis «Yo no creo eso» (l. 16) jusqu'à la fin du texte.

MIREILLE VAUTIER, «*Interalumina*» a orillas del río Orinoco, Ciudad Guayana, 1988.

El complejo de los ríos Orinoco-Caroní, en la Guayana venezolana, es el primer núcleo de diversificación industrial. Produce aluminio, acero, materias plásticas, hidroelectricidad.

Una cancion en el Magdalena

1. graznar, *croasser, piailler.*
2. *le rameur.*
3. bogar, *ramer, voguer.*
4. *pirogue.*
5. *gonflé.*
6. *la mouette schématique.*
7. *le héron.*
8. *Un singe.*
9. dudar, *hésiter.*
10. *ici, branche.*
11. *(amér.), arbre.*
12. chillar, *pousser des cris perçants.*
13. velar, *veiller, surveiller.*
14. *l'écaille.*

Vídeo

Reportaje: La leyenda del fuego entre los indios yanomamos.

Sobre el duro Magdalena,
largo proyecto de mar,
islas de pluma y arena
graznan[1] a la luz solar.`
5 Y el boga[2], boga[3].

El boga, boga,
preso en su aguda piragua[4],
y el remo, rema: interroga
al agua.
10 Y el boga, boga.

Verde negro y verde verde,
la selva elástica y densa,
ondula, sueña, se pierde,
camina y piensa.
15 Y el boga, boga.

¡Puertos
de oscuros brazos abiertos!
Niños de vientre abultado[5]
y ojos despiertos.
20 Hambre. Petróleo. Ganado...
Y el boga, boga.

Va la gaviota esquemática[6],
con ala breve sintética,
volando apática...
25 Blanca, la garza[7] esquelética.
Y el boga, boga.

Sol de aceite. Un mico[8] duda[9]
si saluda o no saluda

desde su palo[10], en la alta
30 mata[11] donde chilla[12] y salta
y suda...
Y el boga, boga.

¡Ay, qué lejos Barranquilla!
Vela[13] el caimán a la orilla
35 del agua, la boca abierta.
Desde el pez la escama[14] brilla.
Pasa una vaca amarilla
muerta.
Y el boga, boga.

40 El boga, boga,
sentado,
boga.
El boga, boga,
callado,
45 boga.
El boga, boga,
cansado,
boga...

El boga, boga,
50 preso en su aguda piragua,
y el remo, rema: interroga
al agua.

NICOLÁS GUILLÉN, *El son entero*,
Vapor «Medellín», 20/06/1946.

Comentar

1 Observa el curso del río Magdalena en el mapa de Colombia: imagina y describe las regiones que cruza de sur a norte.
2 Versos 1 – 10: ¿De qué recursos se vale Nicolás Guillén para reconstituir el clima tropical? Aclara la relación que el segundo verso establece entre el río y el mar. Lee con cuidado la segunda estrofa, ¿qué sugiere el ritmo? ¿Cómo comprendes que el remo interrogue al agua?
3 Versos 11 – 21: Se transforma la selva en ser viviente. ¿Cómo se opera la metamorfosis? La realidad económica y social es evocada a través de unos cuantos elementos. Comenta la selección.
4 Versos 22 – 39: Observa cómo el ritmo, las sonoridades y la acentuación diferentes en cada una de las estrofas evocan los distintos animales.

5 Versos 40 – 52: ¿Qué sugiere el estribillo? ¿Por qué se modifica? ¿Qué significado atribuyes a la repentina brevedad de los versos 40 a 48? ¿Cómo explicas que cierre Nicolás Guillén el poema con una estrofa que ya conocemos?

6 ¿Qué papeles respectivos desempeñan el río Magdalena y el boga en el poema? ¿Te parece que se puede hablar de poesía descriptiva? Justifícate.

Alto

- *La diphtongaison (gramm. § 37.0 à 39.0).*
- *Les participes passés irréguliers (gramm. § 36.0, 42.0 et 46.0).*
- *Substitution de l'article **la** par l'article **el** (gramm. § 9.3).*

Obras

1 Mets à l'imparfait et au prétérit la troisième strophe. Observe les transformations du radical des verbes.

2 Relève dans le poème les participes passés irréguliers et utilise certains d'entre eux pour rédiger quatre phrases qui décrivent le Magdalena.

3 Mets au pluriel «*al agua*» (vers 9) et «*del agua*» (vers 35).

La selva, *la forêt vierge* – la palmera – el bejuco, *la liane* – el caimán – el ave zancuda, *l'échassier* – el flamenco, *le flamand* – pulular – proliferar – *exuberante.*

BAREANT, *Orilla del río Magdalena*, 1868. Grabado.

Comentar

1 ¿Qué visión de América del Sur nos proporciona este grabado realizado por un europeo del siglo XIX? ¿En qué medida se puede hablar de exotismo? Apunta los elementos y detalles que justifiquen tu contestación.

2 Pon de relieve las semejanzas pero también las diferencias entre esta representación de la naturaleza colombiana y la que nos ofrece el poema de Nicolás Guillén. ¿Qué conclusiones puedes sacar?

Noticia de un secuestro

Maruja es una famosa periodista colombiana, directora de un importante organismo oficial. Su asistente y amiga, Beatriz, la acompaña.

1. (una racha de secuestros, *une vague d'enlèvements*).
2. *guettaient*.
3. *briques apparentes*.
4. *en pente raide*.
5. rebasar, *dépasser*.
6. cerrar, *ici, coincer*.
7. (amer.), marcha atrás.
8. *un fusil à crosse sciée*.
9. *une longue-vue*.
10. (metralleta de tamaño reducido).
11. *des fragments*.
12. *braquée*.
13. *Démarrez*.
14. (amer.), aceras.
15. *une bouée de sauvetage*.
16. (amer.), Tírese.
17. (fam. amér.), Arrêtez vos conneries.

G. SÁNCHEZ, *Explosión de un coche bomba*, Colombia, 1991.

Maruja había adquirido la costumbre casi inconsciente de mirar **hacia atrás por encima del** hombro, desde el agosto anterior, cuando el narcotráfico empezó a secuestrar periodistas en una racha[1] imprevisible.

Fue un temor certero. Aunque el Parque Nacional le había parecido desierto cuando miró **por encima del** hombro antes de entrar en el automóvil, ocho hombres lo acechaban[2]. Uno estaba al volante de un Mercedes 190 azul, con placas falsas de Bogotá, estacionado **en la acera** de enfrente. Otro estaba al volante de un taxi amarillo, robado [...]

El taxi y el Mercedes siguieron al automóvil de Maruja, siempre a la distancia mínima, tal como lo habían hecho desde el lunes anterior para establecer las rutas usuales. Al cabo de unos veinte minutos todos giraron **a la derecha en** la calle 82 a menos de doscientos metros del edificio de ladrillos sin cubrir[3] donde vivía Maruja con su esposo y uno de sus hijos. Había empezado apenas a subir la cuesta empinada[4] de la calle, cuando el taxi amarillo lo rebasó[5], lo cerró[6] **contra** la acera izquierda, y el chofer tuvo que frenar en seco para no chocar. Casi al mismo tiempo, el Mercedes estacionó **detrás** y lo dejó sin posibilidades de reversa[7].

Tres hombres bajaron del taxi y se dirigieron con paso resuelto al automóvil de Maruja. El alto y bien vestido llevaba un arma extraña que a Maruja le pareció una escopeta de culata recortada[8] con un cañón tan largo y grueso como un catalejo[9]. En realidad, era una Miniuzis[10] de 9 milímetros con un silenciador capaz de disparar tiro por tiro o ráfagas de treinta balas en dos segundos. Los otros dos asaltantes estaban también armados con metralletas y pistolas. Lo que Maruja y Beatriz no pudieron ver fue que del Mercedes estacionado **detrás** descendieron otros tres hombres.

Actuaron con tanto acuerdo y rapidez, que Maruja y Beatriz **no** alcanzaron a recordar **sino** retazos[11] dispersos de los dos minutos escasos que duró el asalto. Cinco hombres rodearon el automóvil y se ocuparon de los tres al mismo tiempo con un rigor profesional. El sexto permaneció vigilando la calle **con** la metralleta en ristre[12].

Maruja reconoció su presagio. –**Arranque**[13], Ángel –le gritó al chofer–. **Súbase por** los andenes[14], como sea, pero **arranque**.

Ángel estaba petrificado, aunque de todos modos con el taxi delante y el Mercedes detrás carecía de espacio para salir. Temiendo que los hombres empezaran a disparar, Maruja se abrazó a su cartera como a un salvavidas[15], se escondió **tras** el asiento del chofer, y le gritó a Beatriz:

–**Bótese**[16] al suelo.

–Ni de vainas[17] –murmuró Beatriz–. **En** el suelo nos matan.

Estaba trémula pero firme. Convencida de que **no**

18. (amer). Qu'ils aillent se faire
    voir.
19. roulée en boule.
20. assorti aux boucles d'oreille.
21. Une poigne.
22. en la traînant.

era **más que** un atraco, se quitó con dificultad los dos anillos de la mano derecha y los tiró por la ventanilla, pensando: «Que **se frieguen**[18]». Pero no tuvo tiempo de quitarse los dos de la mano izquierda. Maruja, hecha un ovillo[19] **detrás del** asiento, no se acordó siquiera de que llevaba puesto un anillo de diamantes y esmeraldas que hacía juego con los aretes[20]. Dos hombres abrieron la puerta de Maruja y otros dos la de Beatriz. El quinto disparó a la cabeza del chofer **a través del** cristal con un balazo que sonó apenas como un suspiro por el silenciador.

Maruja no se enteró del atentado contra el chofer hasta mucho más tarde. **Sólo** percibió **desde** su escondite el ruido instantáneo de los cristales rotos, y enseguida un grito perentorio casi **encima de** ella: «Por usted venimos, señora. ¡**Salga**!». Una zarpa[21] de hierro la agarró por el brazo y la sacó a rastras[22] del automóvil.

GABRIEL GARCÍA MÁRQUEZ, *Noticia de un secuestro*, 1996.

Comprender

1 A sabiendas de que los sucesos y personajes son reales, califica el tipo de relato que se nos ofrece aquí.
2 Identifica a los principales protagonistas y reconstituye, a grandes rasgos, el desarrollo del rapto.

Comentar

3 Líneas 1 – 5: ¿Cómo se traduce el malestar de Maruja y qué acontecimientos lo justifican?
4 Líneas 5 – 14: Describe detalladamente los hechos. Examina cómo García Márquez pone de relieve el rigor metódico de los sicarios (gángsteres colombianos). ¿No resulta paradójico? Di por qué.
5 Líneas 15 – 29: Presenta la evolución de la situación con sus pormenores. ¿Qué visiones distintas del mismo acontecimiento tienen las víctimas, los criminales y el narrador?
6 Líneas 30 – 46: ¿Cuáles son las nuevas peripecias? Analiza las reacciones de las dos mujeres. ¿Cómo se mezclan en ellas lucidez y pánico?
7 Líneas 47 – 53: ¿Cómo concluye la acción? ¿Cuál es el estado de ánimo de los sicarios en este paroxismo de violencia? Entresaca los elementos que justifiquen tus afirmaciones. Demuestra que el plan está cuidadosamente preparado para doblegar *(briser)* la resistencia sicológica de las mujeres.

Concluir

8 Aprecia la aparente imparcialidad de este relato periodístico. Pon de relieve las diferencias con la presentación tópica de acontecimientos parecidos, pero de ficción, que hacen las series televisivas.

Alto

- *L'impératif, formation et régime des pronoms (gramm. § 16.1 et 43.0).*
- *Prépositions et adverbes de lieu.*
- *La négation (gramm. § 26.0).*

Obras

1 *«Arranque Ángel»* – *«Súbase por los andenes»* – *«Bótese al suelo»* – *«Salga»* : À quels mode, temps et personne sont conjugués ces verbes ? Reprends ces quatre ordres en employant un tutoiement. Tu disposes maintenant de huit fragments, mets-les tous au pluriel. Montre que le français «vous» peut avoir des équivalents différents en espagnol.
2 Relève dans la page les prépositions et adverbes de lieu. Complète les phrases suivantes en te référant aux situations du texte : *Maruja cruzaba siempre… el parque para ir…* – *Primero el taxi se puso… del coche, entonces el Mercedes…* – *Estaba escondida… del asiento y no se atrevía a mirar…*
3 *«Bótese al suelo»* – *«En el suelo nos matan»* : Comment expliques-tu l'emploi de chaque préposition ? Construis des phrases qui te permettront d'utiliser les expressions proposées : *por el suelo* – *al coche* – *por encima del coche* – *delante del coche*.
4 *«No era más que un atraco»* : Donne un équivalent de la formule en gras. Tu en trouveras un exemple plus loin dans le texte.
5 Traduis depuis *«Maruja, hecha un ovillo…»* (l. 45) jusqu'à la fin du texte.

EL MERCADO DEL LUGAR COMÚN

1. *fourre-tout.*
2. coquetear, *flirter.*
3. *dégoût, écœurement.*
4. (puerto en el Amazonas).
5. (ciudad andina del norte de Perú).
6. (guanaco, *sorte de lama.* Huánuco es una ciudad andina en el centro del Perú).
7. *j'enrage de voir que.*
8. *lamas et alpagas.*
9. apenarse, *s'affliger.*
10. disfrutar, *profiter de, savourer.*
11. (capital del imperio incaico).
12. *coktail d'eau-de-vie et de citron vert.*

La elegante revista ELLE acaba de consagrar el mito, consagrándole al Perú veinticinco páginas a todo meter[1], a todo color y a todo vender. Más la página de recetas de cocina. Y yo, en esta época en que las encuestas están de moda, he aprovechado para hacer mi propia encuesta, muy poco científica, confieso, muy influenciada por mi mal humor, declaro, pero encuesta al fin y al cabo. Consistió en reunir a un grupo de peruanos de esos que, como decía Apollinaire, «viajan lejos pero amando su casa». Es decir, no coqueteando[2] con ella, que así como hay movimientos que pretenden liberar a la mujer de los esclavizantes coqueteos, también los hay que pretenden liberar a Latinoamérica de los falsos coqueteos comerciales. Resultado de mi encuesta: disgusto, asco[3], pena.

«Río Marañón, Iquitos[4], Chachapoyas[5], Huanaco[6] (tal como lo ven), Lima...». Así empieza un texto que mete en el mismo saco ciudades que hay que visitar, no sólo ciudades totalmente diversas, sino también un río, y hasta un animal, el huanaco, que debe de ser una vaga referencia a la ciudad de Huánuco. Sigamos. Del Perú se han traído su moda, cosa a la cual tienen todo el derecho, pero **me revienta** que[7] la hayan bautizado *berger*. Es decir, la moda «pastor». Pasteurizado y homogeneizado, por supuesto, porque viene de ese «Eldorado de los Incas» (ELLE dixit), donde «llamas y alpacas[8] vienen de ninguna parte y van Dios sabe adónde...».

Según ELLE, para visitar el Perú se necesita un mes. Me pregunto por qué no dos o mil. Yo he vivido allí veinticinco años y me apeno[9] de no conocerlo como desearía. Sé que un viaje de veinticinco años es absurdo, pero ¿no lo es también el necesario mes de ELLE? ELLE ha decidido que no disfrute[10] uno de su viaje hasta llegar al Cuzco[11]. Allí, y solamente allí, a 3.500 metros, ni uno más ni uno menos, «comienza el encantamiento». A mis amigos Jean-Marie y François, **les habría encantado** tomarse un buen pisco sauer[12], 3.500 metros más abajo, al llegar a Lima. Pero, en fin, parece que no se puede. Según ELLE, es idiota tener prisa en el Perú. Tengo todo un mes para recorrer este país de dos mil kilómetros de largo por mil doscientos de ancho. Esto, sin incluir las doscientas millas de aguas territoriales que esconden un Eldorado de *ellianamente* no mencionadas promesas. No digo riquezas, porque otra vez van a pensar en los Incas.

ALFREDO BRYCE ECHENIQUE,
A vuelo de buen cubero y otras crónicas, 1977.

MIREILLE VAUTIER, *Plaza de Armas de Trujillo*, Perú, 1989.
Reja típica de la arquitectura colonial. La parte baja de la pared está revestida de madera.

Comentar

1 ¿Qué significa el título y cuál es el blanco *(la cible)* de la crítica del escritor peruano Bryce Echenique?

2 Líneas 1 – 19: ¿Por qué escribió Bryce Echenique este texto? ¿Qué reacciones suscitó el dossier de *Elle* entre los latinoamericanos de París?

3 Líneas 20 – 35: ¿Por qué cita el autor la primera parte del artículo de *Elle*? Comenta los otros dos ejemplos de inepcia que presenta.

4 Líneas 36 – 58: ¿Por qué resulta ridículo decir que «para visitar el Perú se necesita un mes»? ¿Qué clase de turismo preconiza *Elle* y por qué lo critica Bryce Echenique? ¿Te parece que «tomarse un buen pisco» en Lima también forma parte del viaje y permite conocer el país que se visita? Justifica tu respuesta.

5 ¿Sólo es humorístico este texto? Precisa su alcance *(sa portée)* tras señalar los aspectos graciosos *(divertissants)*.

6 Con la ayuda de guías y enciclopedias intenta proponer el circuito turístico que permita formarse una idea, la más completa posible, del Perú.

Alto

• Construction des verbes du type **gustar** (gramm. § 15.0).

Obras

1 «*A mis amigos **les habría encantado tomarse** un buen pisco*» : Donne l'infinitif du verbe, la fonction de **les** et de **tomarse un buen pisco**. Remplace «*A mis amigos*» par «*A Bryce Echenique*» et transforme la phrase en conséquence.

2 «*Me revienta que la **hayan bautizado** "berger"*». En t'inspirant du texte, rédige des phrases employant des structures du même type : *A Bryce Echenique, le fastidia que… – A los peruanos les da asco que…*

3 Traduis depuis «*así como hay movimientos…*» (l.14) jusqu'à «*…falsos coqueteos comerciales*» (l.18). Attention à «*también los hay*».

Comentar

1 ¿A qué raza y clase pertenecen los personajes del primer término y del segundo?

2 ¿Qué afirma la chica? Caracteriza el tono de sus palabras. Comenta en particular el demostrativo «*ése*».

3 ¿Qué opina el peruano Juan Acevedo de algunos de sus compatriotas? Basa tu respuesta en un análisis preciso del dibujo.

Y pensar que en Europa creen que aquí todos somos como ése

JUAN ACEVEDO, *Ciudad de los Reyes*, 1979.

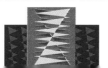

INFORMALIDADES[1] DE LIMA

1. *Économie parallèle ; Système D.*
2. *défi.*
3. *marchand (dans un quiosque).*
4. *(periódico madrileño).*
5. *reliquat des journaux.*
6. *les mots croisés déjà faits.*
7. *un atelier.*
8. *(tejido de lana), alpaga.*
9. *professeur.*
10. *sans-abri.*
11. *bidonville en formation. (Les nouveaux arrivés occupent une parcelle qu'ils délimitent à l'aide de nattes de roseaux en attendant de pouvoir construire un logement en dur : tôle, bois et autres matériaux de fortune).*
12. *(descendiente de los incas que se sublevó contra los españoles en 1780).*
13. *nattes.*
14. *la poussière (la costa es desértica).*
15. *enceintes.*
16. *pot-au-feu, ragoût.*
17. *bois (de chauffage).*
18. *sans cancanier, il n'y a plus de dispute.*

Basta un recorrido por las calles del centro de Lima para palpar la informalidad. Miles de coches circulan en un permanente desafío[2] a casi todas las leyes de la física, incluida la de la gravedad, porque de milagro no se caen a pedazos. A pesar de eso, se mueven y funcionan como taxis con un simple cartel que indica su condición de tales. No llevan taxímetro **ni** hay tarifa que regule el precio de las carreras, que se negocian en cada caso antes de subir.

En una esquina de Miraflores, un quiosquero[3] vende periódicos extranjeros, entre ellos El País[4]. Se trata de los periódicos sobrantes[5] de los aviones que aterrizan en Lima. A veces ocurre que el comprador se encuentra con un periódico con el crucigrama resuelto[6]. No importa.

Detrás de la fachada de una elegante casa de un barrio residencial se puede esconder un taller[7] con una docena de costureras que fabrican ropa de alpaca[8], que por extraños caminos llega hasta alguna casa de Nueva York. Casada con un catedrático[9] de universidad que gana menos de cien dólares al mes, Susana **optó por** la informalidad, tiene éxito y calcula que consigue de 500 a 600 dólares diarios de beneficios con su negocio.

La otra cara de la informalidad, la amarga de los sin techo[10], se palpa a tan sólo 15 kilómetros en línea recta hacia el Este desde la casa de Susana, en Vitarte. En la carretera central, allí donde Lima empieza a perder su nombre, se encuentra el asentamiento informal[11] Tupac Amaru[12], gentes que **luchan por** la vivienda **desde hace años**. Son varias docenas de esteras[13] alineadas sobre el polvo[14]. Cada estera ocupa un pedazo de terreno perfectamente delimitado de unos 20 metros cuadrados. Algunos ocupantes son tan pobres que no tienen **ni** para pagar la estera de paja y viven en recintos[15] más grandes donde duermen **unas 10 personas**. En uno de esos recintos mayores se encuentra el comedor popular. Un grupo de mujeres prepara una olla[16] común que cuesta 100.000 intis (unas 21 pesetas al cambio de la fecha). El menú del día es sopa de pollo, arroz, calamar y un refresco. Un cartel en el comedor cita un texto bíblico. «Proverbios, 26, 20: Sin leña[17] se apaga el fuego, y... donde no hay chismoso cesa la contienda[18]». Todavía no hay luz **ni** agua en el asentamiento.

JOSÉ COMAS,
El País, 19/01/1991.

Comprender

1 ¿Qué aspecto de la economía peruana evidencia el articulista?
2 ¿Qué paradojas nos revela sobre la sociedad del Perú actual?

Comentar

3 Aclara cómo los coches limeños pueden ser un desafío a las leyes de la física.
4 Explica el funcionamiento de los taxis informales. ¿Qué suelen hacer los quiosqueros?
5 ¿Quién es Susana y a qué se dedica?
6 ¿En qué condiciones vive la gente en el «asentamiento» Tupac Amaru?
7 Define el medio social de los dos ejemplos de informalidad presentados. ¿Con qué fines los escogió José Comas?
8 ¿Te parece acertado afirmar que el «asentamiento» Tupac Amaru es «la otra cara de la informalidad»? ¿Qué reflexiones te inspira esta realidad?

Concluir

9 Presenta sintéticamente las ventajas y las desventajas de la economía informal para un país tercermundista *(du Tiers Monde)* como es Perú? ¿Se comprende entonces que las instituciones oficiales hagan la vista gorda *(ferment les yeux)* ante esta situación anómala?

Alto

- *La négation **ni** (gramm. § 26.6, 26.7).*
- *La préposition **por** dans les expressions **optar por**, **luchar por**.*
- *L'expression de la durée (gramm. § 29.0).*

Obras

1 Relève les trois phrases où est employée la négation **ni** : celle-ci a-t-elle toujours la même valeur ? Dans chaque cas, la négation **ni** peut être renforcée soit par une conjonction soit par un adverbe : récris chaque phrase avec la tournure de renforcement qui convient.

2 *«Susana **optó por** la informalidad»* – *«gentes que **luchan por** la vivienda»* : Retiens la construction de ces deux verbes et réutilise chacun d'eux dans une phrase se rapportant au texte.

3 *«Luchan por la vivienda **desde hace años**»* : Trouve une expression équivalente pour exprimer la durée.

4 Traduis depuis *«Son varias docenas…»* (l. 36) jusqu'à *«…al cambio de la fecha»* (l. 48).

MIREILLE VAUTIER, *De compras en el supermercado*, Lima, 1989.

- ¿Quiénes son las dos personas a las que se ve de frente? Descríbelas detenidamente (aspecto físico, peinado, vestidos, actitud, mirada). ¿Por qué han venido juntas al supermercado? ¿Con qué paga la señora?

- Serie: «Las casas flotantes de Iquitos, Perú», Equinoccio, T.V.E.
- Anuncio publicitario: UNICEF, campaña Pro Andes.

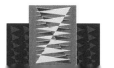

La misión del profesor

1. recuperarse, *se rétablir.*
2. *les visages noircis.*
3. *les galeries.*
4. *une émission.*
5. *L'Aube.*
6. los forasteros, *les étrangers à la région.*
7. ralear, *ici, se faire rares.*
8. despedir [i], *ici, licencier.*
9. *de radio.*
10. silicose (*maladie pulmonaire des mineurs*).
11. apartarse de, *s'écarter de.*
12. acceder, *accepter.*
13. *créer des difficultés.*
14. (poeta y escritor peruano iniciador del pensamiento indigenista, 1844-1918).
15. *conseillers municipaux.*

Ledesma, joven profesor, llega a Cerro de Pasco, ciudad minera del altiplano peruano.

Ledesma se recuperó[1], se interesó por sus cursos. Ese año, el Colegio inauguró una Sección Nocturna para los mineros: muchos de esos alumnos eran padres de los alumnos de la Sección Diurna. Enseñando en la Nocturna comenzó a descubrir el Perú secreto de los campesinos quechuas. El curso lo apasionó. Esos alumnos graves, que escuchaban sus lecciones
5 de historia con los rostros tiznados[2] por el trabajo en los socavones[3], le daban sentido a la enseñanza. Se adentró **tanto** en sus problemas **que** pronto olvidaron que él era hombre del Norte. Cuando Radio Pasco ofreció un espacio[4] al Colegio, Ledesma se propuso como animador del programa cultural «La Alborada[5]». Gracias a la radio, la gente terminó de perderle la desconfianza con que se recibe a todos los afuerinos[6]. Comentaban sus programas,
10 le solicitaban que **denunciara** abusos, le informaban de todo. A mediados de 1959, Ledesma percibió un cambio: los alumnos comenzaron a ralear[7]. El semestre acabó con las aulas vacías. La ciudad también se despoblaba. La «Cerro de Pasco Corporation» había decidido cerrar algunas minas. Los precios del plomo y del zinc descendían en el mercado internacional. La Empresa se protegía despidiendo[8] a millares de mineros, forzándolos así a regresar a sus
15 pueblos. Ledesma comentó el problema en su programa radial[9]. A la mañana siguiente, conocidos y desconocidos lo felicitaron. «Gracias, señor Ledesma. Por fin alguien se ocupa de nosotros. Los periódicos no dicen absolutamente nada. ¿Sabe usted cuántos hemos sido despedidos? ¿Sabe cuántos regresamos tuberculosos? ¿Sabe cuántos padecemos de silicosis[10]?» Pero al Director Becerra lo visitó un representante de la Prefectura: que el programa del
20 Colegio, por favor, **no se apartara**[11] de su misión, la cultura. El Director accedió[12]. «Profesor Ledesma: la Prefectura dice que usted nos está metiendo en camisa de once varas[13]. He prometido moderación. Pero aquí, entre nosotros, **siga usted** con el programa tal como está. Si los jóvenes no protestan, ¿quién va a protestar? A su edad yo también era rebelde. Pensaba siempre en la frase de González Prada[14]: ¡Rompamos el pacto infame de hablar a media voz!
25 ¡Lo felicito, profesor!»
A fin de año solicitaron incorporarlo a la lista de concejales[15] que se propondría al Ministerio de Gobierno. Aceptó. El primero de enero de 1959 lo nombraron.

MANUEL SCORZA, *La Tumba del relámpago*, 1978.

Comprender

1 ¿Quiénes son los alumnos de Ledesma? ¿Qué necesitan y por qué le están muy agradecidos?
2 ¿Qué clase de empresa es la «Cerro de Pasco Corporation»? Aclara su papel en un país como el Perú.

Comentar

3 Líneas 1 – 6: ¿Por qué daban sentido los mineros a la enseñanza de Ledesma? ¿Qué representaba para estos indios leer y escribir?
4 Líneas 6 – 10: Ledesma se vale de Radio Pasco para difundir un programa cultural: aclara su intención. ¿Qué incidencias tuvo este espacio?
5 Líneas 10 – 15: ¿Qué ocurrió en 1959? Analiza los mecanismos de explotación denunciados aquí por Scorza.
6 Líneas 15 – 27: Comenta la frase: «Gracias, señor Ledesma. Por fin alguien se ocupa de nosotros». Puntualiza en cambio el silencio de los periódicos y la temerosa intervención del representante de la prefectura.
7 ¿Por qué les da el novelista directamente la palabra a los mineros? ¿Qué valor cobra así el relato?

Concluir

8 ¿Qué visión nos brinda Manuel Scorza de la situación económica, social y política del Perú a través de esta página? ¿Cómo la enjuicias cuatro décadas después?

Alto

- Le passage du discours direct au discours indirect (gramm. § 55.0).
- Le mode subjonctif, emplois différents du français (gramm. § 53.0).

Obras

1 Mets au style indirect les passages suivants :

a. «¿Sabe usted cuántos hemos sido despedidos? ¿Sabe cuántos regresamos tuberculosos? ¿Sabe cuántos padecemos silicosis?», en commençant par : **Le preguntó...**

b. «Siga usted con el programa tal como está», en commençant par : **Le dijo...**

2 Mets au futur : «Cuando Radio Pasco ofreció un espacio al Colegio, Ledesma se propuso como animador del programa cultural».

3 Justifie les imparfaits du subjonctif en caractère gras des lignes 10 et 20.

4 Traduis depuis «Pero al Director Becerra...» (l.19) jusqu'à la fin du texte.

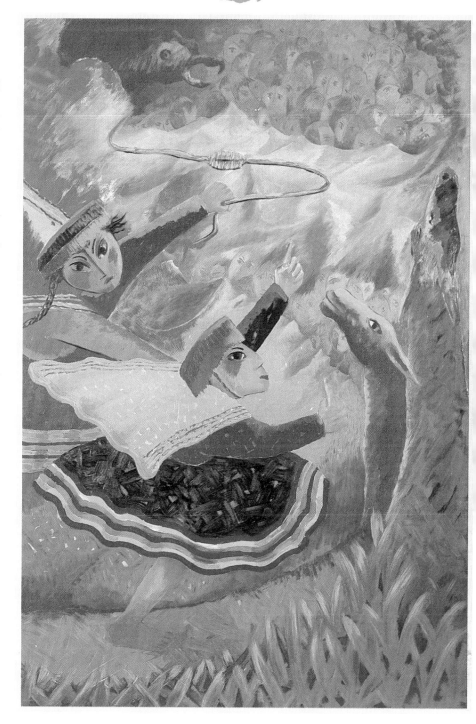

FLORENTINO LAIME MANTILLA,
Sayariychis (Levantémonos), 1988.
Óleo sobre lienzo, 149 x 100 cm.
Col. particular.

Las dos indias – las polleras, *les jupes multicolores* – las llamas, *les lamas* – el lomo (*le dos*) de los animales – el pajonal, *étendue herbeuse des Andes* – la honda, *la fronde* – la sierra, *la montagne* – los Andes – el cóndor – las alas, *les ailes* – fusionar – las caras – la muchedumbre escondida – mirar – enseñar, apuntar con el dedo – el movimiento – el dinamismo – las líneas curvas – los colores, verde, amarillo, morado (*mauve*), bermellón (*vermillon*), azul.

Comentar

1 Identifica los elementos que remiten directamente al Perú: entorno geográfico, tradiciones, cultura...

2 Muestra detenidamente cómo ha logrado el pintor plasmar la fusión de los seres vivos con su entorno natural. ¿Cuál habrá sido su intención al proceder de esta forma?

3 El título original, en lengua quechua, es una clara invitación al levantamiento (*le soulèvement*), a la rebelión. A tu parecer, ¿en nombre de qué reivindicaciones podrá ser? ¿De qué manera se traduce plásticamente la idea de levantamiento?

4 Destaca en conclusión lo que hace la fuerza expresiva de esta obra.

Oda a Valparaíso

1. *les versants des collines.*
2. *aberration.*
3. *fou.*
4. *collines.*
5. *ébouriffée.*
6. *despertar [ie], tirer du sommeil.*
7. *agarrar, ici, surprendre.*
8. *le tremblement de terre.*
9. *quebrarse las uñas, se casser les ongles.*
10. *les chemins.*
11. *houle.*
12. *la tempête.*
13. *banquiers.*
14. *baleines blessées.*
15. *le vide.*
16. *desplomarse, s'effondrer.*
17. *colgar [ue], accrocher.*
18. *maisons, demeures.*
19. *rapiécée.*
20. *proue.*
21. *courageux.*
22. *navire.*

Aunque muy importante por su tráfico, el puerto de Valparaíso es muy poco abrigado y se halla expuesto a temporales frecuentes. La población se extiende en torno al semicírculo que forma la bahía y en las faldas de los cerros[1] que la estrechan contra el mar.

Valparaíso
¡qué disparate[2]
eres, qué loco[3],
qué cabeza
5 con cerros[4],
puerto loco,
desgreñada[5]!
No acabas
de peinarte,
10 nunca
tuviste
tiempo de vestirte,
siempre
te sorprendió
15 la vida,
te despertó[6] la muerte
en camisa,
te agarró[7] el terremoto[8],
corriste
20 enloquecido,
te quebraste las uñas[9],
se movieron
las aguas y las piedras,
las veredas[10],
25 el mar,
la noche;
tú dormías
en tierra,
cansado
30 de tus navegaciones,
y la tierra
furiosa
levantó su oleaje[11]
más tempestuoso
35 **que** el vendaval[12] marino;
el polvo
te cubría

los ojos,
las llamas
40 quemaban tus zapatos;
las sólidas
casas de los banqueros[13]
trepidaban
como heridas ballenas[14]
45 mientras arriba
las casas de los pobres
saltaban
al vacío[15]
como aves
50 prisioneras
que probando las alas
se desploman[16].
Pronto
Valparaíso,
55 marinero,
te olvidas
de las lágrimas,
vuelves
a colgar[17] tus moradas[18],
60 a pintar puertas
verdes,
ventanas
amarillas,
todo
65 **lo** transformas en nave,
eres
la remendada[19] proa[20]
de un pequeño,
valeroso[21]
70 navío[22].

PABLO NERUDA,
Odas Elementales, 1954.

Puerto de Valparaíso, Chile.

Comprender

1 Sitúa geográficamente Valparaíso, haciendo hincapié en los riesgos sísmicos de la zona y recalcando su extraña ubicación portuaria, con sus casas, su pasado histórico (Pedro de Valdivia) y sus actividades pesqueras (la pesca de la ballena).

Comentar

2 Verso 1: ¿Cómo te suena a ti el nombre Valparaíso? ¿No entraña cierta contradicción con lo que ocurre a continuación?
3 Versos 2 – 7: Más allá de la personificación, ¿qué rasgos geográficos asoman en estos versos?
4 Versos 8 – 21: Entresaca verbos y sustantivos que se relacionan con la personificación de Valparaíso. ¿Qué dan a entender los versos 8 a 12? ¿Cómo combina al mismo tiempo Neruda el terremoto y sus repercusiones sobre la población? ¿Qué efectos surte la acumulación de pretéritos?
5 Versos 22 – 40: Aprecia la descripción del terremoto. ¿Cómo consigue Neruda darnos una impresión de caos apocalíptico? ¿En qué medida contribuye la versificación a darle aún mayor relieve? ¿Con quién precisamente compara aquí el poeta a Valparaíso? ¿Por qué personifica ahora a la tierra?
6 Versos 41 – 52: ¿A qué clases características de la población alude el final de este movimiento? Justifica las comparaciones oponiéndolas a las anteriores y saca las consecuencias en cuanto a las preferencias sociales de Neruda.
7 Versos 53 – 70: Fíjate en el empleo del presente. Compara el ritmo de estos versos con el anterior. ¿Qué revela el adverbio «pronto»? Haz el retrato moral del Valparaíso marinero a partir de esta evocación final, insistiendo en los verbos «colgar, pintar». ¿Qué te sugieren los colores? Aprecia simbólicamente la metáfora final: «eres la remendada proa de un pequeño, valeroso navío».

Concluir

8 ¿Qué motivos le habrán movido a Neruda a escribir una oda a Valparaíso? ¿Por qué rinde homenaje a aquel puerto?

Alto

- *La valeur des temps (gramm. § 45.1).*
- *Les pronoms personnels. Tutoiement et vouvoiement (gramm. § 14.3).*
- *Comparatif de supériorité et d'infériorité (gramm. § 20.1).*
- *L'article neutre lo (lo... todo) (gramm. § 10.6).*

Obras

1 Relève les verbes au passé simple du vers 10 au vers 23. Conjugue-les à ce temps. Que remarques-tu à la 3ᵉ pers. du singulier du verbe *«tener»* par rapport à la 3ᵉ pers. du singulier du passé simple des autres verbes ?
2 Transpose au passé simple du vers 53 au vers 70.
3 Imagine qu'au lieu de tutoyer Valparaíso, le poète vouvoie cette ville du vers 8 au vers 40.
4 Traduis les vers «y la tierra furiosa levantó su oleaje **más** tempestuoso **que** el vendaval marino». Identifie la structure soulignée et donne deux autres exemples en utilisant une fois le comparatif de supériorité et une autre fois le comparatif d'infériorité.
5 Justifie l'emploi de l'article neutre «lo» dans les vers : «todo lo transformas en nave». Complète s'il y a lieu avec l'article «lo» : El terremoto... destruyó todo – ...parecía todo quemado – La población presa de pánico... dejaba todo – ...estaba todo desierto – ...pintaba todo de verde.

Clandestino en Chile

A principios de 1985, el director de cine chileno Miguel Littín, que tenía prohibición absoluta de volver a su tierra, entró clandestinamente en el Chile del general Pinochet. Durante seis semanas filmó más de siete mil metros de película sobre la realidad de su país después de doce años de dictadura militar. Cuando empieza el relato, Littín se dispone a cruzar la frontera.

1. *une fouille.*
2. *paquets.*
3. *tournage.*
4. *je n'avais pas voulu prendre le risque de jeter.*
5. *connues.*
6. *par crainte de.*
7. *piste.*
8. *desocupar, ici, vider.*
9. *à plus forte raison.*
10. *de Tantale (allusion au supplice).*
11. *cavar, creuser.*
12. *arreglar la maleta, faire sa valise.*
13. *effroi.*
14. *l'étonnement.*
15. *apresurarse, se hâter.*
16. *ici, le déluge.*
17. *bien entendu.*
18. *un éclair.*
19. *escudriñar, chercher minutieusement.*
20. *gardez-les.*
21. *atender a, s'occuper de.*
22. *hervir, bouillir.*
23. *les fourneaux.*

Me di cuenta de que era una requisa[1] meticulosa, pero no me preocupé, por **estar seguro** de no llevar nada que no correspondiera a mi falsa identidad. Sin embargo, cuando abrí mi maleta saltaron fuera y rodaron por el suelo las numerosas cajetillas[2] vacías de cigarrillos Gitane, en muchas de las cuales **estaban escritas** mis notas de filmación[3].

5 Yo había **llegado al país** con una buena provisión de Gitane para dos meses, y no me había atrevido a tirar[4] las cajetillas, que son grandes, de cartón duro y demasiado notorias[5] en **Chile**, por temor de[6] dejar un rastro[7] fácil para la policía. Las que desocupaba[8] durante el trabajo las guardaba en el bolsillo, y luego las escondía por todas partes, con mayor razón[9] **si tenían notas de filmación**. Así caí en la angustia tantálica[10] de los presos que cavan[11] un túnel para

10 escapar y no saben dónde esconder la tierra.

Cada vez que arreglaba la maleta[12] para cambiar de hotel, me preguntaba qué iba a hacer con tantas cajetillas vacías. Por último no se me ocurrió una solución más fácil que llevármelas en la maleta.

Vi con pavor[13] el asombro[14] y la desconfianza de los carabineros cuando me apresuré[15] a

15 recoger del suelo el reguero[16] de cajetillas.

–**Están vacías** –dije.

No me creyeron, por supuesto[17]. Mientras el más joven se ocupaba de otros pasajeros, el mayor abrió las cajetillas una por una, las examinó al derecho y al revés, y trató de descifrar algunas de mis notas. Yo tuve entonces un relámpago[18] de inspiración.

20 –Son versitos que se me ocurren a veces –dije.

Él siguió escudriñando[19] en silencio, y al final me miró a la cara, para ver si descifraba por mi expresión el misterio insondable de las cajetillas vacías.

–**Si quiere, quédese** con ellas[20] –le dije.

–¿Y a mí para qué me sirven? –dijo él.

25 Entonces me ayudó a ponerlas otra vez en la maleta y atendió al[21] pasajero siguiente. De regreso a Madrid, me sentía tan ligado a ellas, que resolví guardarlas por el resto de mi vida, como una reliquia de tantas experiencias duras que la memoria pondría a hervir[22] a fuego lento en las cocinas[23] de la nostalgia.

GABRIEL GARCÍA MÁRQUEZ,
La aventura de Miguel Littín, clandestino en Chile, 1986.

Comentar

1 ¿Quién es el narrador? Resume brevemente la anécdota sin comentarla.

2 Líneas 1 – 4: Sitúa la escena. ¿Cómo se crea un ambiente de suspense?

3 Líneas 5 – 13: ¿Qué cambio temporal introduce en la narración el pluscuamperfecto? ¿Cómo se llamaría esta vuelta al pasado en la técnica cinematográfica? ¿En qué medida los datos que nos facilita Miguel Littín aumentan la tensión?

4 Líneas 14 – 19: ¿Por qué se reanuda con el empleo del pretérito indefinido? Analiza el contraste entre la actitud de los carabineros y la del narrador. ¿Qué efecto surte?

5 Líneas 20 – 25: ¿Qué te parece la ocurrencia de Miguel Littín? ¿Qué nota da al ambiente y qué quiere que opinemos de los carabineros?

6 Líneas 25 – 28: Justifica el cariño que cobró por las cajetillas. Aclara cómo se convirtieron éstas en una reliquia «que la memoria pondría a hervir a fuego lento en las cocinas de la nostalgia».

7 Muestra cómo en este texto García Márquez aúna las cualidades de un guionista a las de un aficionado al cine.

Alto

- *La préposition **a** (gramm. § 27.1).*
- *Valeur des modes (gramm. § 50.0).*
- *L'expression de la condition (gramm. § 53.4).*

Obras

1 Transpose au présent depuis le début jusqu'à «...*mis notas de filmación*» (l. 4).

2 Explique les emplois de la préposition *a* dans les exemples en caractères gras.

3 Justifie l'emploi du mode indicatif dans les deux propositions subordonnées conditionnelles : «...*si tenían notas de filmación*» (l. 8) et «*Si quiere ...*» (l. 23)

4 Traduis depuis «*Por último no se me ocurrió una solución más fácil...*» (l.12) jusqu'à «...*las cajetillas vacías*» (l. 22).

QUINO, *Potentes, prepotentes e impotentes*, 1989.

Comentar

El artista – el poeta – el policía – el guardia – el árbol – el pájaro – el canto, cantar – el trino, *le gazouillis* – la jaula, *la cage* – la cárcel, *la prison* – la celda, *la cellule* – acomodado en un sillón, *installé dans un fauteuil* – ¡Ni hablar!, *Pas question!* – ir (uno) a donde le da la gana, *aller où bon lui semble* – la afición a la música, al canto – entusiasmar – el lenguaje de la música – la incomprensión – procesar, *inculper* – quedar enjaulado – estar cabizbajo, *être tête basse*, *penaud* – un delito – un atropello, *un abus de pouvoir*.

1 Identifica a los personajes. ¿Qué valores representan? Interpreta los globos y resume brevemente lo que le ocurre al artista.

2 Primer dibujo: ¿Cómo caricaturiza el dibujante al policía y al artista? El árbol estilizado entraña varios símbolos: ¿cuáles? ¿Qué cara pone cada personaje al oír el canto del pájaro?

3 Segundo dibujo: Fíjate en el globo del policía y en su ademán. Según él, ¿dónde tiene que estar el pájaro y para qué?

4 Tercer dibujo: ¿Cómo recalca Quino el rotundo desacuerdo del artista?

5 Cuarto, quinto y sexto dibujo: ¿Cómo te explicas que los globos vayan creciendo en los tres dibujos? ¿Qué argumentos aduce el artista para convencer al policía? ¿Qué simboliza el pájaro en el cuarto dibujo? ¿Cómo y a quién contagia su entusiasmo? ¿Qué poder mágico y lírico cobra en el sexto dibujo? Recalcando el ademán amistoso del artista, comenta la pinta del policía.

6 Séptimo dibujo: Justifica la perplejidad sospechosa del policía y la serenidad ingenua del artista.

7 Octavo dibujo: ¿Cuál es el desenlace? ¿Por qué habrá encarcelado el policía al artista? Muestra cómo ciertos papeles están trastrocados. ¿Se oye música en la celda? ¿Cuál?

8 ¿Te hace gracia la tira? ¿Qué clase de humorismo observamos aquí? ¿Qué habrá querido satirizar Quino?

9 A tu parecer, ¿por qué prefiere Quino dibujar en los globos y no expresar mediante palabras los sentimientos que le infunden el canto y la música?

La que vende palabras

1. balbucear, *balbutier*.
2. otear, *scruter*.
3. *torche, flambeau*.
4. *ici, cruels*.
5. *sur-le-champ*.
6. *défaites*.
7. iguanes (*lézards*).
8. fastidiar, *ennuyer profondément*.
9. *juste sorti du four*.
10. *Il en avait assez*.
11. *ici, les enfants*.
12. desteñir, *déteindre, perdre ses couleurs*.
13. *qui manquaient*.
14. *conserver*.
15. aguardar, *attendre*.
16. *diable*.
17. grabar, *graver*.

–¿Eres **la que** vende palabras? –preguntó.

–Para servirte –balbuceó[1] ella oteando[2] en la penumbra para verlo mejor.

El Coronel se puso de pie y la luz de la antorcha[3] que llevaba el Mulato le dio de frente. La mujer vio su piel oscura y sus fieros[4] ojos de puma y supo al punto[5] que estaba frente al hombre más solo de este mundo.

–Quiero ser Presidente, –dijo él.

Estaba cansado de recorrer esa tierra maldita en guerras inútiles y derrotas[6] que ningún subterfugio podía transformar en victorias. **Llevaba muchos años durmiendo** a la intemperie, picado de mosquitos, alimentándose de iguanas[7] y sopa de culebra, pero esos inconvenientes menores no constituían razón suficiente para cambiar su destino. **Lo que** en verdad le fastidiaba[8] era el terror en los ojos ajenos. **Deseaba** entrar a los pueblos bajo arcos de triunfo, entre banderas de colores y flores, **que lo aplaudieran y le dieran** de regalo huevos frescos y pan recién horneado[9]. Estaba harto[10] de comprobar cómo a su paso huían los hombres, abortaban de susto las mujeres y temblaban las criaturas[11], por eso había decidido ser Presidente. El Mulato le **sugirió que fueran** a la capital y entraran galopando al Palacio para apoderarse del gobierno, tal como tomaron tantas otras cosas sin pedir permiso, pero al Coronel no le interesaba convertirse en otro tirano, de ésos ya habían tenido bastante por allí y, además, de ese modo no obtendría el afecto de las gentes. Su idea consistía en ser elegido por votación popular en los comicios de diciembre.

–Para eso **necesito hablar** como un candidato. ¿Puedes venderme las palabras para un discurso? –preguntó el Coronel a Belisa Crepusculario.

Toda la noche y buena parte del día siguiente estuvo Belisa Crepusculario buscando en su repertorio las palabras apropiadas para un discurso presidencial. Descartó las palabras ásperas y secas, las demasiado floridas, las que estaban desteñidas[12] por el abuso, las que ofrecían promesas improbables, las carentes[13] de verdad y las confusas, para quedarse sólo con[14] aquellas capaces de tocar con certeza el pensamiento de los hombres y la intuición de las mujeres. La condujeron nuevamente donde el Coronel y **al verlo** ella volvió a sentir la misma palpitante ansiedad del primer encuentro. Le pasó el papel y aguardó[15], mientras él lo miraba sujetándolo con la punta de los dedos.

–¿Qué carajo[16] dice aquí? –preguntó por último.

–¿No sabes leer?

–Lo que yo sé hacer es la guerra –replicó él.

Ella leyó en alta voz el discurso. Lo leyó tres veces, para que su cliente pudiera grabárselo[17] en la memoria. Cuando terminó vio la emoción en los rostros de los hombres de la tropa que se juntaron para escucharla y notó que los ojos amarillos del Coronel brillaban de entusiasmo, seguro de que con esas palabras el sillón presidencial sería suyo.

ISABEL ALLENDE, *Cuentos de Eva Luna*, 1990.

Comprender
Comentar

1 ¿Quiénes son los dos protagonistas y qué le pide el Coronel a Belisa Crepusculario?

2 Líneas 1 - 5: Analiza cómo, en pocas líneas, sabe Isabel Allende caracterizar a sus personajes. El conocimiento que tiene el lector, ¿resulta de una descripción minuciosa y racional o de una intuición? ¿Cómo fuerza la narradora la adhesión de su lector? ¿Quién es el sujeto del verbo «supo» (l. 4)?

3 Líneas 6 – 18: ¿Por qué quiere el Coronel cambiar de destino? ¿Qué punto de vista adopta esta vez la narradora? Destaca el humorismo de las visiones contrastadas entre su soñada entrada triunfal a los pueblos y la pesadilla de la realidad. ¿Qué revela la sugerencia del Mulato de las costumbres militares?

4 Líneas 18 – 21: Muestra cómo Isabel Allende consigue que resulte normal una situación totalmente estrafalaria *(extravagante)*.

5 Líneas 22 – 36: Comenta la elección de las palabras para el discurso presidencial. ¿Qué efecto producen éstas entre los oyentes? El Coronel no sabe leer: ¿te sorprende? ¿Cómo reacciona Belisa Crepusculario? Muestra que su reacción es propia de quien vive en una civilización de tradición oral.

6 A tu parecer, ¿conseguirá el Coronel el sillón presidencial?

Concluir

7 ¿Cómo interpretas este cuento de Isabel Allende? ¿No trasciende con creces *(largement)* lo anecdótico?

Alto

- Révision de la conjugaison et de la concordance (gramm. § 54.0).
- L'obligation (gramm. § 32.1).
- La durée (gramm. § 29.2).
- Al + inf. (gramm. § 44.2).
- Emploi de l'article devant un relatif (gramm. § 10.4 et 22.2).

Obras

1 Récris au présent les lignes 10 à 18 : *«Lo que en verdad le fastidia... el afecto de las gentes».*

2 *«Necesito hablar»* : Trouve deux formules d'obligation équivalentes. Reprends-les ensuite au style indirect en commençant ainsi : *El Coronel le dijo que...*

3 *«Llevaba muchos años durmiendo a la intemperie, alimentándose de iguanas»* : Quelle autre façon d'exprimer la durée connais-tu ? Utilise-la pour récrire cette phrase.

4 *«Al verlo volvió a sentir»* : Par quoi peux-tu remplacer *«al verlo»* ?

5 *«Eres la que vende palabras»* – *«lo que le fastidiaba era el terror»* : Traduis ces deux citations et imite chacune de ces structures dans deux phrases se rapportant au texte.

JUAN ACEVEDO,
Ciudad de los Reyes,
22/11/1979.

6 *«La condujeron nuevamente»* : Comment peut-on rendre autrement l'idée de réitération ?

Comentar

1 Describe el dibujo aclarando la situación: ¿quién es el señor del primer término?, ¿dónde está?, ¿qué está haciendo?, ¿a quiénes se dirige? Destaca lo caricaturesco de su representación.

2 Estudia los diferentes componentes del discurso: ¿a qué se refieren las palabras? ¿Qué representan los dibujos? ¿Qué simboliza el conjunto?

3 Explica la desproporción que existe entre las tres personas que están en el palco presidencial. ¿Qué critica el humorista peruano con este dibujo?

4 Caracteriza esta forma de humor.

Engaño, embuste, *tromperie* – falsedad, *hypocrisie* – timo, *escroquerie* – fufulla, *tricherie aux cartes* – bamba, *coup de chance* – tongo, *trucage aux courses* – trafa, *trafics* – choreo, *vol, fauche* – pendejada, *crétinerie* – he dicho, *j'ai fini* – ayayeros a sueldo, *la claque (ceux qui sont payés pour acclamer et applaudir).*

Un testaferro, *un homme de paille* – la muchedumbre, *la foule* – una voluta, *une volute* – el escudo del país, *le blason du pays* – la bandera, *le drapeau* – la llama – una torre de perforación, *un derrick* – el desarrollo, *le développement* – la salida del sol *le lever du soleil.*

Oda a la pereza[1]

1. *Ode à la paresse.*
2. *rascar, gratter.*
3. *tu prendras le thé.*
4. *ébloui.*
5. *somnolent.*
6. *morceaux brisés.*
7. *faisant s'écrouler.*
8. *d'écume.*
9. *les pétrels argentés (oiseaux marins).*
10. *une toile d'araignée.*
11. *soleil et brume.*
12. *une topaze (pierre précieuse de couleur jaune, transparente).*
13. *du sable s'en échappa.*

Ayer sentí que la oda
no subía del suelo.
Era hora, debía
por lo menos
5 mostrar una hoja verde.
Rasqué[2] la tierra: «Sube,
hermana oda
–le dije–
te tengo prometida,
10 no me tengas miedo,
no voy a triturarte,
oda de cuatro hojas,
oda de cuatro manos,
tomarás té[3] conmigo.
15 Sube,
te voy a coronar entre las odas,
saldremos juntos, por la orilla
del mar, en bicicleta».
Fue inútil.

20 Entonces,
en lo alto de los pinos,
la pereza
apareció desnuda,
me llevó deslumbrado[4]
25 y soñoliento[5],
me descubrió en la arena
pequeños trozos rotos[6]
de sustancias oceánicas,
maderas, algas, piedras,
30 plumas de aves marinas.
Busqué sin encontrar
ágatas amarillas.
El mar
llenaba los espacios
35 desmoronando[7] torres,
invadiendo

las costas de mi patria,
avanzando
sucesivas catástrofes de espuma[8].
40 Sola en la arena
abría un rayo
una corola.
Vi cruzar los petreles plateados[9]
y como cruces negras
45 los cormoranes
clavados en las rocas.
Liberté una abeja
que agonizaba en un velo de araña[10]
metí una piedrecita
50 en un bolsillo,
era suave, suavísima
como un pecho de pájaro,
mientras tanto en la costa,
toda la tarde,
55 lucharon sol y niebla[11].
A veces
la niebla se impregnaba
de luz
como un topacio[12],
60 otras veces caía
un rayo de sol húmedo
dejando caer gotas amarillas.

En la noche,
pensando en los deberes de mi oda
65 fugitiva,
me saqué los zapatos
junto al fuego,
resbaló arena de ellos[13]
y pronto fui quedándome
70 dormido.

PABLO NERUDA, *Odas Elementales*, 1954.

Comprender
Comentar

1 ¿Cuál era el problema del poeta? Destaca lo paradójico de la existencia de esta oda.

2 Versos 1 – 19: Examina las súplicas de Neruda y estudia su estrategia para lograr su propósito.

3 Versos 20 – 39: La pereza es una musa inesperada: muéstralo. ¿Cómo interpretas el vagar del poeta por la playa? ¿Son tan nimios *(insignifiants)* como lo parecen sus hallazgos e impresiones?

4 Versos 40 – 62: Estudia cómo, poco a poco, la poesía lo invade todo. Entresaca y analiza las palabras, sensaciones y visiones que dan fe de esta maravillosa transformación del mundo.

5 Versos 63 – 70: ¿Cómo termina su día el poeta? ¿Qué valor simbólico puede encerrar la arena que resbala de sus zapatos? Relaciona este final con los primeros versos de la oda.

Concluir

6 ¿Qué sorprendente papel desempeña la pereza en la creación poética? ¿Lo puedes explicar?

7 ¿En qué medida es humorística la intención del poeta?

Alto

- Le gérondif, formation et emploi (gramm. § 28.0).
- Le passage du discours direct au discours indirect (gramm. § 55.0).

Obras

1 Après avoir réfléchi aux conditions d'emploi des gérondifs soulignés dans le texte imite cette structure pour dire ce que fait le poète au cours de sa promenade.

2 Transpose au discours indirect les vers 6 à 11 et 14 à 18 en commençant ainsi : *El poeta rascó la tierra y le dijo a su hermana oda que…*

3 Traduis depuis «*Vi cruzar los petreles…*» (v. 43) jusqu'à «*…caer gotas amarillas*» (v. 62).

- Describe el dibujo pormenorizadamente y relaciónalo con el texto de Pablo Neruda, «Oda a la pereza». ¿En qué reside su humorismo?

El despacho, *le bureau, la pièce de travail* – la mesa de trabajo – la máquina de escribir – las cuartillas blancas, *les pages blanches* – la papelera rebosante, *la corbeille qui déborde* – los papeles tirados al suelo, *jetés par terre*, arrugados, *chiffonnés* – el escritor frustrado, fracasado – la falta (*le manque*) de inspiración – hacer vanos esfuerzos, *faire de vains efforts* – la escalera plegable, *l'escabeau* – la mujer colgada del techo, *la femme accrochée au plafond* – disfrazado, *déguisé* – una Musa – las alas, *les ailes* – la corona de laureles, *la couronne de lauriers*.

JUAN BALLESTA, *Cambio 16*, 13/06/1988.

CONO SUR

La carta que no llegó

1. *reventar* |ie|, *faire éclater.*
2. *le foie.*
3. *arrojar, jeter.*
4. *l'endroit où tu te trouves.*
5. *les casernes.*
6. *où tu peux bien te trouver.*
7. *(surnom affectueux de son fils).*
8. *chewing-gum pour faire des ballons.*
9. *ballons.*
10. *un parapluie.*
11. *l'étoile du berger.*
12. *demorar, tarder.*
13. *entrer à nouveau dans mon ventre.*
14. *ici, sans se laisser impressionner par qui que ce soit.*
15. *a todos los tipos de uniforme que ve.*
16. *foudroyer.*
17. *(rayo fulminante de los cómics).*
18. *il leur donne des coups de pied dans les chevilles.*
19. *des bêtises.*

Montevideo por los años 70, durante la dictadura militar que duró hasta 1984.

Todavía no le habían reventado[1] el hígado[2], al cabo de varias semanas de no poder arrancarle ni una sola palabra de la boca. Todavía no lo habían arrojado[3] muerto al monte, cerquita de un pueblo cualquiera.

Y no sabía, y nunca supo, que en alguna parte había una carta para él. La carta decía:

5 «Hemos preguntado por todas partes y nadie sabe dar cuenta de tu paradero[4].

En los cuarteles[5] se ríen de mí cuando pregunto. Ellos dicen que te habrás ido con otra, pero yo sé que te han metido preso de nuevo porque vino un amigo tuyo que sabe y me lo dijo. Me pregunto adónde andarás[6]. Los sufrimientos que estarás pasando ya me los imagino. Puede ser que esta carta te llegue y puede ser que no, pero lo mismo la voy a llevar, a ver qué

10 pasa.

Dice el Yuyo[7] que te manda un chicle globero[8], porque **vos sabés** hacer buenos globos[9], globos grandes, que vuelan, y así te **metés** adentro del globo y te **escapás**. Dice que cuando vuelvas le traigas un paraguas[10] y un helado. Hoy se levantó muy temprano para pedirle que vuelvas al lucero del alba[11].

15 El Yuyo es una maquinita de hacer preguntas. **Me tiene loca** con las preguntas. ¿Cuándo empezará todo de nuevo? ¿Cuándo empezará todo otra vez, del año uno en adelante? ¿Cuántos segundos demora[12] en pasar un siglo?

A veces me dice que está deseando nacer y está deseando crecer, pero a veces me dice que quiere **volver a meterse** en mi barriga[13].

20 Camina mucho solo, anda por ahí, sin darse con nadie[14]. A cuanto tipo de uniforme ve[15] por la calle, aunque sea un portero de hotel, le pregunta: ¿Cuándo me vas a devolver a mi papá? Dice que los va a fulminar[16] a todos con el rayo ultra-seven[17] y les patea los tobillos[18] y sale corriendo.

Ahora yo no sé si vas a poder leer esta carta, pero igual siento como una necesidad de decirte

25 que yo contigo he sido más feliz **de lo que** los libros **dicen** que se puede. Perdóname si tantas veces me anduve quejando por bobadas[19].

Un día me dijiste que yo tenía cara de mujer a la que siempre se vuelve y yo te espero ahora o cuando sea y donde sea y como sea. Quiero que sepas.»

EDUARDO GALEANO, *La canción de nosotros*, 1975.

Comprender
Comentar

1 ¿Quiénes son los personajes principales y cuál es la situación?

2 Líneas 1 – 4: El autor nos da a conocer el desenlace al principio: ¿con qué intención? Precisa con qué estado de ánimo vamos a leer la carta ahora. ¿Qué matices introducen los detalles concretos y brutales?

3 Líneas 5 – 10: ¿Por qué escribe la carta la mujer cuando no sabe si llegará? Comenta la actitud de los militares y caracterízalos. ¿En qué radica lo dramático de la situación?

4 Líneas 11 – 23: Recoge los detalles que muestran que el Yuyo sigue viviendo en un mundo infantil y los que indican que está sufriendo. Describe detenidamente lo que imagina el niño y precisa por qué lo que podría parecer divertido resulta tan amargo para el lector.

5 Líneas 24 – 28: Pon de relieve lo conmovedor de este final de carta. ¿A qué se debe su impacto?

Concluir

Alto

Obras

6 Muchos periodistas han descrito las barbaridades de las dictaduras militares; aquí Galeano prefiere darnos a leer una carta de amor. ¿Qué opinas de su elección? Justifica tu contestación.

- *La subordonnée complément du comparatif.*
- *Le «voseo» (gramm. § 14.10).*
- *Les équivalents de «devenir» (gramm. § 30.0).*
- *La réitération (gramm. § 31.1).*

1a Traduis le membre de phrase : «*he sido más feliz de lo que los libros dicen que se puede*» (l. 25).
b Complète les phrases suivantes avec une subordonnée en respectant la logique du texte : *Aquellos militares eran más crueles… – El Yuyo pensaba ser más fuerte… – El chiquillo era más preguntón… – Ella sentía un amor mayor…*
2 Lignes 11 – 12 : Repère les emplois du «*voseo*» et remplace-les par le tutoiement en usage en Espagne.
3 Ligne 15 : Traduis la phrase «*Me tiene loca con las preguntas*», et donne une formulation espagnole équivalente.
4 Ligne 19 : «*quiere volver a meterse en mi barriga*». Peux-tu trouver une autre tournure dont le sens soit semblable ?

Tapiz confeccionado por las mujeres chilenas durante la dictadura de Augusto Pinochet, a base de retales (trozos de telas) que recuperaban para este fin.

Arpillera.

Volver

Este tango fue escrito para la película «El día que me quieras…» dirigida por John Reinhardt en EE.UU. El guión abarca veinte años de la vida agitada de Julio (protagonizado por Carlos Gardel), hijo pródigo de un hombre de negocios argentino que no quiere que se case con una pobre bailarina. Lejos de su tierra argentina llega a ser un cantante famoso. Julio canta este tango al final de la película, la víspera de su vuelta a Buenos Aires, acodado, de noche, en la borda de un buque.

1. *le clignement.*
2. *retour.*
3. *alumbrar, éclairer.*
4. *profondes.*
5. *le retour.*
6. *ridé.*
7. *mes tempes.*
8. *accrochée.*
9. *encadenar, enchaîner.*
10. *huir, fuir.*
11. *sa marche.*
12. *esconder, cacher.*

Yo adivino el parpadeo[1]
de las luces que a lo lejos
van marcando mi retorno[2].
Son las mismas que alumbraron[3]
5 con sus pálidos reflejos
hondas[4] horas de dolor.
Y aunque no quise el regreso[5]
siempre se vuelve al primer amor.
La vieja calle donde el eco dijo:
10 tuya es su vida, tuyo es su querer,
bajo el burlón mirar de las estrellas
que con indiferencia hoy me ven volver.

Estribillo:
Volver,
con la frente marchita[6].
15 Las nieves del tiempo
platearon mi sien[7].
Sentir,
que es un soplo la vida,
que veinte años no es nada,
20 que, febril, la mirada

errante en las sombras,
te busca y te nombra.
Vivir,
con el alma aferrada[8]
25 a un dulce recuerdo
que lloro otra vez.

Tengo miedo del encuentro
con el pasado que vuelve
a enfrentarse con mi vida.
30 Tengo miedo de las noches
que pobladas de recuerdos
encadenen[9] mi soñar.
Pero el viajero que huye[10],
tarde o temprano detiene su andar[11].
35 Y aunque el olvido que todo destruye
haya matado mi vieja ilusión,
guardo escondida[12] una esperanza humilde
que es toda la fortuna de mi corazón.

Letra: Alfredo le Pera. Música: Carlos Gardel. Cantado por Valeria Munárriz.

Bruno Pueyo,
Tango en una calle de Bueno Aires, 1989.

Comentar

1 Versos 1 – 3: Pon de manifiesto el efecto cinematográfico de esta visión panorámica de Buenos Aires de noche. ¿Qué sentimientos moverán al protagonista?

2 Versos 4 – 8: Fíjate en «pálidos reflejos», «horas de dolor». ¿Qué clase de recuerdos le vienen a la mente al cantante? «Siempre se vuelve al primer amor»: ¿te parece original este verso? ¿Cómo enfoca Julio la vida?

3 Versos 9 – 12: ¿A qué tópico romántico remite la complicidad, ayer, de la calle y la indiferencia, hoy, de las estrellas?

4 Versos 13 – 26: Muestra cómo los tres infinitivos de la estrofa desarrollan el tema del fluir del tiempo pero con una finalidad cada vez distinta que insiste en la belleza, la vida y la permanencia del recuerdo.

5 Versos 27 – 32: ¿Qué sentimientos experimenta el cantante Julio ante los fantasmas del pasado? ¿En qué medida reanuda el tango en estos versos con el tema del exilio?

6 Versos 33 – 38: ¿Cómo se vale Julio de nuevo del tópico del paso inexorable del tiempo, y cómo lo modifica totalmente en los dos últimos versos?

7 ¿Por qué sería un argentino sensible a ese tema de la vuelta del exiliado a su tierra?

La pareja, *le couple* – volar [ue], *voler* – la playa – el cielo – el océano – el Río de la Plata – Buenos Aires – los rascacielos – perfilarse a lo lejos – el sombrero – abrazarse – el hombro, *l'épaule* – estrechar la cintura, *étreindre la taille* – una figura de tango – enlazadas las manos, *les mains enlacées* – la mirada perdida, nostálgica, romántica – mezclarse con – fundirse con.

El 24 de junio de 1935 muere Carlos Gardel en un accidente de aviación en Colombia. Era pasajero del «China Clipper» que chocó con otro avión.

ABEL QUEZADA, *El último vuelo del «China Clipper»*, 1981.
Óleo sobre lienzo, 46 x 60 cm. México.

Comentar

1 Aclarando las circunstancias e identificando a los personajes, di lo que representa el cuadro y distingue los diferentes términos.

2 ¿Qué está haciendo la pareja? Fíjate en la cara que ponen los dos. Estudia la postura del hombre. ¿Qué te sugiere su forma de mirar? ¿Por qué ocupa mucho más espacio que la mujer?

3 ¿Qué se desprende de la actitud de la mujer? Evidencia la importancia de las manos y de los labios. ¿Cuáles son las intenciones del pintor?

4 Muestra cómo la gama de tonos se reduce a dos colores fundamentales y a los matices del color complementario. ¿Qué efecto surte? En cambio, ¿dónde dominan los toques rojizos y anaranjados? ¿Por qué?

5 Señalando la procedencia de la luz y poniendo de manifiesto lo difuminado de los contornos, intenta justificar simbólicamente el título del cuadro.

6 ¿En qué medida este homenaje que le tributa Abel Quezada a Carlos Gardel, encaja con el tango «Volver»?

BUENOS AIRES, LA CABEZA DE GOLIAT[1]

1. (gigante muerto por David de una pedrada en la frente).
2. *nous éprouverons notre première frayeur.*
3. *quadrillage.*
4. *impossible, à embrasser d'un regard.*
5. *entrelacement.*
6. sitiar, *assiéger, encercler.*
7. deseado vivamente.
8. del siglo XIX.
9. el Río de la Plata (que baña a Buenos Aires).
10. *ombragées.*
11. (el eclecticismo reúne varios sistemas en un conjunto armónico).
12. *le style Art déco(ratif).*
13. *une palissade de piquets et de terre séchée.*
14. borrar, *gommer.*
15. a finales.
16. *capitale de vice-royauté.*
17. (político y escritor argentino, (1811-1888).
18. *mépris.*
19. *les navires.*
20. sembrar, *semer.*
21. (de J.- J. *Rousseau).*
22. *prit un élan.*

Si abrimos el mapa de la ciudad de Buenos Aires sufriremos el primer susto[2]. Su intenso cuadriculado[3] nos da la primera idea de ciudad inabarcable[4], de entretejido[5] laberíntico. Pero el susto crecerá si nuestra mirada traspasa los límites de la que se considera capital federal, y se interna en el gran cinturón de ciudades satélites que la sitian[6] y la deforman por kilómetros hasta llegar al ansiado[7] campo abierto.

Muchos han querido ver entre la gran cabeza capital y el deshabitado tronco de la República Argentina, una de las causas del fracaso del proyecto decimonónico[8] de levantar a orillas del Plata[9] una nación poderosa **que equilibrara** al coloso **que crecía** en la América del Norte.

Por sus amplias avenidas y paseos, por las arboladas[10] plazas y parques inmensos, reconocemos a cada momento el eclecticismo[11] francés que sucedió al modernismo, el estilo *decó*[12], las alusiones neoclásicas de algunos edificios públicos, la magnificencia de una ciudad levantada con una extraña voluntad cosmopolita, que **sólo** podemos comparar con algunas ciudades norteamericanas ya desaparecidas, por culpa del progreso.

Deberíamos recordar la juventud de Buenos Aires, pensar que era una pequeña población, protegida por una empalizada de palos y barro[13], que luchaba contra unos indígenas que acabaron borrándola[14] de la tierra, y que **sólo** en 1620 aparece con algún rango en los mapas españoles.

Casi en el ocaso[15] del siglo dieciocho adquiere la importancia necesaria para ser cabeza de virreinato[16]. Y como escribió Sarmiento[17] **es** «en 1806, **cuando** el ojo especulador de Inglaterra recorre el mapa americano, y **sólo** ve a Buenos Aires, su río, su porvenir». Una playa y un río que la España oficial había mirado con desdén[18], y en la que los buques[19] extranjeros sembraron[20] ideas nuevas de independencia que acabarían fructificando en ese puerto y extendiéndose después como una mancha de aceite por todo el continente.

Es a partir de ese momento, con el «Contrato social[21]» en la mano, **cuando** Buenos Aires se cree una continuación de Europa, una vocación que **irá creciendo y alimentándose** a lo largo de casi dos siglos. El proceso de «desespañolización» y de «europeificación» de la ciudad tuvo un arranque[22] radical en los primeros diez años de la independencia, algo que no sucedió en otras capitales americanas, y que puede explicar unas tendencias, y un espíritu diferenciador que marcó su expansión, y que le dejó todas esas cicatrices que hoy podemos contemplar en su rostro plural.

MARCOS-RICARDO BARNATÁN,
América 92, 07/08/1991.

Reportaje: «Buenos Aires, crecimiento vertical», Equinoccio, T.V.E.

1 Líneas 1 – 10: ¿Qué caracteriza la ciudad de Buenos Aires? ¿Por qué asusta mirar el mapa? Comenta la elección de los verbos «sitian y deforman» y del participio «ansiado».

2 Líneas 11 – 17: ¿Cómo subraya el periodista la desproporción entre Argentina y su capital? ¿Por qué puede ser ese desequilibrio causa de «fracaso» y de impedimento para que se levante una «nación poderosa»?

3 Líneas 18 – 28: Describe la ciudad, su urbanismo y arquitectura.

4 Líneas 29 – 62: Resume la historia de Buenos Aires. ¿Cómo la consideraron los españoles? ¿Qué vieron en ella los extranjeros, especialmente los ingleses? Explícalo.

Líneas 49 – 62: «Buenos Aires se cree una continuación de Europa»: subraya en el texto los detalles que lo prueban. ¿Qué otros argumentos no desarrollados aquí se podrían aducir para probarlo (población, nivel de vida, literatura y arte, etc.)?

PETER LANG , *Plaza del congreso*, Buenos Aires.

5 «Buenos Aires, la cabeza de Goliat»: justifica esta metáfora con detalles sacados del artículo y de tus lecturas personales. Explica cómo la misma extensión de la ciudad puede ser su punto flaco *(point faible)*. Cita otras megápolis latinoamericanas y evoca sus respectivas problemáticas.

Alto

• *C'est... que (gramm. § 23.0).*
• *Le déroulement de l'action (gramm. § 49.0).*
• *La valeur des modes (gramm. § 50.0 et 51.0).*
• *Sólo (gramm. § 26.5).*

Obras

1 a «Es en 1806 **cuando** el ojo de Inglaterra recorre el mapa y sólo ve a Buenos Aires» – «es a partir de ese momento **cuando** Buenos Aires se cree una continuación de Europa». Mets ces phrases au passé.
b Réutilise cette structure emphatique pour renforcer le complément circonstanciel dans les citations suivantes : *Buenos Aires se levanta a orillas del Río de la Plata – Sólo en 1620 Buenos Aires apareció con algún rango en los mapas españoles – Con el «Contrato social» en la mano, Buenos Aires se creía una continuación de Europa.*

PETER LANG, *Mar de Plata*, Buenos Aires.

2 «Es a partir de ese momento... casi dos siglos» (l. 49 – 53) : Traduis cette phrase et précise la nuance introduite par l'emploi du semi-auxiliaire *ir*. A l'aide de semi-auxiliaires (gramm. § 49.0), évoque l'histoire de la ville et son développement.
3 «Una nación que **equilibrara** al coloso que **crecía** en la América del Norte» : Comment expliques-tu l'emploi de modes différents dans ces propositions relatives ?
4 Retrouve les phrases ou apparaît l'adverbe *sólo* et remplace-le par des tournures équivalentes.

ÉRIC SANDER, *Barrio de la Boca*, Buenos Aires.

LA VÍA DE LA UNIDAD

1. (compañía ferroviaria española).
2. *opérationnelle.*
3. *couloirs.*
4. contemplar, *ici, avoir pour objet.*
5. *pôles de développement.*
6. *dynamisées.*
7. *ici, des subventions.*
8. *va bien au-delà de*
9. *ici, se dessiner.*
10. *renforcer.*
11. encabezar, *être à la tête de.*
12. *l'essor.*
13. (sin salida al mar).
14. *profit.*
15. *le réseau.*
16. *impliquées.*
17. *d'avant-garde.*
18. *retardée, différée.*

Siete países iberoamericanos –Perú, Chile, Argentina, Bolivia, Paraguay, Uruguay y Brasil–, con el apoyo técnico de la RENFE[1] española, han puesto en marcha el Proyecto Libertadores, que pretende hacer operativa[2] una amplia red ferroviaria ya existente, para convertirla en cuatro «corredores» o «pasillos[3]» de transporte que abrazarán la región. El Proyecto contempla[4] la modernización y «puesta al día» de 15.437 kilómetros de vías férreas que actualmente conectan los grandes núcleos de desarrollo[5] y algunas áreas interiores que piden ser potenciadas[6]. La financiación –que se estima en algo más de 10.000 millones de pesetas– corre a cargo del Fondo del Quinto Centenario del Banco Interamericano de Desarrollo, creado con aportaciones[7] del Estado español.

El Proyecto Libertadores tiene una doble importancia o significación política. Por una parte, incorpora a los planes de cooperación del Quinto Centenario una obra cuya proyección supera con creces[8] el horizonte de 1992 y, por otra, sienta las bases para que la proclamada «integración regional» pueda diseñarse[9] de cara a un futuro próximo.

En la región se han dibujado tres grupos complementarios: Argentina, Brasil y Chile han decidido fortalecer[10] su estructura industrial; Bolivia se presenta como exportador neto de combustible, seguido en menor medida por Perú, Chile y Argentina; mientras que Paraguay y Uruguay encabezan[11] la tradición exportadora de materias primas y alimentos, de la que también participan los otros países. Sobre esta perspectiva de desarrollo, el Proyecto Libertadores está llamado a trazar y garantizar la infraestructura que haga posible el despegue[12] económico regional.

Los dos países mediterráneos[13] –Bolivia Y Paraguay– son los que mejor provecho[14] podrán obtener del Proyecto, ya que son los más necesitados de contar con vías de transporte eficientes para canalizar su comercio. La producción paraguaya de soja, por ejemplo, que se dedica mayoritariamente a la exportación, ha logrado sextuplicarse en los últimos doce años y, si mantiene el actual ritmo de crecimiento, los sistemas existentes de transporte no podrían absorber esa demanda.

Para la gestión de toda la red[15] se constituirá una empresa autónoma en la que participarán las compañías ferroviarias involucradas[16] y cuya misión será administrar este conjunto como una «oferta integrada de transporte multinacional». En definitiva, el Proyecto Libertadores operará como si se tratase de un solo ferrocarril bien interconectado y con una sola empresa para gestionar el transporte ferroviario internacional de los siete países. Si el intento prospera –y todo parece indicar que así será– los transportes se convertirían en el sector de vanguardia[17] para la siempre postergada[18] «integración iberoamericana».

EMILIO TIEDRA, *América 92,* 04/1991.

Comprender

1 Sitúa en el mapa los siete países involucrados en el proyecto y sus núcleos ecónomicos más relevantes.

Comentar

2 Líneas 1 – 26: ¿En qué consiste exactamente el Proyecto Libertadores? Pormenoriza el plan y destaca su ambición. ¿Qué meta global, económica y política, pretende alcanzar? ¿Quiénes fueron los Libertadores y por qué se les invoca en este caso? ¿Cómo se explicará el apoyo de España en el marco del Quinto Centenario?

3 Líneas 27 – 52: Estudia la situación de cada país a partir del texto y de lo que sabes de su geografía económica poniendo de relieve lo que el Proyecto podrá significar para él. ¿Por qué Paraguay y Bolivia serán los que podrán sacar mayor provecho de las obras?

ENZO PIFFERI, *El tren andino*
Lima - Huancayo, Perú.

4 Líneas 53 – 67: Una empresa única operando en siete países: ¿te parece ese dato especialmente significativo? Justifica tu contestación en el terreno económico así como en el ámbito político. Aclara y comenta la última frase.

5 A partir de este artículo trata de puntualizar los retos *(les défis)* con los que se están enfrentando los países latinoamericanos. Mira la foto y la escala del mapa y explica las dificultades de la empresa.

Concluir

Alto

Obras

- *La numération (gramm. § 6.0).*
- *Cuyo, cuya, cuyos, cuyas (gramm. § 21.5).*

1 Ecris en toutes lettres les trois chiffres en gras dans le texte (l.10, 15 et 24). Traduis *«10.000 millones de pesetas»* ; que remarques-tu ?

2 Constitue des phrases en reliant les propositions ci-dessous par *cuyo, cuya, cuyos* ou *cuyas* selon le modèle : *incorpora a los planes una obra / la proyección de la obra supera el horizonte de 1992* ‣ *«incorpora a los planes una obra cuya proyección supera el horizonte de 1992».*
Se trata de una aportación española / el importe de la aportación ronda los 10.000 millones de pesetas – Los siete países se han unido / la red de los siete países será conectada – Paraguay y Uruguay forman un grupo / la tradición de Paraguay y Uruguay es exportar materias primas – Estos países quieren impulsar la integración iberoamericana / es conocido el Proyecto Libertadores de estos países.

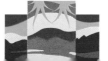

Sommaire

1.0 L'accent tonique.

2.0 Orthographe.

3.0 Modification orthographique.

4.0 Le genre.

5.0 Le nombre.

6.0 La numération.

7.0 L'heure.

8.0 L'apocope.

9.0 L'article défini.

10.0 L'article neutre Lo.

11.0 L'article indéfini.

12.0 Les démonstratifs.

13.0 Les possessifs.

14.0 Les pronoms personnels.

15.0 La construction d'un verbe type Gustar.

16.0 Les verbes pronominaux : régime des pronoms personnels.

17.0 Les équivalents de «on».

18.0 Les indéfinis partitifs.

19.0 Les indéfinis quantitatifs.

20.0 Comparatif et superlatif.

21.0 Les pronoms relatifs.

22.0 «C'est… qui».

23.0 «C'est… que».

24.0 L'interrogation.

25.0 L'exclamation.

26.0 La négation.

27.0 Les prépositions.

28.0 Les adverbes de manière.

29.0 Les équivalents de «il y a», «depuis».

30.0 Les équivalents de «devenir».

31.0 La réitération et l'habitude.

32.0 L'obligation.

33.0 Les emplois de Ser et Estar.

34.0 L'auxiliaire Haber.

35.0 Les temps composés : Haber + participe passé.

36.0 La conjugaison régulière : formation des temps et modèles de conjugaison.

37.0 Les verbes à diphtongue.

38.0 Les verbes à fermeture de voyelle.

39.0 Les verbes à alternance.

40.0 Les verbes en -acer, -ecer, -ocer, -ucir.

41.0 Les verbes en -uir.

42.0 Les verbes usuels à irrégularités diverses.

43.0 L'impératif et la défense : formation, régime des pronoms.

44.0 Quelques emplois de l'infinitif.

45.0 La valeur des temps.

46.0 Le participe passé : formation et emploi.

47.0 Le résultat de l'action : semi-auxiliaire + participe passé.

48.0 Le gérondif : formation et emploi.

49.0 Le déroulement de l'action : semi-auxiliaire + gérondif.

50.0 La valeur des modes.

51.0 Indicatif ou subjonctif : nuances d'emploi.

52.0 Le mode subjonctif : emplois semblables au français.

53.0 Le mode subjonctif : emplois différents du français.

54.0 La concordance des temps.

55.0 Le passage du discours direct au discours indirect.

1.0 L'ACCENT TONIQUE

1.1 Il n'est pas écrit et porte sur l'avant-dernière syllabe des mots terminés par une voyelle, N ou S (marques du pluriel).

La *chica canta / las chicas cantan.*

1.2 Il n'est pas écrit et porte sur la dernière syllabe des mots terminés par une consonne autre que N ou S.

pro*fesor,* pa*pel.*

1.3 Il est écrit lorsque les mots n'obéissent pas aux deux règles précédentes et il indique la voyelle tonique.

árbol, canción, sábado.

1.4 L'accent ne change pas de place :

– au pluriel :

el *árbol,* los *árboles* – el *joven,* los *jóvenes.*

– dans une forme verbale avec pronom enclitique :

le*vanta,* le*vántate* – ha*blando,* ha*blándoles.*

1.5 Attention : ne confonds pas cet accent écrit avec l'accent grammatical qui sert à différencier des mots qui se prononcent de la même façon mais sont de nature ou de fonction différente.

El *libro es para* **él.**
Te *sirvo el* **té.**
¿**Qué** *quería la persona* **que** *te llamó?*

2.0 ORTHOGRAPHE

Jamais de consonnes doubles sauf *cc, ll, nn, rr* qui ont une prononciation particulière.

acción, calle, innumerable, perro.

3.0 MODIFICATION ORTHOGRAPHIQUE

Elle permet de conserver la prononciation initiale.

secar / sequé, pagar / pagué, empezar / empecé,
coger / cojo, mecer / mezo.
el lápiz / los lápices, la voz / las voces,
el amigo / el amiguito, antiguo / la antigüedad.

4.0 LE GENRE

4.1 Font leur féminin en *-a* :

– les adjectifs terminés par *-o* :
negro / negra.

– les adjectifs indiquant la nationalité :
francés / francesa.

– les adjectifs en *-ín, -án, -ón, -or* :
llorón / llorona.

sauf :

mayor, menor, peor, superior, inferior, exterior, interior,
anterior, ulterior.

4.2 Tous les autres adjectifs ont une forme unique.

el cielo azul / la manta azul.
el niño alegre / la niña alegre.
el chico joven / la chica joven.

4.3 Les noms en *-or* sont tous masculins sauf :
la flor, la coliflor, la labor, la sor.

Attention : des mots terminés par *-a* peuvent être masculins :
el mapa, el problema, el turista.

4.4 Les noms de lieux géographiques (fleuves, montagnes et mers) sont du genre masculin.
el Sena, el Duero, los Andes, el Mediterráneo.

5.0 LE NOMBRE

5.1 Les mots terminés par une voyelle prennent un *-s* au pluriel :
el caballo negro / los caballos negros.

5.2 Les mots terminés par une consonne prennent *-es* :
el señor joven / los señores jóvenes, la ley / las leyes.

Attention aux mots terminés par *-s* au singulier : si la dernière syllabe est atone (ne reçoit pas l'accent tonique), le mot reste invariable (*la crisis / las crisis*), si elle est tonique ou dans un monosyllabe, le mot se modifie (*el autobús / los autobuses, el mes / los meses*).

6.0 LA NUMÉRATION

6.1 Les adjectifs numéraux cardinaux

cero, uno, dos, tres, cuatro, cinco, seis, siete, ocho, nueve, diez, once, doce, trece, catorce, quince, dieciséis, diecisiete, dieciocho, diecinueve, veinte, veintiuno, veintidós, veintitrés, veinticuatro, veinticinco, veintiséis, veintisiete, veintiocho, veintinueve, treinta, treinta y uno…, cuarenta…, cincuenta…, sesenta…, setenta…, ochenta…, noventa…, cien(to)…, doscientos, -as, trescientos, -as, cuatrocientos, -as, quinientos, -as, seiscientos, -as, setecientos, -as, ochocientos, -as, novecientos, -as, mil, dos mil, cien mil, un millón, mil millones (un milliard).

6.2

La conjonction *y* ne s'emploie qu'entre les dizaines et les unités :
ciento noventa y cinco.

Attention :
ciento dos.

6.3

U*no* devient *una* devant un nom féminin :
veintiuna alumnas, cuarenta y una chicas.

6.4

Ciento s'apocope en **cien** devant un nom ou un nombre qu'il multiplie.
cien niños, cien mil niños.

6.5

À partir de *doscientos* inclus, les centaines s'accordent obligatoirement avec le nom qu'elles déterminent :
dos mil doscientas pesetas.

6.6

Lire une date : *catorce de octubre de mil novecientos noventa y dos* (14 de octubre de 1992). Remarquez l'accord des centaines qui sous-entend *años*.

6.7 Les adjectifs numéraux ordinaux

primero (primer), segundo, tercero (tercer), cuarto, quinto, sexto, séptimo, octavo, noveno, décimo, undécimo, duodécimo.

Attention : *primero* et *tercero* s'apocopent devant un nom masculin singulier :
en el primer plano, el tercer capítulo, el Tercer Mundo.

• Pour désigner des personnages historiques, on emploie les ordinaux jusqu'à dix, puis les cardinaux :
Carlos V **(Quinto)**, *Felipe II* **(Segundo)**, *Alfonso XIII* **(Trece)**.

7.0 L'HEURE

¿Qué hora es?
Es la una, son las dos, son las tres y cuarto, son las cuatro y media, son las cinco menos diez.

8.0 L'APOCOPE

C'est la chute de la voyelle ou de la syllabe finale.

8.1

Les adjectifs suivants perdent le **-o** devant un nom masculin singulier : *uno, alguno, ninguno, primero, tercero, bueno, malo.*
un buen día, ningún error.

8.2

Ciento devient **cien** devant un nom ou un nombre qu'il multiplie.
unas cien mil toneladas.

8.3

Grande devient **gran** et **cualquiera** devient **cualquier** devant un nom singulier.
una gran ciudad, cualquier cosa.

8.4

L'adverbe *recientemente* devient *recién* devant un participe passé.
el niño recién nacido.

9.0 L'ARTICLE DÉFINI

9.1

el, la, los, las
a + el → al   de + el → del
el libro, los libros, la mesa, las mesas
Voy al teatro – Vengo del cine.

9.2

Il est l'équivalent des pronoms démonstratifs «celui de, ceux de, celle(s) de».
¿De quién es este libro?
Es el de Pedro.

9.3

Devant tout substantif commençant par *a-* (*ha-*) tonique, l'article *la* est remplacé par *el.*
el agua fría / las aguas frías.

9.4

Pas d'article défini devant :
– *casa, misa, clase: Pepe está en casa.*
– un superlatif suivant un substantif déjà déterminé :
el monumento más famoso.
– un nom de pays non déterminé : *Voy a Chile,*
mais : *la España de hoy.*

10.0 L'ARTICLE NEUTRE *LO*

10.1 On ne le trouve jamais devant un nom.

10.2 *lo* + adjectif ou participe passé : «ce qui est…, ce qu'il y a de…» :
> *Lo importante es participar.*

10.3 *lo* + adjectif ou participe passé : «combien, comme…» :
> *No puedes figurarte lo guapa que es – No te imaginas lo difícil que fue.*

10.4 *lo que* : «ce qui, ce que» :
> *Lo que dices.*

10.5 *lo de* : «ce qui a trait à, ce qui concerne» :
> *lo de la televisión.*

10.6 *lo… todo* : lorsque *todo* est complément d'objet direct, il est le plus souvent accompagné de *lo* :
> *Lo sé todo.*

11.0 L'ARTICLE INDÉFINI

11.1 *un, una, unos, unas*

11.2 Le pluriel indéfini «des» ne s'emploie généralement pas en espagnol :
> *Veo una casa / veo casas.*

11.3 De même, le partitif («de», «du») ne s'exprime pas :
> *Como pan con mermelada.*

11.4 Pas d'article indéfini devant **tal, igual, semejante, otro, tanto, cierto, cualquiera, medio, distinto.**
> *Deme medio kilo de tomates.*

11.5 L'article indéfini pluriel exprime une approximation («environ») :
> *Tendrá unos cuarenta años.*

Il peut être un équivalent de *algunos* («quelques») :
> *Espérame unos minutos.*

12.0 LES DÉMONSTRATIFS

12.1 Ils délimitent des zones qui correspondent habituellement à celles énoncées par les pronoms personnels et les adverbes de lieu. Les pronoms masculins et féminins portent un accent écrit pour les différencier des adjectifs.

		PERSONNE	ESPACE	TEMPS
este, estos proximité		*yo*	*aquí*	temps présent
esta, estas		*nosotros*		
ese, esos	situation	*tú*	*ahí*	passé ou futur
esa, esas	intermédiaire	*vosotros*		peu éloignés
aquel				
aquellos	éloignement	*él, ellos*	*allí*	passé ou futur
aquella, as		*ella, ellas*	*allá*	lointains

12.2 Formes neutres et donc invariables :
> *esto, eso, aquello* (ceci, cela, ça).

13.0 LES POSSESSIFS

13.1

FORMES ATONES		FORMES ACCENTUÉES
mi, mis		*mío, a, os, as*
tu, tus		*tuyo, a, os, as*
su, sus		*suyo, a, os, as*
	nuestro, a, os, as	
	vuestro, a ,os, as	
su, sus		*suyo, a, os, as*

13.2 Les formes atones sont placées avant le nom :
> *mi casa, sus libros.*

Les formes accentuées se placent :

– après le nom : *Padre nuestro.*

N.B. Le possessif peut dans ce cas correspondre au français : «un de» + possessif : *un amigo mío.*

– comme attribut du verbe *ser* : *Esta moto es mía.*

13.3 Les possessifs correspondant à Vd, Vdes (vouvoiement) sont **su, sus, suyo, a, os, as.**
> *No veo dónde está su coche,* Je ne vois pas où est votre voiture.
> *¿Este coche es suyo?,* Cette voiture est à vous ?

13.4 Bien souvent l'espagnol remplace l'adjectif possessif par l'article accompagné d'un pronom personnel :
> **Te** *quitas el sombrero – Se* **le** *crispó el rostro.*

13.5 Le pronom possessif est constitué par la forme accentuée précédée de l'article défini :
> *Es el mío,* C'est le mien.

13.6 Attention : la possession s'exprime toujours avec la préposition *de* :

> *¿De quién es esta cartera? ¿Es de usted (=es suya)*
> *o de Pedro?*

14.0 LES PRONOMS PERSONNELS

14.1

SUJET	COMPLÉMENT SANS PRÉPOSITION				COMPLÉMENT AVEC PRÉPOSITION	
	COD (personne)	COD (objet)	INDIRECT	RÉFLÉCHI	NON RÉFLÉCHI	RÉFLÉCHI
yo	me	–	me	me	[para] mí	mí
tú	te	–	te	te	ti	ti
usted	lo – la – le	–	le	se	usted	sí
él – ella	lo – la – le	lo – la	le	se	él – ella	sí
nosotros, as	nos	–	nos	nos	nosotros, as	nosotros, as
vosotros, as	os	–	os	os	vosotros, as	vosotros, as
ustedes	los – las – les	–	les	se	ustedes	sí
ellos – ellas	los – las – les	los – las	les	se	ellos – ellas	sí

14.2 Les pronoms personnels sujets ne s'emploient qu'avec une valeur d'insistance ou de clarification.

> *Aquí mando yo*, Ici, c'est moi qui commande.
> *Usted lo dijo pero él no lo entendió.*

14.3 Le tutoiement :   *tú* + 2e personne du singulier.

        vosotros, as + 2e personne du pluriel.

    Le vouvoiement :   **Vd** + 3e personne du singulier.

    («vous» de politesse) **Vdes** + 3e personne du pluriel.

14.4 Les formes réfléchies renvoient au sujet du verbe.

> *Mi mamá me lleva consigo* (réfléchi).
> *Yo voy con ella* (non réfléchi).

14.5 Enclise

Le ou les pronoms sont obligatoirement soudés à la fin du verbe à l'infinitif, au gérondif et à l'impératif.

> *Lavarse las manos.*
> *Está lavándose las manos.*
> *Lávate las manos.*

14.6 Ordre des pronoms

Le pronom indirect précède toujours le pronom direct.

> *Ya te lo dije.*
> *Pregúntamelo.*

14.7 Quand deux pronoms compléments de la 3e personne se suivent, *le, les* indirects sont remplacés par *se*.

> *Doy las flores a mi madre.*
> |*madre*| → *Le doy las flores.*
> |*flores*| → *Las doy a mi madre.*
> |*madre, flores*| → *Se las doy.*

14.8 Le pronom neutre *ello*. Il remplace ou il renvoie à une proposition ou à un verbe :

> *Se contamina el planeta y, ¿qué se hace*
> *contra ello?*

14.9 Attention aux formes spéciales :

> *conmigo*, avec moi
> *contigo*, avec toi
> *consigo*, avec soi (sur soi), avec eux, avec elles
> (forme réfléchie).

14.10 El voseo

Dans la plupart des pays d'Amérique latine et à des degrés divers, on emploie populairement la forme *vos*. Elle remplace le tutoiement et se conjugue avec la forme archaïque de la 2e personne du pluriel.

¿No podés hablar de otra cosa vos?
¿Cómo sabés tanto?
Para que lo sepás.

15.0 LA CONSTRUCTION D'UN VERBE TYPE *GUSTAR*

• *Gustar* est le plus courant mais d'autres verbes ont une construction identique : *doler* (avoir mal), *apetecer* (faire envie), *tocar* (être le tour de quelqu'un), *sentar bien / mal* (aller bien / mal, convenir / ne pas convenir), *encantar* (enchanter), *costar* (avoir du mal à).

|a mí| me gusta el chocolate
|a ti| te gusta el chocolate
|a él, ella| le gusta el chocolate
|a Vd| le gusta el chocolate
|a nosotros| nos gusta el chocolate
|a vosotros| os gusta el chocolate
|a ellos, ellas| les gusta el chocolate
|a Vdes| les gusta el chocolate.

Les pronoms personnels entre crochets sont facultatifs et servent le cas échéant à insister sur la personne.

• Avec un infinitif :
Nos gusta ir al cine.

• Avec un nom au pluriel (le complément français devient sujet en espagnol), remarque l'accord du verbe :
Me gustan las vacaciones, (littéralement), Les vacances me plaisent = j'aime les vacances.

16.0 LES VERBES PRONOMINAUX : RÉGIME DES PRONOMS PERSONNELS

16.1 À l'infinitif, au gérondif et à l'impératif, le pronom est enclitique : *levantarse – levantándose – levántate*. Attention à l'accent écrit sur ces dernières formes. Exemple de verbe pronominal conjugué à l'impératif :

levantarse
levántate |tú| – levantaos |vosotros|
levantémonos |nosotros|
levántese |Vd| – levántense |Vdes|.

N'oublie pas d'écrire l'accent à certaines personnes. Attention aux formes qui correspondent à *nosotros* et *vosotros*. Compare avec la conjugaison d'un verbe non pronominal (cf. § 43.0).

16.2 Autre temps, le pronom précède le verbe :
|yo| me levanto   *|nosotros| nos levantamos*
|tú| te levantas   *|vosotros| os levantáis*
|él, ella| se levanta   *|ellos, ellas| se levantan*
|Vd| se levanta   *|Vdes| se levantan.*

17.0 LES ÉQUIVALENTS DE «ON»

En français, le pronom personnel indéfini «on» est employé avec des sens différents. En espagnol «on» n'a pas d'équivalent strict. On emploie :

17.1 La 3e personne du pluriel si l'indéfini se réfère à un sujet totalement indéterminé, collectif ou individuel : *Llaman a la puerta*. N'emploie pas cette tournure si une confusion est possible avec un autre sujet de la phrase.

17.2 *Se* + 3^e personne dans une phrase d'ordre général : *Se habla español*. Attention : cette tournure est impossible avec un verbe pronominal.
Il faut accorder le verbe avec le substantif dont il dépend si celui-ci ne représente pas une personne :
Se venden y se compran libros.

Si le substantif dont dépend le verbe est une personne, le verbe reste à la 3e personne du singulier et le substantif est précédé de la préposition *a* :
En este cuadro, se ve a don Quijote y Sancho Panza.

17.3 1re personne du pluriel. Le français emploie souvent «on» à la place de «nous» ; l'espagnol dans ce cas se sert toujours de la 1re personne du pluriel :
Vamos a la playa.

17.4 *Uno, una* : lorsque celui ou celle qui parle s'implique dans la généralité qu'il énonce ou lorsque le verbe est pronominal :
Una se levanta temprano para ir al trabajo.

18.0 LES INDÉFINIS PARTITIFS

algo, quelque chose   →   *nada*, rien

alguien, quelqu'un → *nadie*, personne

alguno, a, os, as, quelque, s → *ninguno, a, os, as*, aucun, une.

18.1 **Nada, nadie, ninguno** (de même que **nunca, jamás, tampoco**, cf. § 26.2) se construisent de deux façons différentes suivant leur place par rapport au verbe :
> *No hay nada que hacer = nada hay que hacer.*
> *No ha venido ningún niño = ningún niño ha venido.*

18.2 **Alguno** et **ninguno** s'apocopent devant un nom masculin et devant *otro* :
> *en ningún momento – No había ningún otro niño.*

18.3 **Cualquiera** (n'importe quel) s'apocope en **cualquier** devant un nom masculin singulier : **cualquier día** (n'importe quel jour).

19.0 LES INDÉFINIS QUANTITATIFS

19.1 **Poco, a, os, as** = peu de ; **bastante, s** = assez de ; **demasiado, a, os, as** = trop de ; **mucho, a, os, as** = beaucoup de ; **varios, as** = plusieurs ; **tanto, a, os, as, … cuanto, a, os, as, tanto, a, os, as, … como** = autant de… que de ; **otro, a, os, as** = d'autres.

Lorsqu'ils sont adjectifs, ils s'accordent en genre et en nombre avec le nom auquel ils se rapportent :
> *a los pocos meses – hace ya bastantes años – demasiados coches – tanta miseria.*

19.2 Lorsqu'ils sont adverbes ils sont alors invariables :
> *Tuvo tanto que hacer – Las calles son demasiado estrechas.*

Attention : **tanto** et **cuanto** s'apocopent devant un adjectif ou un adverbe : *¡Qué chica tan guapa! – Lo ha hecho tan bien que lo han aprobado.*

20.0 COMPARATIF ET SUPERLATIF

20.1 Le comparatif de supériorité et d'infériorité : **más… que / menos… que** :
> *Pedro es más alto que Juan.*

Certains adjectifs ont un comparatif particulier :

grande → **mayor** – *pequeño* → **menor**

bueno → **mejor** – *malo* → **peor**

20.2 Le comparatif d'égalité : **tanto… como** :
> *Te quiero tanto a ti como a él.*

Tanto, a, os, as + substantif + **como** :
> *He hecho tantos progresos como esperabas.*

Tan + adjectif ou adverbe + **como** :
> *María es tan alta como Juan.*

20.3 **Cada vez más, cada vez menos** : de plus en plus, de moins en moins :
> *Hay cada vez más coches.*

20.4 Le superlatif absolu : **muy** + adjectif ou **-ísimo** substitué à la voyelle finale de l'adjectif ou ajouté à ce dernier lorsqu'il se termine par une consonne = très :
> *muy fácil, facilísimo – muy rico, riquísimo.*

20.5 Le superlatif relatif : **el más, el menos** :
> *De los tres es el más amable.*

Attention : lorsque le substantif est déjà précédé de l'article, l'article défini ne se répète pas :
> *Los medios de difusión más poderosos.*

20.6 Le complément du comparatif :
> *Es más viejo de lo que parece.*

21.0 LES PRONOMS RELATIFS

21.1 **Que** (qui, que, quoi). Il a pour antécédent des personnes ou des choses. Il est sujet ou complément :
> *Los niños que juegan – Las casas que veo.*

21.2 Après une préposition (a, de, para, en, con…) :

• **El que, los que, la que, las que, el cual, los cuales, la cual, las cuales** :
> *La ciudad en la que vivo – Las chicas de las cuales te hablo.*

• **Quien, quienes**, uniquement pour les personnes :
> *Las chicas de quienes te hablo.*

21.3 **Lo que, lo cual**, (ce qui, ce que) remplacent une proposition :
> *Hay mucho tráfico, lo que provoca atascos.*

21.4 «Dont», complément d'un verbe, d'un adjectif ou d'un adverbe : **del que, del cual, de quien** :
> *El trabajo del que se siente orgulloso – El chico de quien te hablo.*

21.5 «Dont le, dont la, dont les», complément de nom : *cuyo, cuyos, cuya, cuyas*. Il s'accorde en genre et en nombre avec le nom qui le suit immédiatement sans article :

> *los propietarios de los coches / los coches cuyos propietarios.*

21.6 «Où», complément de lieu, *donde* :

> *La ciudad donde vivo.*

21.7 «Où», complément de temps, *en que* :

> *La época en que vivimos.*

22.0 «C'EST… QUI»

22.1 «C'est moi, c'est toi, c'est lui qui». L'espagnol insiste en rétablissant le pronom personnel sujet, habituellement sous-entendu :

> *Soy yo*, C'est moi – *Aquí manda él*, Ici, c'est lui qui commande.

22.2 «C'est… qui». Très lourde, cette construction est beaucoup moins utilisée en espagnol qu'en français.

> *Los jóvenes son **los que** hacen el porvenir del país* – *Fue Cristóbal Colón **quien** descubrió América.*

Remarque que le verbe *ser* est au même temps et à la même personne que le verbe de la relative.

23.0 «C'EST… QUE»

verbe ***ser*** **+** ⎰ *donde* (pour un complément de lieu)
(au temps voulu) ⎱ *cuando* (pour un complément de temps)
como (pour une complément de manière)
por lo que (pour un complément de cause)

Cette tournure renforce un complément circonstanciel de lieu, de temps, de manière, de cause. L'espagnol utilise obligatoirement le schéma suivant :

> ***Fue** poco después de la medianoche cuando **empezó** la tormenta* – *Aquí abajo **es** donde **vive** la portera.*

24.0 L'INTERROGATION

24.1 Dans l'interrogation directe, le sujet se trouve normalement après le verbe. La phrase est toujours précé-

dée d'un point d'interrogation à l'envers et s'achève par un point d'interrogation à l'endroit :

> *¿Está Pedro en casa?*

24.2 Les mots interrogatifs *qué, quién, quiénes, cuál, cuáles, cuánto, a, os, as, por qué, para qué, cuándo, dónde*, portent toujours un accent écrit :

> *¿Quiénes son ustedes?* – *¿Cuál es tu nombre?*

Et ce, même dans l'interrogation indirecte :

> *No sé cómo se llama.*

25.0 L'EXCLAMATION

25.1 La phrase exclamative s'ouvre par un point d'exclamation à l'envers et se termine par un point d'exclamation à l'endroit. Les mots exclamatifs *qué, cuánto, a, os, as, cómo*, etc. portent toujours un accent écrit, même dans l'exclamation indirecte :

> *¡Qué mal estamos de dinero!*

25.2 Les diverses constructions de l'exclamation :

> *¡Qué extraña es esta idea!*
> *¡Qué idea **tan** extraña!* – *¡Qué idea **más** extraña!*

26.0 LA NÉGATION

26.1 *No*. Dans la phrase négative simple, *no* précède toujours le verbe :

> *Tengo tiempo / no tengo tiempo.*
> *Está contento / no está contento.*

26.2 *Nada, nadie, nunca, tampoco*. Deux constructions sont possibles :

> *Nadie ha venido / no ha venido nadie.*
> *Tampoco lo pudo soportar / no lo pudo soportar tampoco.*
> *Nunca llueve / no llueve nunca.*

26.3 *Ya no*, ne plus :

> *Ya no te quiero.*

26.4 *No… sino* : non… mais ; *no sólo… sino también* : non seulement… mais encore. Après une phrase négative, l'espagnol emploie *sino* pour marquer une opposition : *La ballena no es un pez sino un mamífero.*

26.5 *Sólo = no… más que = no… sino* : «seulement», «ne… que».

Attention : n'oublie pas l'accent grammatical sur l'adverbe *sólo* qui le différencie de l'adjectif.

> *Sólo tengo un coche / no tengo más que un coche / no tengo sino un coche.*

26.6 **Ni ; ni siquiera** : «ne… même pas» :

> *Ni hace una hora que ha llegado / ni siquiera hace una hora que ha llegado.*

26.7 **No (ni)… ni** :

> *No me habló ni me saludó / ni me habló ni me saludó.*

27.0 LES PRÉPOSITIONS

27.1 **A**

- Devant le complément d'objet direct de personne (substantif, pronom personnel, relatif *quien*) :
  > *¿A quién has visto? – He visto a tu padre.*

- Après un verbe de mouvement : *ir a España.*
- Peut avoir la valeur de *para* (but) :
  > *¿A qué vienes? (para qué vienes.)*
- Attention, n'oublie pas : je vais expliquer, *voy a explicar.*
- **Al + infinitif** : indique la simultanéité de deux actions (cf. § 44.2).

27.2 **En**

Localisation dans l'espace et le temps :

> *vivir en Barcelona – sentarse en el suelo – estar en primavera.*

27.3 **De**

- L'origine : *Llegaban de Madrid.*
- La matière : *una mesa de madera.*
- La caractérisation : *un chico de ojos verdes.*
- La destination : *una máquina de escribir.*
- L'appartenance : *Este libro es de Pedro.*
- Dans les expressions : *de compras – de vacaciones – de viaje – de paseo.*
- **De + infinitif** : valeur de subordonnée conditionnelle (cf. § 44.3).
- Attention ! Il ne faut pas employer la préposition *de* dans les cas suivants :

les tournures impersonnelles :

> *Es fácil hacer – Es imposible decir…*

les verbes à construction directe : *decidir, permitir, prohibir, intentar…* :

> *Decidió marcharse a América.*

27.4 **Para**

- L'avis, le point de vue :
  > *Para mí es una buena película – para el autor.*
- Le but :
  > *trabajar para ganar dinero.*
- La direction :
  > *el tren para Valencia.*
- L'attribution :
  > *Este regalo es para ti.*

27.5 **Por**

- La cause :
  > *Obedece por miedo (porque tiene miedo) – La despidieron por ladrona (por ser ladrona, porque era ladrona).*
- Le lieu par où l'on passe, le déplacement dans un lieu :
  > *pasar por Sevilla – pasear por las Ramblas.*
- Le prix, l'échange, l'équivalence :
  > *Me vendió el libro por 1000 pesetas.*
- La cause et le but associés :
  > *Luchan por la libertad.*
- Le complément d'agent :
  > *Fue asesinado por un terrorista.*

27.6 **Con**

- L'accompagnement : *Va al cine con su novia.*

- L'accessoire, l'attitude : *un chico con gafas, con las manos en los bolsillos.*

28.0 LES ADVERBES DE MANIÈRE

- Pour les former on ajoute **-mente** à la forme féminine de l'adjectif :
  > *tranquilo / tranquila / tranquilamente.*
  > *suficiente / suficientemente.*

- Quand plusieurs adverbes se suivent, seul le dernier est en **-mente**, les autres portent la forme féminine de l'adjectif :
  > *delicada y suavemente – triste y melancólicamente.*

- *Recientemente* s'apocope et devient *recién* devant un participe passé (cf. § 8.0) : *los recién casados.*

29.0 LES ÉQUIVALENTS DE «IL Y A», «DEPUIS»

29.1 Enumération, localisation : **hay, hubo, habrá…** (cf. § 34.0) :

Hay mucha gente por todas partes – Hubo un terremoto en México.

29.2 Durée, origine temporelle : **hace, desde hace** :

Hace dos días que no duermo – No duermo desde hace dos días.

N.B. : ou encore :

Llevo dos días sin dormir – Llevo dos horas esperando.

30.0 LES ÉQUIVALENTS DE «DEVENIR»

30.1 Transformation passagère, **ponerse, volverse** :

ponerse nervioso, ponerse colorado, ponerse triste, volverse loco de alegría.

30.2 Transformation plus profonde et essentielle, **hacerse, convertirse en** :

hacerse rico – Madrid se ha convertido en capital europea.

30.3 Transformation impliquant la durée ou l'effort, **pasar a ser, llegar a ser, venir a ser** :

Llegó a ser ingeniero a fuerza de trabajo.

31.0 LA RÉITÉRATION ET L'HABITUDE

31.1 La réitération : **volver a** + infinitif, **otra vez, de nuevo** :

El profesor vuelve a explicar – Te lo digo de nuevo – Dilo otra vez.

31.2 L'habitude : **soler [ue]** + infinitif :

Suelen venir los domingos a pasar un rato con nosotros.

En français : généralement, d'habitude, d'ordinaire.

32.0 L'OBLIGATION

32.1 L'obligation personnelle : **deber** + infinitif, **tener que** + infinitif (devoir) :

Debo trabajar – Tengo que descansar.

Hace falta que Es necesario que Es preciso que	**+**	subjonctif («Il faut que» + subjonctif)

Hace falta que vengas mañana – Era necesario que tomara vacaciones.

32.2 L'obligation impersonnelle :

Hay que Hace falta Es necesario Es preciso	**+**	infinitif («Il faut» + infinitif)

Hay que comer para vivir – Hacía falta operarlo con urgencia.

33.0 LES EMPLOIS DE *SER* ET DE *ESTAR*

Dans la majorité des cas l'emploi du verbe **ser** ou du verbe **estar** obéit à des règles simples et claires déterminées par la nature et la fonction des mots qu'ils introduisent (cf. § 33.1 à 33.4) et par la construction de la phrase où ils se trouvent (passif, résultat de l'action, déroulement de l'action).

Le choix entre **ser** et **estar** n'est complexe qu'avec l'adjectif attribut ou le participe passé adjectivé (cf. § 33.5 à 33.7).

SER	ESTAR
33.1 Le verbe *ser* est seul possible avec les mots attributs suivants : • Nom propre et commun : Es María – *Este hombre es un canalla.* • Pronom : *Soy yo* – *Este libro es tuyo.* • Numéral ou assimilé : *Somos veinte alumnos* – *Eran numerosos.* • Expression de l'heure : *Es la una* – *Son las diez y cuarto.* • Infinitif : *Su pasatiempo predilecto era leer.* **Remarque :** le gallicisme «c'est» est toujours traduit par *ser* (cf. § 22.0 et 23.0).	L'emploi de ***estar*** est impossible avec ce type de mots attributs.
33.2 Le verbe *ser* est seul possible avec un complément qui exprime : • L'origine : *Federico García Lorca era de Granada.* • L'appartenance : *El coche es de mi padre.* • La destination : *El libro es para ti* – *El nacimiento es para el mes de julio.* • La matière : *Es de oro, de plata, de hierro…* • La catégorie, qualité, manière : *El palacio es de estilo barroco* – *La carne es de primera calidad.* • La comparaison : *Su casa era como un paraíso* – *Su padre es como un amigo para él.*	Le verbe *estar* est seul possible avec un complément qui exprime : • La localisation dans l'espace : *Madrid está en el centro de España* – *Estamos en clase.* • La localisation dans le temps : *Estamos al final del siglo veinte* – *Estamos a diez de abril.* • L'attitude physique, l'opinion : *El profesor está de pie* – *Estoy de acuerdo.* • La circonstance : *Estamos de vacaciones* – *Mi padre está de viaje* – *¿Cómo estás?* – *Estoy sin nada que hacer* – *Están en peligro.*
33.3 Emploi impossible avec un gérondif.	Avec un gérondif. Il s'agit de la tournure progressive, exprimant l'action en train de se faire (cf. § 49.1) : *Está lloviendo* – *Estaban viendo la televisión cuando se produjo el terremoto.*
33.4 Avec un participe passé, c'est la **forme passive**. Le complément d'agent peut être exprimé ou sous-entendu : *Mi casa fue construida en 1937* – *Fuimos educados por nuestra abuela.* **Remarque :** cette forme est moins employée en espagnol qu'en français. On dirait plutôt : *Nuestra abuela nos educó.*	Avec un participe passé. Cette tournure exprime un état ou le résultat d'une action antérieure : *Hace un año que mi casa está construida* – *Todas las tiendas están abiertas* – *Este soldado está gravemente herido.*

Attention : «il est tombé», «il est parti», sont, en français, des passés composés qui se construisent en espagnol avec l'auxiliaire *haber*. Ni *ser* ni *estar* ne sont possibles (cf. § 35.0) : *ha caído* – *se ha ido*.

Le choix entre les verbes ***ser*** et ***estar*** n'est complexe que lorsqu'ils sont employés avec un adjectif qualificatif attribut.

33.5 Lorsque l'adjectif attribut exprime une **qualité essentielle** ou une **caractéristique** propre à définir la personne, l'objet, l'événement :	Avec un adjectif attribut, il exprime un **état accidentel** ou dû à une circonstance extérieure.
• Couleur, forme, dimension et toute caractéristique physique : *es blanco, hermoso, alto, moreno, flaco, miope*…	• Apparence, état physique : *Está pálido, cansado, enfermo* – *El agua está fría, caliente* – *El cine está lleno, completo, vacío.*
• Trait de caractère, qualité, défaut et toute caractéristique morale : *es inteligente, estúpido, valiente, astuto, sentimental*…	• Sentiment, état moral : *Estábamos contentos, alegres, tristes, deprimidos, asombrados* – *Pedro está muy seguro de sí* – *Está estupefacto.*
• Nationalité, origine, appartenance à un groupe, parti, etc. : *es francés, español* – *es extranjero, cristiano, socialista, ecologista*…	• Situation ou circonstance : *Este niño está solo* – *No estoy libre de hacer lo que quiero* – *Está borracho* (ivre).
• Caractéristique définissant une situation ou une notion abstraite : *La guerra es cruel* – *La industria es esencial para la economía de un país* – *La situación es delicada, peligrosa, difícil* – *La emigración es importante, irregular, escasa* – *La ley es terminante, radical*…	

33.6 Remarque : le même adjectif employé avec *ser* ou *estar* peut exprimer des nuances différentes :

Marilyn Monroe era guapa (être belle).	*¡Qué guapa estás hoy!* (être en beauté).
Esta novela es muy triste (définition).	*El está triste desde la muerte de su madre* (sentiment).
Mi abuelo es sordo (caractéristique).	*¿Por qué no me contestas? ¿Estás sordo?* (attitude occasionnelle).

33.7 Le même adjectif peut changer de sens employé avec l'un ou l'autre de ces verbes :

ser bueno, être bon.	*estar bueno*, être en bonne santé.
ser malo, être méchant.	*estar malo*, être malade.
ser listo, être intelligent.	*estar listo*, être prêt.
ser moreno, être brun.	*estar moreno*, être bronzé.
ser molesto, être gênant.	*estar molesto*, être gêné, mal à l'aise.
ser negro, être noir.	*estar negro*, être furieux.
mi jersey es verde (couleur).	*esta fruta está verde* (n'est pas mûr).
L'usage veut qu'on dise généralement : *ser rico / ser pobre.* *ser feliz / ser infeliz, desgraciado.* *ser joven / ser viejo.*	

33.8 La conjugaison du verbe **SER**

INFINITIF	GÉRONDIF	PARTICIPE PASSÉ	INDICATIF PRÉSENT	IMPÉRATIF	SUBJONCTIF PRÉSENT
Ser	siendo	sido	soy		sea
			eres	sé	seas
			es	sea	← sea
			somos	seamos	← seamos
			sois	sed	seáis
			son	sean	← sean

INDICATIF FUTUR	CONDITIONNEL PRÉSENT	INDICATIF IMPARFAIT	INDICATIF PASSÉ SIMPLE	SUBJONCTIF IMPARFAIT EN -RA	SUBJONCTIF IMPARFAIT EN -SE
seré	sería	era	fui	fuera	fuese
serás	serías	eras	fuiste	fueras	fueses
será	sería	era	fue	fuera	fuese
seremos	seríamos	éramos	fuimos	fuéramos	fuésemos
seréis	seríais	erais	fuisteis	fuerais	fueseis
serán	serían	eran	fueron	fueran	fuesen

33.9 La conjugaison du verbe **ESTAR**

INFINITIF	GÉRONDIF	PARTICIPE PASSÉ	INDICATIF PRÉSENT	IMPÉRATIF	SUBJONCTIF PRÉSENT
Estar	estando	estado	estoy		esté
			estás	→ está	estés
			está	esté	← esté
			estamos	estemos	← estemos
			estáis	estad	estéis
			están	estén	← estén

INDICATIF FUTUR	CONDITIONNEL PRÉSENT	INDICATIF IMPARFAIT	INDICATIF PASSÉ SIMPLE	SUBJONCTIF IMPARFAIT EN -RA	SUBJONCTIF IMPARFAIT EN -SE
estaré	estaría	estaba	estuve	estuviera	estuviese
estarás	estarías	estabas	estuviste	estuvieras	estuvieses
estará	estaría	estaba	estuvo	estuviera	estuviese
estaremos	estaríamos	estábamos	estuvimos	estuviéramos	estuviésemos
estaréis	estaríais	estabais	estuvisteis	estuvierais	estuvieseis
estarán	estarían	estaban	estuvieron	estuvieran	estuviesen

34.0 L'AUXILIAIRE HABER

34.1 Son emploi. En aucun cas il ne signifie en espagnol «avoir» au sens de «posséder» → *tengo una bicicleta*. Il sert essentiellement à la formation des temps composés. Il est en règle générale inséparable du participe passé qui est toujours invariable : *he comido bien*.

Au sens de «il y a», cf. § 29.1. *Hay que*, obligation impersonnelle, cf. § 32.2.

34.2 Sa conjugaison.

INFINITIF	GÉRONDIF	PARTICIPE PASSÉ	INDICATIF PRÉSENT	IMPÉRATIF	SUBJONCTIF PRÉSENT
Haber	habiendo	habido	he has ha hemos habéis han	[inusité]	haya hayas haya hayamos hayáis hayan

INDICATIF FUTUR	CONDITIONNEL PRÉSENT	INDICATIF IMPARFAIT	INDICATIF PASSÉ SIMPLE	SUBJONCTIF IMPARFAIT EN -RA	EN -SE
habré	habría	había	hube	hubiera	hubiese
habrás	habrías	habías	hubiste	hubieras	hubieses
habrá	habría	había	hubo	hubiera	hubiese
habremos	habríamos	habíamos	hubimos	hubiéramos	hubiésemos
habréis	habríais	habíais	hubisteis	hubierais	hubieseis
habrán	habrían	habían	hubieron	hubieran	hubiesen

35.0 LES TEMPS COMPOSÉS : HABER + PARTICIPE PASSÉ
(FORMATION DU PARTICIPE PASSÉ, CF. § 46.0.)

Attention : en français les verbes pronominaux et certains verbes intransitifs forment leurs temps composés avec l'auxiliaire «être» : je me suis lavé, je suis venu, etc. Jamais en espagnol, quelle que soit la nature du verbe : *me he lavado, he venido*, etc.

36.0 CONJUGAISON RÉGULIÈRE : FORMATION DES TEMPS ET MODÈLES DE CONJUGAISON

La conjugaison espagnole n'est pas difficile. La formation des temps obéit à des règles simples et les verbes irréguliers peuvent être classés en différentes rubriques facilement repérables (cf. § 37.0 à 41.0).

36.1 Les trois temps du présent (présent de l'indicatif, présent du subjonctif, impératif) ont un radical commun, celui de l'infinitif. L'impératif tire ses différentes personnes des deux autres présents et de l'infinitif (cf. § 43.0, exemple de conjugaison), comme vous le montrent les tableaux.

Sont également formés sur ce radical le gérondif (cf. § 48.0) et le participe passé (cf. § 46.0).

Attention aux verbes irréguliers à la 1re personne du présent de l'indicatif ! Cette irrégularité se retrouve à toutes les personnes du subjonctif présent et donc à certaines de l'impératif !

36.2 L'imparfait de l'indicatif est lui aussi formé sur le radical de l'infinitif et les terminaisons sont de deux types : -*aba* pour les verbes en -*ar* ; -*ía* pour les verbes en -*er* et -*ir*. Attention aux accents écrits !

36.3 Le futur et le conditionnel sont formés non plus sur le radical mais sur l'infinitif lui-même + les terminaisons de *haber* au présent de l'indicatif pour le futur et celles de *haber* à l'imparfait de l'indicatif pour le conditionnel.

Attention, si un verbe est irrégulier au futur, il l'est aussi au conditionnel et inversement. L'irrégularité est identique.

36.4 Le passé simple ou prétérit est lui aussi formé sur le radical de l'infinitif + les terminaisons propres à chaque groupe : les verbes réguliers sont accentués sur la terminaison.

Attention, de nombreux verbes sont irréguliers (et parmi eux les plus courants) et changent de radical au prétérit. Appelés «prétérits forts» ils sont accentués sur le radical aux 1re et 3e pers. du singulier. Cette remarque est importante car les deux subjonctifs imparfaits sont formés sur ce temps (cf. § suivant).

36.5 Les imparfaits du subjonctif sont formés sur la 3e personne du pluriel du passé simple où l'on remplace -*ron* par -*ra* ou par -*se*. Attention donc aux nombreux verbes irréguliers au passé simple !

36.6 Verbe du premier groupe, **-AR** : **CANTAR**

INFINITIF	GÉRONDIF	PARTICIPE PASSÉ	INDICATIF PRÉSENT	IMPÉRATIF	SUBJONCTIF PRÉSENT
Cantar	cantando	cantado	canto		cante
			cantas	→ canta	cantes
			canta	cante	← cante
			cantamos	cantemos	← cantemos
			cantáis	cantad	cantéis
			cantan	canten	← canten

36.7 Verbe du deuxième groupe, **-ER** : **COMER**

INFINITIF	GÉRONDIF	PARTICIPE PASSÉ	INDICATIF PRÉSENT	IMPÉRATIF	SUBJONCTIF PRÉSENT
Comer	comiendo	comido	como		coma
			comes	→ come	comas
			come	coma	← coma
			comemos	comamos	← comamos
			coméis	comed	comáis
			comen	coman	← coman

36.8 Verbe du troisième groupe, **-IR** : **VIVIR**

INFINITIF	GÉRONDIF	PARTICIPE PASSÉ	INDICATIF PRÉSENT	IMPÉRATIF	SUBJONCTIF PRÉSENT
Vivir	viviendo	vivido	vivo		viva
			vives	→ vive	vivas
			vive	viva	← viva
			vivimos	vivamos	← vivamos
			vivís	vivid	viváis
			viven	vivan	← vivan

36.9 Conjugaison d'un verbe pronominal, cf. § 16.0.

INDICATIF FUTUR	CONDITIONNEL PRÉSENT	INDICATIF IMPARFAIT	INDICATIF PASSÉ SIMPLE	SUBJONCTIF IMPARFAIT EN -RA	EN -SE
cantaré	cantaría	cantaba	canté	cantara	cantase
cantarás	cantarías	cantabas	cantaste	cantaras	cantases
cantará	cantaría	cantaba	cantó	cantara	cantase
cantaremos	cantaríamos	cantábamos	cantamos	cantáramos	cantásemos
cantaréis	cantaríais	cantabais	cantasteis	cantarais	cantaseis
cantarán	cantarían	cantaban	cantaron	cantaran	cantasen

INDICATIF FUTUR	CONDITIONNEL PRÉSENT	INDICATIF IMPARFAIT	INDICATIF PASSÉ SIMPLE	SUBJONCTIF IMPARFAIT EN -RA	EN -SE
comeré	comería	comía	comí	comiera	comiese
comerás	comerías	comías	comiste	comieras	comieses
comerá	comería	comía	comió	comiera	comiese
comeremos	comeríamos	comíamos	comimos	comiéramos	comiésemos
comeréis	comeríais	comíais	comisteis	comierais	comieseis
comerán	comerían	comían	comieron	comieran	comiesen

INDICATIF FUTUR	CONDITIONNEL PRÉSENT	INDICATIF IMPARFAIT	INDICATIF PASSÉ SIMPLE	SUBJONCTIF IMPARFAIT EN -RA	EN -SE
viviré	viviría	vivía	viví	viviera	viviese
vivirás	vivirías	vivías	viviste	vivieras	vivieses
vivirá	viviría	vivía	vivió	viviera	viviese
viviremos	viviríamos	vivíamos	vivimos	viviéramos	viviésemos
viviréis	viviríais	vivíais	vivisteis	vivierais	vivieseis
vivirán	vivirían	vivían	vivieron	vivieran	viviesen

37.0 LES VERBES À DIPHTONGUE

La diphtongue n'apparaît que lorsque la dernière voyelle du radical est placée sous l'accent tonique.

Les verbes ne diphtonguent jamais :

– à la 1re et à la 2e personne du pluriel car l'accent tombe sur la terminaison.
– aux temps autres que les trois présents.

e → ie

Exemple : **Perder**

INDICATIF PRÉSENT	IMPÉRATIF	SUBJONCTIF PRÉSENT
pierdo		pierda
pierdes	→ pierde	pierdas
pierde	pierda	← pierda
perdemos	perdamos	← perdamos
perdéis	perded	perdáis
pierden	pierdan	← pierdan

o → ue

Exemple : **Contar**

INDICATIF PRÉSENT	IMPÉRATIF	SUBJONCTIF PRÉSENT
cuento		cuente
cuentas	→ cuenta	cuentes
cuenta	cuente	← cuente
contamos	contemos	← contemos
contáis	contad	contéis
cuentan	cuenten	← cuenten

38.0 LES VERBES À FERMETURE DE VOYELLE

Cette irrégularité affecte certains verbes de la 3e conjugaison ayant un **e** dans la dernière syllabe du radical, type *pedir*. Le **e** du radical se ferme en **i** lorsqu'il n'y a pas de **i** accentué à la terminaison. Cette irrégularité intervient aux seuls temps suivants :

	INDICATIF PRÉSENT	IMPÉRATIF	SUBJONCTIF PRÉSENT	INDICATIF PASSÉ SIMPLE	SUBJONCTIF IMPARFAIT EN -RA	EN -SE
Gérondif	pido		pida	pedí	pidiera	pidiese
pidiendo	pides	→ pide	pidas	pediste	pidieras	pidieses
	pide	pida	← pida	pidió	pidiera	pidiese
Part. Passé	pedimos	pidamos	← pidamos	pedimos	pidiéramos	pidiésemos
pedido	pedís	pedid	pidáis	pedisteis	pidierais	pidieseis
	piden	pidan	← pidan	pidieron	pidieran	pidiesen

39.0 LES VERBES À ALTERNANCE

Ils combinent les deux modifications antérieures :

– ils diphtonguent comme *perder* (**e** > **ie**) ou *mover* (**o** > **ue**) lorsque le **e** est placé sous l'accent tonique ;

– le **o** se ferme en **u** et le **e** se ferme en **i** comme *pedir* quand l'accent tonique tombe sur une voyelle de la terminaison autre que **i**, exemple : *morir, sentir*.

	INDICATIF PRÉSENT	IMPÉRATIF	SUBJONCTIF PRÉSENT	INDICATIF PASSÉ SIMPLE	SUBJONCTIF IMPARFAIT EN -RA	EN -SE
Gérondif	siento		sienta	sentí	sintiera	sintiese
sintiendo	sientes	→ siente	sientas	sentiste	sintieras	sintieses
	siente	sienta	← sienta	sintió	sintiera	sintiese
Part. Passé	sentimos	sintamos	← sintamos	sentimos	sintiéramos	sintiésemos
sentido	sentís	sentid	sintáis	sentisteis	sintierais	sintieseis
	sienten	sientan	← sientan	sintieron	sintieran	sintiesen

40.0 LES VERBES EN -ACER, -ECER, -OCER, -UCIR

Les verbes qui à l'infinitif se terminent ainsi intercalent un **z** devant le **c** lorsqu'il est suivi d'un **o** ou d'un **a** :

Exemple : *nacer*

Remarque :

Hacer donne : indicatif présent : *hago, haces*, etc.
  subjonctif présent : *haga, hagas*, etc.

Mecer donne : indicatif présent : *mezo, meces*, etc.
  subjonctif présent : *meza, mezas*, etc.

Cocer donne : indicatif présent : *cuezo, cueces*, etc.
  subjonctif présent : *cueza, cuezas*, etc.

INDICATIF PRÉSENT	IMPÉRATIF	SUBJONCTIF PRÉSENT
nazco		nazca
naces	→ nace	nazcas
nace	nazca	← nazca
nacemos	nazcamos	← nazcamos
nacéis	naced	nazcáis
nacen	nazcan	← nazcan

41.0 LES VERBES EN -UIR

1. Un **y** s'intercale entre le radical et les voyelles autres que **i** de la terminaison : aux trois présents.

2. À certains temps le **i** s'écrit **y**, en raison de règles orthographiques, parce qu'il se retrouve placé entre deux voyelles : *construyó, construyeron, construyera*, etc.

	INDICATIF PRÉSENT	IMPÉRATIF	SUBJONCTIF PRÉSENT	INDICATIF PASSÉ SIMPLE	SUBJONCTIF IMPARFAIT EN -RA	EN - SE
Gérondif	construyo		construya	construí	construyera	construyese
construyendo	construyes	→ construye	construyas	construiste	construyeras	construyeses
	construye	construya	← construya	construyó	construyera	construyese
Part. Passé	construimos	construyamos	← construyamos	construimos	construyéramos	construyésemos
construido	construís	construid	construyáis	construisteis	construyerais	construyeseis
	construyen	construyan	← construyan	construyeron	construyeran	construyesen

42.0 Les verbes usuels à irrégularités diverses

Les verbes qui figurent dans les tableaux suivants n'ont pas les mêmes irrégularités :
• Certains diphtonguent (cf. § 1, p. 37.0).
• La 1re personne du présent de l'indicatif est en -go (exemple : *caer → caigo*) ou en -zco (exemple : *conducir → conduzco*). L'irrégularité se retrouve à toutes les personnes du présent du subjonctif.
• Les prétérits forts : au passé simple le radical de certains verbes est différent de celui de l'indicatif et il est accentué à la 1re et à la 3e personne du singulier.
Compare : *tener* et *tuve, tuviste, tuvo…*; *cantar* et *canté, cantaste, cantó…* Ce radical sera le même à l'imparfait du subjonctif (*tuviera, tuviese*).

ANDAR

INFINITIF	GÉRONDIF	PARTICIPE PASSÉ	INDICATIF PRÉSENT	IMPÉRATIF	SUBJONCTIF PRÉSENT
Andar	andando	andado	ando		ande
			andas	→ anda	andes
			anda	ande	← ande
			andamos	andemos	← andemos
			andáis	andad	andéis
			andan	anden	← anden

CABER

INFINITIF	GÉRONDIF	PARTICIPE PASSÉ	INDICATIF PRÉSENT	IMPÉRATIF	SUBJONCTIF PRÉSENT
Caber	cabiendo	cabido	quepo		quepa
			cabes	→ cabe	quepas
			cabe	quepa	← quepa
			cabemos	quepamos	← quepamos
			cabéis	cabed	quepáis
			caben	quepan	← quepan

CAER

INFINITIF	GÉRONDIF	PARTICIPE PASSÉ	INDICATIF PRÉSENT	IMPÉRATIF	SUBJONCTIF PRÉSENT
Caer	cayendo	caído	caigo		caiga
			caes	→ cae	caigas
			cae	caiga	← caiga
			caemos	caigamos	← caigamos
			caéis	caed	caigáis
			caen	caiga	← caigan

• La 2ᵉ personne du singulier de l'impératif est irrégulière : *decir → di; hacer → haz; ir → ve; poner → pon; salir → sal; ser → sé; tener → ten; venir → ven.*
• La voyelle de l'infinitif tombe au futur et au conditionnel (*caber → cabré – cabría*) ou est remplacée par un d (*salir → saldré – saldría*).
• Le **i** non accentué s'écrit **y** entre deux voyelles à la 3ᵉ personne du singulier et du pluriel du passé simple et aux imparfaits du subjonctif qui en sont dérivés : *oír → oyeron.*
• Il faut rajouter un accent écrit pour respecter les règles de l'accent tonique *caer : caído – caíste – caímos,* etc.
• *Dar* (1ʳᵉ conjugaison) forme le passé simple comme les verbes de la 2ᵉ conjugaison (*di – diste – dio…*).
• *Ir* et *ser* très irréguliers changent de radical : *ir → voy – iba – fui – iré; ser → soy – eres – fui – seré.*

INDICATIF FUTUR	CONDITIONNEL PRÉSENT	INDICATIF IMPARFAIT	INDICATIF PASSÉ SIMPLE	SUBJONCTIF IMPARFAIT EN -RA	EN -SE
andaré	andaría	andaba	anduve	anduviera	anduviese
andarás	andarías	andabas	anduviste	anduvieras	anduvieses
andará	andaría	andaba	anduvo	anduviera	anduviese
andaremos	andaríamos	andábamos	anduvimos	anduviéramos	anduviésemos
andaréis	andaríais	andabais	anduvisteis	anduvierais	anduvieseis
andarán	andarían	andaban	anduvieron	anduvieran	anduviesen

INDICATIF FUTUR	CONDITIONNEL PRÉSENT	INDICATIF IMPARFAIT	INDICATIF PASSÉ SIMPLE	SUBJONCTIF IMPARFAIT EN -RA	EN -SE
cabré	cabría	cabía	cupe	cupiera	cupiese
cabrás	cabrías	cabías	cupiste	cupieras	cupieses
cabrá	cabría	cabía	cupo	cupiera	cupiese
cabremos	cabríamos	cabíamos	cupimos	cupiéramos	cupiésemos
cabréis	cabríais	cabíais	cupisteis	cupierais	cupieseis
cabrán	cabrían	cabían	cupieron	cupieran	cupiesen

INDICATIF FUTUR	CONDITIONNEL PRÉSENT	INDICATIF IMPARFAIT	INDICATIF PASSÉ SIMPLE	SUBJONCTIF IMPARFAIT EN -RA	EN -SE
caeré	caería	caía	caí	cayera	cayese
caerás	caerías	caías	caíste	cayeras	cayeses
caerá	caería	caía	cayó	cayera	cayese
caeremos	caeríamos	caíamos	caímos	cayéramos	cayésemos
caeréis	caeríais	caíais	caísteis	cayerais	cayeseis
caerán	caerían	caían	cayeron	cayeran	cayesen

Conducir

Infinitif	Gérondif	Participe passé	Indicatif présent	Impératif	Subjonctif présent
Conducir [1]	conduciendo	conducido	conduzco		conduzca
			conduces	→ conduce	conduzcas
			conduce	conduzca	← conduzca
			conducimos	conduzcamos	← conduzcamos
			conducís	conducid	conduzcáis
			conducen	conduzcan	← conduzcan

1. Verbes en *-DUCIR* : **deducir** – **introducir** – **producir** – **reducir** – **seducir** – **traducir**.

Dar

Infinitif	Gérondif	Participe passé	Indicatif présent	Impératif	Subjonctif présent
Dar	dando	dado	doy		dé
			das	→ da	des
			da	dé	← dé
			damos	demos	← demos
			dais	dad	deis
			dan	den	← den

Decir

Infinitif	Gérondif	Participe passé	Indicatif présent	Impératif	Subjonctif présent
Decir	diciendo	dicho	digo		diga
			dices	di [1]	digas
			dice	diga	← diga
			decimos	digamos	← digamos
			decís	decid	digáis
			dicen	digan	← digan

1. **maldice** – **bendice** (de **maldecir** et de **bendecir**).

Hacer

Infinitif	Gérondif	Participe passé	Indicatif présent	Impératif	Subjonctif présent
Hacer	haciendo	hecho	hago		haga
			haces	haz [1]	hagas
			hace	haga	← haga
			hacemos	hagamos	← hagamos
			hacéis	haced	hagáis
			hacen	hagan	← hagan

1. **satisface** (de **satisfacer**).

INDICATIF FUTUR	CONDITIONNEL PRÉSENT	INDICATIF IMPARFAIT	INDICATIF PASSÉ SIMPLE	SUBJONCTIF IMPARFAIT EN -RA	EN -SE
conduciré	conduciría	conducía	conduje	condujera	condujese
conducirás	conducirías	conducías	condujiste	condujeras	condujeses
conducirá	conduciría	conducía	condujo	condujera	condujese
conduciremos	conduciríamos	conducíamos	condujimos	condujéramos	condujésemos
conduciréis	conduciríais	conducíais	condujisteis	condujerais	condujeseis
conducirán	conducirían	conducían	condujeron	condujeran	condujesen

INDICATIF FUTUR	CONDITIONNEL PRÉSENT	INDICATIF IMPARFAIT	INDICATIF PASSÉ SIMPLE	SUBJONCTIF IMPARFAIT EN -RA	EN -SE
daré	daría	daba	di	diera	diese
darás	darías	dabas	diste	dieras	dieses
dará	daría	daba	dio	diera	diese
daremos	daríamos	dábamos	dimos	diéramos	diésemos
daréis	daríais	dabais	disteis	dierais	dieseis
darán	darían	daban	dieron	dieran	diesen

INDICATIF FUTUR	CONDITIONNEL PRÉSENT	INDICATIF IMPARFAIT	INDICATIF PASSÉ SIMPLE	SUBJONCTIF IMPARFAIT EN -RA	EN -SE
diré [2]	diría [2]	decía	dije	dijera	dijese
dirás	dirías	decías	dijiste	dijeras	dijeses
dirá	diría	decía	dijo	dijera	dijese
diremos	diríamos	decíamos	dijimos	dijéramos	dijésemos
diréis	diríais	decíais	dijisteis	dijerais	dijeseis
dirán	dirían	decían	dijeron	dijeran	dijesen

2. *maldeciré – maldeciría – bendeciré – bendeciría.*

INDICATIF FUTUR	CONDITIONNEL PRÉSENT	INDICATIF IMPARFAIT	INDICATIF PASSÉ SIMPLE	SUBJONCTIF IMPARFAIT EN -RA	EN -SE
haré	haría	hacía	hice	hiciera	hiciese
harás	harías	hacías	hiciste	hicieras	hicieses
hará	haría	hacía	hizo	hiciera	hiciese
haremos	haríamos	hacíamos	hicimos	hiciéramos	hiciésemos
haréis	haríais	hacíais	hicisteis	hicierais	hicieseis
harán	harían	hacían	hicieron	hicieran	hiciesen

Ir

Infinitif	Gérondif	Participe Passé	Indicatif Présent	Impératif	Subjonctif Présent
Ir	yendo	ido	voy vas va vamos vais van	 ve vaya vayamos [1] id vayan	vaya vayas ← vaya ← vayamos vayáis ← vayan

1. On utilise plutôt **vamos** (indicatif présent).

Oír

Infinitif	Gérondif	Participe Passé	Indicatif Présent	Impératif	Subjonctif Présent
Oír	oyendo	oído	oigo oyes oye oímos oís oyen	 → oye oiga oigamos oíd oigan	oiga oigas ← oiga ← oigamos oigáis ← oigan

Poder

Infinitif	Gérondif	Participe Passé	Indicatif Présent	Impératif	Subjonctif Présent
Poder	pudiendo	podido	puedo puedes puede podemos podéis pueden	 → puede pueda podamos poded puedan	pueda puedas ← pueda ← podamos podáis ← puedan

Poner

Infinitif	Gérondif	Participe Passé	Indicatif Présent	Impératif	Subjonctif Présent
Poner	poniendo	puesto	pongo pones pone ponemos ponéis ponen	 pon ponga pongamos poned pongan	ponga pongas ← ponga ← pongamos pongáis ← pongan

INDICATIF FUTUR	CONDITIONNEL PRÉSENT	INDICATIF IMPARFAIT	INDICATIF PASSÉ SIMPLE	SUBJONCTIF IMPARFAIT EN -RA	EN -SE
iré	iría	iba	fui	fuera	fuese
irás	irías	ibas	fuiste	fueras	fueses
irá	iría	iba	fue	fuera	fuese
iremos	iríamos	íbamos	fuimos	fuéramos	fuésemos
iréis	iríais	ibais	fuisteis	fuerais	fueseis
irán	irían	iban	fueron	fueran	fuesen

INDICATIF FUTUR	CONDITIONNEL PRÉSENT	INDICATIF IMPARFAIT	INDICATIF PASSÉ SIMPLE	SUBJONCTIF IMPARFAIT EN -RA	EN -SE
oiré	oiría	oía	oí	oyera	oyese
oirás	oirías	oías	oíste	oyeras	oyeses
oirá	oiría	oía	oyó	oyera	oyese
oiremos	oiríamos	oíamos	oímos	oyéramos	oyésemos
oiréis	oiríais	oíais	oísteis	oyerais	oyeseis
oirán	oirían	oían	oyeron	oyeran	oyesen

INDICATIF FUTUR	CONDITIONNEL PRÉSENT	INDICATIF IMPARFAIT	INDICATIF PASSÉ SIMPLE	SUBJONCTIF IMPARFAIT EN -RA	EN -SE
podré	podría	podía	pude	pudiera	pudiese
podrás	podrías	podías	pudiste	pudieras	pudieses
podrá	podría	podía	pudo	pudiera	pudiese
podremos	podríamos	podíamos	pudimos	pudiéramos	pudiésemos
podréis	podríais	podíais	pudisteis	pudierais	pudieseis
podrán	podrían	podían	pudieron	pudieran	pudiesen

INDICATIF FUTUR	CONDITIONNEL PRÉSENT	INDICATIF IMPARFAIT	INDICATIF PASSÉ SIMPLE	SUBJONCTIF IMPARFAIT EN -RA	EN -SE
pondré	pondría	ponía	puse	pusiera	pusiese
pondrás	pondrías	ponías	pusiste	pusieras	pusieses
pondrá	pondría	ponía	puso	pusiera	pusiese
pondremos	pondríamos	poníamos	pusimos	pusiéramos	pusiésemos
pondréis	pondríais	poníais	pusisteis	pusierais	pusieseis
pondrán	pondrían	ponían	pusieron	pusieran	pusiesen

QUERER

INFINITIF	GÉRONDIF	PARTICIPE PASSÉ	INDICATIF PRÉSENT	IMPÉRATIF	SUBJONCTIF PRÉSENT
Querer	queriendo	querido	quiero		quiera
			quieres	→ quiere	quieras
			quiere	quiera	← quiera
			queremos	queramos	← queramos
			queréis	quered	queráis
			quieren	quieran	← quieran

SABER

INFINITIF	GÉRONDIF	PARTICIPE PASSÉ	INDICATIF PRÉSENT	IMPÉRATIF	SUBJONCTIF PRÉSENT
Saber	sabiendo	sabido	sé		sepa
			sabes	→ sabe	sepas
			sabe	sepa	← sepa
			sabemos	sepamos	← sepamos
			sabéis	sabed	sepáis
			saben	sepan	← sepan

SALIR

INFINITIF	GÉRONDIF	PARTICIPE PASSÉ	INDICATIF PRÉSENT	IMPÉRATIF	SUBJONCTIF PRÉSENT
Salir	saliendo	salido	salgo		salga
			sales	sal	salgas
			sale	salga	← salga
			salimos	salgamos	← salgamos
			salís	salid	salgáis
			salen	salgan	← salgan

TENER

INFINITIF	GÉRONDIF	PARTICIPE PASSÉ	INDICATIF PRÉSENT	IMPÉRATIF	SUBJONCTIF PRÉSENT
Tener	teniendo	tenido	tengo		tenga
			tienes	ten	tengas
			tiene	tenga	← tenga
			tenemos	tengamos	← tengamos
			tenéis	tened	tengáis
			tienen	tengan	← tengan

INDICATIF FUTUR	CONDITIONNEL PRÉSENT[1]	INDICATIF IMPARFAIT	INDICATIF PASSÉ SIMPLE	SUBJONCTIF IMPARFAIT EN -RA	EN -SE
querré	querría	quería	quise	quisiera	quisiese
querrás	querrías	querías	quisiste	quisieras	quisieses
querrá	querría	quería	quiso	quisiera	quisiese
querremos	querríamos	queríamos	quisimos	quisiéramos	quisiésemos
querréis	querríais	queríais	quisisteis	quisierais	quisieseis
querrán	querrían	querían	quisieron	quisieran	quisiesen

1. Peu utilisé, généralement remplacé par l'imparfait du subjonctif.

INDICATIF FUTUR	CONDITIONNEL PRÉSENT	INDICATIF IMPARFAIT	INDICATIF PASSÉ SIMPLE	SUBJONCTIF IMPARFAIT EN -RA	EN -SE
sabré	sabría	sabía	supe	supiera	supiese
sabrás	sabrías	sabías	supiste	supieras	supieses
sabrá	sabría	sabía	supo	supiera	supiese
sabremos	sabríamos	sabíamos	supimos	supiéramos	supiésemos
sabréis	sabríais	sabíais	supisteis	supierais	supieseis
sabrán	sabrían	sabían	supieron	supieran	supiesen

INDICATIF FUTUR	CONDITIONNEL PRÉSENT	INDICATIF IMPARFAIT	INDICATIF PASSÉ SIMPLE	SUBJONCTIF IMPARFAIT EN -RA	EN -SE
saldré	saldría	salía	salí	saliera	saliese
saldrás	saldrías	salías	saliste	salieras	salieses
saldrá	saldría	salía	salió	saliera	saliese
saldremos	saldríamos	salíamos	salimos	saliéramos	saliésemos
saldréis	saldríais	salíais	salisteis	salierais	salieseis
saldrán	saldrían	salían	salieron	salieran	saliesen

INDICATIF FUTUR	CONDITIONNEL PRÉSENT	INDICATIF IMPARFAIT	INDICATIF PASSÉ SIMPLE	SUBJONCTIF IMPARFAIT EN -RA	EN -SE
tendré	tendría	tenía	tuve	tuviera	tuviese
tendrás	tendrías	tenías	tuviste	tuvieras	tuvieses
tendrá	tendría	tenía	tuvo	tuviera	tuviese
tendremos	tendríamos	teníamos	tuvimos	tuviéramos	tuviésemos
tendréis	tendríais	teníais	tuvisteis	tuvierais	tuvieseis
tendrán	tendrían	tenían	tuvieron	tuvieran	tuviesen

Traer

Infinitif	Gérondif	Participe passé	Indicatif présent	Impératif	Subjonctif présent
Traer	trayendo	traído	traigo		traiga
			traes	→ trae	traigas
			trae	traiga	← traiga
			traemos	traigamos	← traigamos
			traéis	traed	traigáis
			traen	traigan	← traigan

Valer

Infinitif	Gérondif	Participe passé	Indicatif présent	Impératif	Subjonctif présent
Valer	valiendo	valido	valgo		valga
			vales	→ vale	valgas
			vale	valga	← valga
			valemos	valgamos	← valgamos
			valéis	valed	valgáis
			valen	valgan	← valgan

Venir

Infinitif	Gérondif	Participe passé	Indicatif présent	Impératif	Subjonctif présent
Venir	viniendo	venido	vengo		venga
			vienes	ven	vengas
			viene	venga	← venga
			venimos	vengamos	← vengamos
			venís	venid	vengáis
			vienen	vengan	← vengan

Ver

Infinitif	Gérondif	Participe passé	Indicatif présent	Impératif	Subjonctif présent
Ver	viendo	visto	veo		vea
			ves	→ ve	veas
			ve	vea	← vea
			vemos	veamos	← veamos
			veis	ved	veáis
			ven	vean	← vean

Indicatif Futur	Conditionnel Présent	Indicatif Imparfait	Indicatif Passé simple	Subjonctif imparfait en -ra	en -se
traeré	traería	traía	traje	trajera	trajese
traerás	traerías	traías	trajiste	trajeras	trajeses
traerá	traería	traía	trajo	trajera	trajese
traeremos	traeríamos	traíamos	trajimos	trajéramos	trajésemos
traeréis	traeríais	traíais	trajisteis	trajerais	trajeseis
traerán	traerían	traían	trajeron	trajeran	trajesen

Indicatif Futur	Conditionnel Présent	Indicatif Imparfait	Indicatif Passé simple	Subjonctif imparfait en -ra	en -se
valdré	valdría	valía	valí	valiera	valiese
valdrás	valdrías	valías	valiste	valieras	valieses
valdrá	valdría	valía	valió	valiera	valiese
valdremos	valdríamos	valíamos	valimos	valiéramos	valiésemos
valdréis	valdríais	valíais	valisteis	valierais	valieseis
valdrán	valdrían	valían	valieron	valieran	valiesen

Indicatif Futur	Conditionnel Présent	Indicatif Imparfait	Indicatif Passé simple	Subjonctif imparfait en -ra	en -se
vendré	vendría	venía	vine	viniera	viniese
vendrás	vendrías	venías	viniste	vinieras	vinieses
vendrá	vendría	venía	vino	viniera	viniese
vendremos	vendríamos	veníamos	vinimos	viniéramos	viniésemos
vendréis	vendríais	veníais	vinisteis	vinierais	vinieseis
vendrán	vendrían	venían	vinieron	vinieran	viniesen

Indicatif Futur	Conditionnel Présent	Indicatif Imparfait	Indicatif Passé simple	Subjonctif imparfait en -ra	en -se
veré	vería	veía	vi	viera	viese
verás	verías	veías	viste	vieras	vieses
verá	vería	veía	vio	viera	viese
veremos	veríamos	veíamos	vimos	viéramos	viésemos
veréis	veríais	veíais	visteis	vierais	vieseis
verán	verían	veían	vieron	vieran	viesen

43.0 L'IMPÉRATIF ET LA DÉFENSE : FORMATION, RÉGIME DES PRONOMS

Trois personnes (tu, nous, vous → chante, chantons, chantez) en français, cinq en espagnol en raison des trois «vous» différents dont dispose la langue : *vosotros*, 2e personne du pluriel qui correspond donc à un tutoiement collectif (*tú + tú + tú...*) et *usted / ustedes* qui correspondent aux «vous» dits "de politesse", singulier et pluriel, rendus en espagnol par une 3e personne.

43.1 Exemple de conjugaison d'un verbe régulier, *cantar*

INDICATIF PRÉSENT	IMPÉRATIF	SUBJONCTIF PRÉSENT
canto		cante
cantas →	canta [tú] (chute du s)	cantes
canta	cante [él, ella, Vd]	← cante
cantamos	cantemos [nosotros]	← cantemos
cantáis	cantad [vosotros] (vient de l'inf.)	cantéis
cantan	canten [ellos, ellas, Vdes]	← canten

43.2 Exemple de conjugaison d'un verbe irrégulier, *traer*

INDICATIF PRÉSENT	IMPÉRATIF	SUBJONCTIF PRÉSENT
traigo		traiga
traes →	trae [tú] (chute du s)	traigas
trae	traiga [él, ella, Vd]	← traiga
traemos	traigamos [nosotros]	← traigamos
traéis	traed [vosotros] (vient de l'inf.)	traigáis
traen	traigan [ellos, ellas, Vdes]	← traigan

43.3 Conjugaison à l'impératif d'un verbe pronominal, cf. § 16.1.

43.4 La défense, ou impératif négatif.

L'espagnol exprime la défense à l'aide du subjonctif présent. Toutes les personnes sont donc tirées de ce temps :

no cantes, no digas [tú]
no cante, no diga [él, ella, Vd]
no cantemos, no digamos [nosotros]
no cantéis, no digáis [vosotros]
no canten, no digan [ellos, ellas, Vdes].

44.0 QUELQUES EMPLOIS DE L'INFINITIF

44.1 Il peut être substantivé, c'est-à-dire employé comme nom. Certains infinitifs sont d'ailleurs (comme en français) devenus des noms à part entière :
el ser, el poder, el deber.

L'infinitif peut être précédé d'un article, d'un adjectif, d'un adjectif possessif, démonstratif, etc. :
el dulce cantar de los pájaros – aquel andar tan curioso – el ir y venir constante de las ambulancias.

44.2 **Al + infinitif**, indique la simultanéité de deux actions :
Al abrir la puerta me miró con insistencia = cuando abrió…

44.3 **De + infinitif**, a la valeur d'une subordonnée de condition :
De ser más joven lo haría yo con mucho gusto = si fuera más joven…

44.4 Attention : en français la préposition «de» précède un infinitif attribut ou une proposition infinitive sujet. Jamais en espagnol :
Lo importante es participar y no ganar = participar es importante.

D'où la construction directe.

45.0 LA VALEUR DES TEMPS

Elle est en général la même qu'en français. Attention toutefois aux cas suivants.

45.1 **Le passé simple** (ou prétérit), **le passé composé et l'imparfait.**

Le passé simple est d'un emploi beaucoup plus fréquent en espagnol qu'en français et se substitue dans la plupart des cas au passé composé. Il indique une action ponctuelle et terminée par opposition à l'imparfait de l'indicatif qui traduit une durée ou une habitude. Compare : *Aquel día, cuando entró el profesor, los alumnos estaban hablando – Cada día, cuando entraba el profesor, los alumnos estaban hablando.* Le passé composé s'emploie lorsque l'action envisagée a une incidence sur le présent. C'est pourquoi il

entre en concordance avec le présent du subjonctif (cf. § 54.0). *Alguien se ha llevado mi paraguas porque ya no está donde lo dejé.*

Attention : reporte-toi aux tableaux de verbes, car les plus usuels sont aussi les plus irréguliers. On dit de ces derniers qu'ils ont un «parfait fort» parce qu'ils changent de radical au passé simple et ne portent pas d'accent écrit aux 1re et 3e personnes du singulier car ils sont accentués sur le radical :
¿Qué hizo usted?, Qu'avez-vous fait hier ?

45.2 Le futur de l'indicatif

Outre sa valeur de futur il peut aussi indiquer une probabilité :
¿Qué hora es? Serán las dos y pico, Il doit être deux heures et quelque.

Attention : en espagnol, le mode subjonctif, en particulier dans une subordonnée circonstancielle (temps, manière, lieu) et dans une proposition relative, se substitue dans certains cas au futur de l'indicatif (cf. § 53.3).

45.3 Le conditionnel

Outre sa valeur de conditionnel il peut aussi indiquer une probabilité formulée au passé :
Tendría unos veinte años cuando se casó.

46.0 LE PARTICIPE PASSÉ : FORMATION ET EMPLOI

46.1 Formation. Pour les verbes réguliers : radical de l'infinitif **+ -ADO** pour les verbes du premier groupe ; radical **+ -IDO** pour les verbes des deuxième et troisième groupes.

Cant/ar   →   cant/ado
Com/er   →   com/ido
Viv/ir   →   viv/ido

Attention, de très nombreux verbes parmi les plus utilisés ont un participe irrégulier :
hacer → hecho, decir → dicho, poner → puesto, romper → roto.

Consulte les tableaux de verbes.

46.2 Emploi

• Avec l'auxiliaire *haber* il sert à la formation des temps composés (cf. § 35.0). Dans ce cas il est invariable.

• Comme adjectif : associé à *ser* ou *estar* ou des semi-auxiliaires, *llevar, tener*. Dans ce cas il s'accorde (cf. § 33.0 pour l'emploi de *ser* ou *estar*) :
Estas chicas están ahora muy cansadas.

47.0 LE RÉSULTAT DE L'ACTION : SEMI-AUXILIAIRE + PARTICIPE PASSÉ

47.1 **Estar +** participe passé (cf. § 33.4) :
Después de tanto trabajar está cansado − La casa está construida ya.

47.2 **Tener +** participe passé, **llevar +** participe passé marquent la persistance ou les effets d'une action déjà exécutée :
Los ejercicios los tengo hechos desde ayer.

48.0 LE GÉRONDIF : FORMATION ET EMPLOI

48.1 Formation. Pour les verbes réguliers, radical de l'infinitif **+ -ANDO** pour les verbes du premier groupe. Radical de l'infinitif **+ -IENDO** pour les verbes des deuxième et troisième groupes. Dans tous les cas de figure le gérondif est invariable.

Cant/ar   →   cant/ando
Com/er   →   com/iendo
Viv/ir   →   viv/iendo

Attention aux verbes à fermeture de voyelle et à alternance (cf. § 38.0 et 39.0, *pedir / pidiendo − sentir / sintiendo*).

48.2 Emploi

• En règle générale il joue le rôle de complément de manière et répond à la question *¿Cómo?* Il équivaut en français à : «en... -ant».
¿Cómo vas al instituto? Voy al instituto caminando.

• Il ne peut, comme le participe présent français, jouer le rôle de déterminatif d'un nom complément. L'espagnol dans ce cas emploie une préposition relative :
Vio a una mujer que llevaba a un niño en brazos (...portant un enfant).

49.0 LE DÉROULEMENT DE L'ACTION : SEMI-AUXILIAIRE + GÉRONDIF

L'espagnol compte un certain nombre de verbes appelés «semi-auxiliaires» : *tener, llevar, andar, quedar, resultar, venir, ir, seguir.* Quand ils sont suivis du gérondif ils rendent certains aspects de l'action en train de se faire, progression, poursuite, etc.

49.1 **Estar +** gérondif : l'action en cours et la durée (être en train de) :
> *Por el momento está trabajando y no quiere que le molesten.*

49.2 **Ir +** gérondif, *venir +* gérondif : soulignent le caractère progressif de l'action ou la succession d'actions identiques. Le français rend souvent cette idée par «peu à peu», «de plus en plus», «progressivement» :
> *El huracán iba destruyendo las casas una tras otra.*

49.3 **Seguir +** gérondif : évoque la prolongation de l'action déjà commencée :
> *Sigue lloviendo,* Il pleut toujours ; Il continue de pleuvoir.

49.4 **Llevar +** gérondif + complément de temps : sert à exprimer le temps passé à faire quelque chose :
> *Lleva horas leyendo* – *Llevamos muchos años buscándolo.*

50.0 LA VALEUR DES MODES

Il existe deux modes majeurs en espagnol, l'indicatif et le subjonctif. En espagnol, toutefois, le subjonctif, beaucoup plus qu'en français, est le mode de l'éventualité, de l'action non réalisée ou de la réalité subjective, alors que l'indicatif est celui de la réalité, de l'action réalisée et de l'objectivité. L'emploi de l'un ou de l'autre peut donc introduire des nuances (cf. § 51.0).

Si dans de nombreux cas l'emploi du subjonctif est identique au français (cf. § 52.0), il faut prêter une attention toute particulière aux emplois différents, d'une grande fréquence. Se reporter en particulier au § 53.0.

51.0 INDICATIF OU SUBJONCTIF : NUANCES D'EMPLOI

Par l'emploi de l'un ou de l'autre mode on indique que la chose dont on parle est réelle (indicatif) ou éventuelle (subjonctif).

51.1 **Aunque +** indicatif, «quoique» :
> *Me voy de paseo aunque llueve* (il pleut réellement).

51.2 **Aunque +** subjonctif, «même si» :
> *Me voy de paseo aunque llueva* (il n'est pas sûr qu'il pleuve).

51.3 **Quizás, acaso, tal vez +** indicatif ou subjonctif, «peut-être», selon le degré de probabilité envisagé.
> *No contesta al teléfono, quizás está durmiendo* : j'en suis presque sûr (car c'est l'heure de sa sieste habituelle).
> *No contesta al teléfono, quizás esté durmiendo* : je n'en sais rien (c'est une hypothèse parmi d'autres).

51.4 **Expression de la condition :**
> • On l'envisage comme réalisable → indicatif :
> *Si tengo dinero me compro una moto.*

> • On l'envisage comme plus hypothétique → subjonctif (imparfait) :
> *Si tuviera dinero me compraría una moto.*

51.5 **dire de, dire que**
> • *Te digo que vengas.*
> (C'est un ordre → subjonctif)

> • *Te digo que está lloviendo.*
> (C'est une constatation → indicatif)

52.0 LE MODE SUBJONCTIF : EMPLOIS SEMBLABLES AU FRANÇAIS

52.1 *para que* (but) :
> *Te lo digo para que lo sepas,* ... pour que tu le saches.

52.2 *querer, desear, temer que* (verbes de volonté, désir, crainte) :
> *Quiero, deseo, temo que él venga,* ... qu'il vienne.

52.3 *es necesario, normal, indispensable que...* – *me gusta que, prefiero que* (point de vue, sentiment, appréciation) :
> *Es necesario que estudies* – *Me gusta que digas la verdad.*

52.4 *ojalá* (souhait) :

¡*Ojalá nos toque el gordo!*, Pourvu que nous gagnions le gros lot ! – ¡*Sálvese quien pueda!*, Sauve qui peut !

52.5 *sin que, a no ser que* (restriction) :

Lo hice sin que me vieran, … sans qu'on me voie.

52.6 *no creo que, no pienso que* (mise en doute) :

No creo que sea posible, … que ce soit possible.

53.0 LE MODE SUBJONCTIF : EMPLOIS DIFFÉRENTS DU FRANÇAIS

53.1 **À la place d'un impératif négatif** (défense) (cf. § 43.0) :

No cojas el coche hoy.

53.2 **À la place d'une subordonnée à l'infinitif** après «dire de», «prier de», «conseiller de», «interdire de» :

El profesor nos dice (pide, ordena, ruega, aconseja) que hagamos nuestro trabajo seriamente.

53.3 **À la place du futur dans une subordonnée circonstancielle** (de temps : introduite par *cuando, mientras, en cuanto que…* ; manière : introduite par *como…* ; lieu : introduite par *donde…*) et **dans une proposition relative** ou pour indiquer une conséquence éventuelle (cf. § 50.0) :

Me compraré una moto cuando sea mayor – Haz como quieras – El último que salga apagará la luz – Se busca secretaria que sepa español (sachant l'espagnol).

53.4 **À la place de l'imparfait de l'indicatif** dans la subordonnée de **condition** introduite par *si…* ou *como si…* (cf. § 51.4) :

Si tuviera dinero me compraría una moto – Estás vestida como si te fueras a bailar.

54.0 LA CONCORDANCE DES TEMPS

Elle est rigoureusement appliquée en espagnol, qu'il s'agisse de la langue écrite ou parlée, lorsque la phrase répond au schéma suivant :
proposition principale + subordonnée au subjonctif (de temps, de condition, relative, etc.).

D'un mode à l'autre la concordance des temps s'établit ainsi :

TEMPS DE LA PRINCIPALE →	TEMPS DE LA SUBORDONNÉE
présent de l'indicatif impératif futur de l'indicatif passé composé	présent du subjonctif
imparfait de l'indicatif passé simple conditionnel plus-que-parfait de l'indicatif	imparfait du subjonctif

Exemples :

Le dices *Dile* *Le dirás* *Le has dicho*	*que venga mañana.*
Le decías *Le dijiste* *Le dirías* *Le habías dicho*	*que viniera (viniese) al día siguiente.*

55.0 LE PASSAGE DU DISCOURS DIRECT AU DISCOURS INDIRECT

Les paragraphes suivants ne s'attachent qu'aux transformations essentielles. Pense toutefois à modifier la ponctuation et à changer ou supprimer les mots de subordination.

55.1 **Le mode**

Attention, fais bien la différence entre :

• *decir que*, «dire que» en français, introduisant une affirmation : le mode reste identique.

• *decir que*, «dire de + infinitif» en français, introduisant un ordre : dans ce cas on emploie un subjonctif dans la subordonnée ; pense à respecter la concordance des temps.

DISCOURS DIRECT	→	DISCOURS INDIRECT
indicatif	→	indicatif
impératif	→	subjonctif
subjonctif	→	subjonctif

55.2 Le temps

Il dépend du temps du verbe qui introduit le discours indirect :

• Si le verbe qui introduit est au présent, au futur ou au passé composé, les temps de la subordonnée sont les mêmes que ceux de la phrase auparavant au style direct.

• Si le verbe qui introduit est au passé, les transformations sont les suivantes :

DISCOURS DIRECT	→	DISCOURS INDIRECT
présent	→	imparfait ou passé simple (cf. § 45.1)
futur	→	conditionnel présent
imparfait	→	imparfait
passé composé	→	plus-que-parfait
passé simple	→	plus-que-parfait
futur antérieur	→	conditionnel passé

55.3 Les personnes verbales

Les personnes verbales, les pronoms personnels et les possessifs sont en général modifiés puisque l'on passe du dialogue au récit et que c'est donc le narrateur qui rend compte du discours. Veille à analyser correctement les pronoms personnels et à bien distinguer les pronoms réfléchis des pronoms compléments.

55.4 Exemples de passage du discours direct au discours indirect :

• *El profesor le pregunta*: «¿*Cómo te llamas?*» → *El profesor le pregunta cómo se llama* → *El profesor le preguntó cómo se llamaba.*

• *El director le dice*: «¡*Acércate!*» → *El director le dice que se acerque* → *El director le dijo que se acercara.*

• *El padre le dice al hijo*: «*Es necesario que vengas con tu mujer*» → *El padre le dice al hijo que es necesario que venga con su mujer* → *El padre le dijo al hijo que era necesario que viniera con su mujer.*

Lexique

Ce lexique ne saurait se substituer à un dictionnaire et n'en exclut pas l'usage.
Il complète les notes fournies pour chaque texte ou document iconographique. Il comporte 2 600 entrées accompagnées d'environ 800 exemples d'emplois, tournures idiomatiques, constructions particulières qui devraient t'aider dans ta recherche d'une expression authentique.

adj. = adjectif
adj. indéf./pron. = adjectif indéfini ou pronom
adj./n. = adjectif ou nom
adj./pron. relat. = adjectif ou pronom relatif
adv. = adverbe
conj. = conjonction
exclam. = exclamation
fam. = familier
fig. = figuré
gramm. = grammaire
[ie] ou **[ue]** = indique un verbe à diphtongue, type **perder** et **contar.**

[i] indique un verbe à fermeture, type **pedir.**
[ie / i] ou **[ue/u]** indique un verbe à alternance, type **sentir** et **morir.**
interj. = interjection
interr. = interrogation
inv. = invariable
irrég. = verbe irrégulier
loc. adv. = locution adverbiale
n. f. = nom féminin
n. m. = nom masculin
n. p. c. = ne pas confondre
n. pl. = nom au pluriel

part. pass. irr. = participe passé irrégulier
prép. = préposition
pron. déf. = pronom défini
pron. indéf. = pronom indéfini
pron. relat. = pronom relatif
qqch. = quelque chose
qqn. = quelqu'un
syn. = synonyme
v. i. = verbe intransif
v. imp. = verbe impersonnel
v. pr. = verbe pronominal
v. t. = verbe transitif

A

abajo, adv., en bas. **¡Abajo el tirano!** A bas le tyran !

abanico, n. m., éventail.

abarcar, v. t., embrasser du regard ou par la pensée. **Quien mucho abarca poco aprieta,** qui trop embrasse mal étreint.

abarrotar, v. t., bonder un navire ; (par ext.), bourrer, remplir.

abertura, n. f., ouverture ; fig., largeur d'esprit, franchise.

abierto, a, adj., ouvert, e.

abogar, v. i., plaider, défendre, intercéder en faveur de quelqu'un. **Abogar por la paz,** plaider pour la paix.

abonar, v. t., verser, payer ; fumer, engraisser la terre.

aborrecer, v. t., détester.

abrazar, v. t., prendre dans ses bras ; étreindre ; donner l'accolade.

abrazo, n. m., accolade, étreinte. **Abrazos** (à la fin d'une lettre), affectueusement. **Dar un abrazo,** embrasser, donner l'accolade.

abrelatas, n. m., inv., ouvre-boîtes.

abrigar, v. t., abriter, défendre du froid.

abrigo, n. m., manteau ; abri.

abril, n. m., avril. **En abril, aguas mil.**

abrir, v. t., part. pass. irr., **abierto,** ouvrir.

absoluto, a, adj., absolu, e ; illimité, e. **En absoluto,** sans restriction, pas du tout (cf. **de ningún modo**).

absorto, a, adj., absorbé, e ; plongé, e dans ses pensées.

abstracto, a, adj., abstrait, e.

absurdo, a, adj., absurde.

abuelo, a, n. m., grand-père ; n. f., grand-mère. **Los abuelos,** grands-parents ; aïeux.

abundancia, n. f., abondance.

aburrido, a, adj., ennuyeux, euse. **La película es aburrida,** le film est ennuyeux. **Estoy aburrida,** je m'ennuie, je suis lasse, je suis dégoûtée.

aburrimiento, n. m., ennui, lassitude ; dégoût.

aburrir, v. t., ennuyer ; lasser ; dégoûter, rebuter.

acá, adv., ici, là tout près ; **más acá,** plus près (moins précis que **aquí.**)

acabado, a, adj., fini, e, **(producto)** ; fig., parfait, e ; accompli, e. **Un cocinero acabado,** un cuisinier accompli.

acabar, v. t., achever, finir. **Acabar de + inf.** : venir de. **Acaba de salir,** il vient de sortir. **Acabar con,** en finir avec, venir à bout de.

academia, n. f., Académie ; école privée, **academia para secretarias.**

acariciar, v. t., caresser.

acarrear, v. t., transporter ; entraîner, occasionner.

acaso, n. m., hasard ; adv., peut-être, **acaso venga,** peut-être viendra-t-il. **Por si acaso,** à tout hasard, au cas où.

acechar, v. t., guetter, épier.

aceite, n. m., huile.

aceituna, n. f., olive.

acelerar, v. t., accélérer ; presser, hâter.

acentuar, v. t., accentuer.

aceptar, v. t., accepter.

acequia, n. f., canal d'irrigation.

acera, n. f., trottoir.

acerca de, adv., sur, au sujet de.

acercarse, v. pr., s'approcher. **Acercarse a,** s'approcher de.

acertar [ie], v. t., atteindre, donner dans le mille (cf. **dar en el blanco**) ; trouver, deviner, viser juste, réussir.

acierto, n. m., réussite ; trouvaille ; habileté, savoir-faire.

aclarar, v. t., éclaircir ; expliquer ; rincer le linge **(la ropa).**

acoger, v. t., accueillir, recevoir.

acogida, n. f., accueil.

acomodado, a, adj., accomodant, e ; approprié, e ; aisé, e ; riche.

acomodar, v. t., adapter, placer, ranger, caser, trouver un emploi.

acomodarse, v. pr., s'installer ; se placer, se caser.

acondicionador, n. m., climatiseur.

aconsejar, v. t., conseiller.

acontecer, v. i., arriver, survenir, avoir lieu, (cf. **ocurrir, pasar**)

acontecimiento, n. m., événement.

acordar [ue], v. t., se mettre d'accord ; décider.

acordarse [ue] de, v. pr., se rappeler, se souvenir de. Attention ! **Acordarse de algo, recordar algo.**

acostar [ue], v. t., coucher.

acostumbrado, a, adj., habitué, e ; habituel, elle.

acostumbrar, v. t., avoir l'habitude de (cf. **soler**).

acotación, n. f., annotation ; indication scénique.

acto, n. m., acte, action. **En el acto,** sur-le-champ.

actor, actriz, n., acteur, actrice.

actuación, n. f., conduite, comportement ; rôle (cf. **papel**) ; le jeu d'un acteur.

actualidad, n. f., actualité. **En la actualidad,** actuellement.

actuar, v. i., agir.

acudir, arriver, venir. **Acudir a una cita,** aller à un rendez-vous.

acuerdo, n. m., décision, résolution ; accord. **Estar de acuerdo,** être d'accord.

achacar, v. t., imputer, attribuer, **le achacaron el robo de la manzana,** on lui imputa le vol de la pomme.

adecuado, a, adj., approprié, e.

adelantar, v. t., avancer ; devancer ; dépasser, doubler un véhicule. **Un adelantamiento,** un dépassement.

adelante, interj., Entrez ! En avant ! Continuez ! **Más adelante,** plus loin... **De hoy en adelante,** dorénavant, désormais.

adelgazar, v. i., maigrir.

ademán, n. m., geste.

además, adv., de plus, en outre. **Además de,** en plus de, outre.

adentrarse en, v. pr., pénétrer profondément, aller à l'intérieur de.

adentro, adv., dedans, à l'intérieur ; interj., entrez !

admiración, n. f., admiration, étonnement (cf. **asombro**). **Punto de admiración,** point d'exclamation.

admirar, v. t., admirer ; étonner.

admirarse, v. pr., s'étonner ; être en admiration devant.

adobe, n. m., brique crue.

adornar, v. t., orner, décorer.

adorno, n. m., ornement parure.

adquirir [ie], v. t., acquérir. **El poder adquisitivo,** le pouvoir d'achat.

adrede, adv., exprès, à dessein.

aduana, n. f., douane.

adueñarse de, v. pr. s'approprier, s'emparer.

advertencia, n. f., avertissement ; remarque ; avant-propos.

advertir [ie/i], v. t., remarquer, constater (cf. **darse cuenta, percatarse**) ; signaler (cf. **indicar**) ; avertir, prévenir (cf. **avisar**).

aeropuerto, n. m., aéroport.

afán, n. m., effort, peine ; désir ardent.

afanarse, v. pr., travailler avec ardeur ou acharnement.

afectar, v. t., affecter, faire du tort, porter préjudice. **El paro afecta al 20% de la población,** le chômage touche 20 % de la population.

afeitar, v. t., raser.

afición, n. f., penchant, inclination, goût, **la afición a la lectura,** le goût pour la lecture.

aficionado, a, adj./n., amateur, passionné, e,. **Aficionado a los toros,** passionné des courses de taureaux.

afortunado, a, adj., heureux, euse ; chanceux, euse ; fortuné, e.

afrenta, n. f., affront.

afuera, adv., dehors. **Las afueras,** les environs, la banlieue.

agacharse, v. pr., se baisser.

agarrar, v. t., saisir, prendre, attraper.

agobiar, v. t., épuiser, accabler.

agosto, n. m., août.

agotar, v. t., épuiser.

agradecer, v. t., remercier, être reconnaissant. **Le agradecemos su carta,** nous vous remercions pour votre lettre.

agrio, a, adj./n., aigre, amer, ère. **Los agrios,** les agrumes.

agua, n. f., eau.

aguantar, v. t., supporter, résister, endurer.

aguardar, v. t., attendre.

agudeza, n. t., finesse, acuité ; perspicacité ; trait d'esprit.

águila, n. f., aigle.

aguja, n. f., aiguille.

agujero, n. m., trou.

ahí, adv., là.

ahora, adv., maintenant, à présent ; tout de suite. **De ahora en adelante,** désormais. **Por ahora,** pour l'instant. **Ahora mismo,** tout de suite.

ahorrar, v. t., économiser, épargner.

ahorro, n. m., économie. **Caja de Ahorros,** Caisse d'Épargne.

aire, n. m., air ; vent ; **me da el aire,** je sens le vent.

aislar, v. t., isoler.

ajeno, a, adj., étranger, ère ; d'autrui. **El bien ajeno,** le bien d'autrui.

alabar, v. t., louer, faire des éloges, vanter.

alacrán, n. m., scorpion.

álamo, n. m., peuplier.

alarde, n. m., **hacer alarde de,** se vanter, faire montre de, afficher.

alardear, v. i., parader, tirer vanité de.

alargar, v. t., allonger, étirer, étendre.

alba, n. f., aube. **Al rayar el alba,** au point du jour.

alborotar, v. i., faire du tapage, s'agiter, troubler.

alcalde, n. m., maire.

alcaldía, n. f., mairie, (cf. **ayuntamiento**)

alcance, n. m., portée, dimension. **Al alcance de la mano,** à portée de main.

alcanzar, v. t., atteindre, rattraper ; saisir, comprendre.

alcázar, n. m., Alcazar, palais royal.

aldea, n. f., village.

aldeano, a, n. m., villageois, e.

alegoría, n. f., allégorie (figure de rhétorique qui consiste à représenter une idée abstraite sous les traits d'une personne, allégorie de la Justice).

alegrar, v. t., réjouir.

alegre, adj., joyeux, euse.

alegría, n. f., joie, gaieté.

alejar, v. t., éloigner.

algo, pron. indéf., quelque chose.

alguien, pron. indéf., quelqu'un.

algún (apocope de **alguno**), quelque.

alguno, a, adj., quelque ; pron. indéf., quelqu'un, une personne.

alimentarse, v. pr., se nourrir.

alimenticio, a, adj., alimentaire.

aliviar, v. t., alléger, soulager, calmer, réconforter.

alivio, n. m., allègement (d'un poids) ; soulagement (d'une peine) ; réconfort.

alma, n. f., âme.

almacén, n. m., magasin (**tienda**) ; entrepôt.

almendra, n. f., amande.

almorzar [ue], v. i., déjeuner.

almuerzo, n. m., déjeuner (Attention, **desayuno,** petit déjeuner).

alojamiento, n. m., logement.

alojar, v. t., loger.

alquilar, v. t., louer.

alquiler, n. m., location ; loyer.

alrededor, adv., autour, alentour. **Los alredededores,** les alentours, la banlieue.

altar, n. m., autel.

alto, a, adj., grand,e.

altivo, a, adj., hautain, e.

aludir, v. i., faire allusion à ; se référer à ; renvoyer à.

alumbrado, a, adj., éclairé, e ; n. m., éclairage public.

alumbrar, v. t., éclairer, illuminer.

alumno, a, n., élève.

alza, n. f., hausse. **El alza de los precios,** la hausse des prix.

alzar, v. t., lever, dresser, hausser.

alzarse, v. pr., se lever ; se soulever ; se rebeller.

allá, adv., là-bas.

allí, adv., là-bas.

ama, n. f., maîtresse de maison ; propriétaire ; nourrice **(de niños).**

amanecer, v. imp., faire jour. **Amanece,** le jour se lève ; n. m., l'aube, le lever du jour.

amargo, a, adj., amer, ère.

amargura, n. f., amertume.

amarillo, a, adj., jaune.

ambiente, n. m., ambiance.

ambigüedad, n. f., ambiguïté.

ambiguo, a, adj., ambigu, ë.

ambos, as, adj., pron., les deux.

amenaza, n. f., menace.

amenazar, v. t., menacer. **Le amenazó con contarlo todo,** il le menaça de tout raconter.

americana, n. f., veste, veston.

amigo, a, adj./n., ami, e.

amistoso, a, adj., amical, e.

amo, n. m., maître ; propriétaire ; patron.

amontonar, v. t., entasser, accumuler.

amparar, v. t., protéger.

amparo, n. m., protection ; abri (cf. **refugio**) ; appui **(apoyo).**

amplio, a, adj., ample, étendu, e, vaste.

análisis, n. m., analyse.

analizar, v. t., analyser.

anciano, a, adj., vieux, vieille ; n., vieillard, femme âgée.

ancho, a, adj., large ; épais, épaisse. **A sus anchas,** à son aise.

andar, irrég., v. i., marcher ; se déplacer. **¡Anda!** interj., Allons ! Etre, **andar alegre** (**Estar,** gramm. § 49.2).

andén, n. m., quai (de gare) ; promenoir.

anécdota, n. f., anecdote.

ángel, n. m., ange.

angustia, n. f., angoisse.

anhelar, v. t., aspirer à ; souhaiter, désirer.

anhelo, n. m., désir ardent.

animar, v. t., animer ; encourager ; égayer.

animarse, v. pr., s'enhardir ; se décider.

ánimo, n. m., esprit ; âme. **Estado de ánimo,** état d'esprit, d'âme ; fig., courage. **¡Ánimo!** interj., cou-rage !

anoche, adv., hier soir. **Anteanoche,** adv., avant-hier soir.

ansia, n. f., anxiété, angoisse ; désir ardent, avidité.

ante, prép., devant. **Anteayer,** adv., avant-hier.

antepasado, n. m., ancêtre.

anterior, adj., antérieur, e ; précédent, e. **Con anterioridad,** à l'avance.

antes, adv., avant. **Antes que nada,** avant tout. **Cuanto antes,** dès que possible.

antiguo, a, adj., ancien, enne.

antojársele a uno, v. pr., (se construit comme **gustar**) avoir envie de ; avoir l'idée de (cf. **ocurrírsele a uno**) ; s'obstiner.

antojo, n. m., caprice, envie. **Vivir a su antojo,** vivre à sa guise.

anunciar, v. t., annoncer ; afficher ; faire de la publicité.

anuncio, n. m., annonce, affiche, pancarte.

añadir, v. t., ajouter.

año, n. m., an, année.

añoranza, n. f., regret, nostalgie.

apacible, adj., doux, douce, aimable, paisible.

apaciguar, v. t., apaiser, calmer ; pacifier.

apagar, v. t., éteindre ; faner, ternir (couleurs) ; étouffer (son) ; étancher (soif).

aparato, n. m., appareil, machine.

aparcamiento, n. m., stationnement, parking.

aparcar, v. t., garer, se garer.

aparecer, irrég., v. i., apparaître.

apariencia, n. f., apparence.

apartar, v. t., écarter ; détourner (le regard) ; v. pr., se pousser, s'écarter.

apegarse, v. pr., s'attacher.

apego, n. m., attachement, intérêt.

apellido, n. m., nom de famille.

apenas, adv., à peine, presque pas. Dès que. **Apenas le vio,** dès qu'il le vit.

apestar, v. i., puer, empester. **Apestar a tabaco,** sentir le tabac.

apetecerle a uno, v. i., désirer, avoir envie de **(tener ganas de).**

apetitoso, a, adj., appétissant, e.

aplastar, v. t., aplatir, écraser ; fam., réduire à néant, écraser.

aplauso, n. m., applaudissement.

apoderarse de, v. pr., s'emparer de.

apodo, n. m., surnom.

aportación, n. f., apport.

apoyar, v. t., appuyer.

apoyo, n. m., appui.

aprecio, n. m., estimation ; estime.

apremiante, adj., urgent, e ; pressant, e ; contraignant, e.

apremiar, v. t., contraindre, forcer.

aprendiz, n., apprenti. **Un aprendiz de peluquero,** un apprenti coiffeur.

apresurar, v. t., presser, hâter. **Apresurarse a,** se hâter de.

apretar [ie], v. t., serrer ; comprimer.

aprobado, a, adj., approuvé, e ; reçu, e (à un examen).

aprobar [ue], v. t., approuver ; réussir un examen.

aprovechar, v. t., profiter de, **aprovechar la ocasión,** profiter de l'occasion ; v. i., profiter à ; servir ; en profiter ; interj., **¡Que aproveche!,** Bon appétit !

aprovecharse de, v. pr., profiter de, utiliser. **Se aprovecharon de él,** ils profitèrent de lui.

aproximarse a, v. pr., s'approcher de.

apuntar, v. t., pointer une arme ; viser ; montrer (cf. **señalar**) ; noter, prendre note **(anotar)** ; v. i., poindre (le jour).

apunte, n. m., annotation, note. **Sacar apuntes,** prendre des notes.

aquí, adv., ici. **De aquí en adelante,** dorénavant. **He aquí,** voici.

arder, v. i., brûler, **arde la casa,** la maison brûle.

arena, n. f., sable.

argentino, a, adj./n., argentin, e.

argumentar, v. i., argumenter, discuter.

argumento, n. m., argument ; sujet d'une œuvre (cf. **asunto, tema**) ; scénario **(guión).**

arma, n. f., arme.

armada, n. f., flotte, armée de mer ; escadre.

armar, v. t., armer ; monter ; assembler. **Arman el andamio,** ils assemblent l'échafaudage. **Armar una trampa,** tendre un piège. **Armar un escándalo,** faire un scandale.

armario, n. m., armoire.

armonía, n. f., harmonie.

arrabal, n. m., faubourg.

arrancar, v. t., arracher ; mettre en marche, faire démarrer (véhicule) ; v. i., démarrer.

arrastrar, v. t., traîner.

arrastrarse, v. pr., ramper.

arrebatar, v. t., arracher, enlever ; ravir, enthousiasmer, transporter.

arreglar, v. t., régler, arranger, réparer ; organiser, aménager.

arreglo, n. m., arrangement, accord. **Con arreglo a,** conformément à.

arrepentirse [ie/i], v. pr., se repentir, regretter (cf. **sentir**).

arriba, adv., en haut, là-haut, dessus ; interj., **¡Arriba!,** Debout ! Vive !

arriesgar, v. t., risquer.

arrojar, v. t., lancer, projeter ; exhaler, répandre. **Arrojar un déficit de,** présenter un déficit de ; v. pr., se précipiter, se jeter.

arroyo, n. m., ruisseau.

arroz, n. m., riz.

arrugar, v. t., rider ; froisser, chiffonner.

arte, n. m., art. **Las Bellas Artes,** les Beaux-Arts.

artesano, a, adj./n. artisan, e.

artículo, n. m., article.

articulista, n. m., journaliste (cf. **periodista**), chroniqueur.

asar, v. t., rôtir.

asarse, v. pr. fam., se rôtir, étouffer de chaleur.

asear, v. t., laver, nettoyer ; parer, orner.

asegurar, v. t., assurer, affirmer.

aseo, n. m., propreté ; toilette. **El cuarto de aseo,** le cabinet de toilette.

asesinar, v. t., assassiner.

así, adv., ainsi. **Así, así,** comme ci, comme ça. **Así como,** dès que. **Así y todo,** malgré tout.

asiento, n. m., siège. **Tomar asiento,** s'asseoir.

asimismo, adv., aussi, de même.

asir, v. t., saisir.

asistir, v. t., soigner, assister. **Asistir a clase,** aller en cours.

asomar, v. i., apparaître, sortir, **asomarse a la ventana,** sortir à la fenêtre.

asombrar, v. t., fig., étonner, effrayer.

asombro, n. m., étonnement, frayeur.

asombroso, a, étonnant, e.

aspereza, n. f., âpreté.

asquear, v. t./i., dégoûter.

asqueroso, a, adj./n., dégoûtant, e.

astuto, a, adj., astucieux, euse ; rusé, e.

asunto, n. m., sujet **(tema)** ; question, affaire. **Asuntos exteriores,** Affaires étrangères.

asustar, v. t., faire peur, effrayer.

atañer, v. i., concerner. **En lo que atañe a,** en ce qui concerne.

atar, v. t., attacher. **Loco de atar,** fou à lier.

atardecer, v. imp., décliner (le jour) ; n. m., soir, tombée du jour.

atareado, a, adj., occupé, e ; affairé, e.

atasco, n. m., embouteillage.

ataúd, n. m., cercueil.

atención, n. f., attention. **Llamar la atención,** attirer l'attention.

atender [ie], v. t., s'occuper ; accueillir.

atento, a, adj., attentif, ive ; attentionné, e.

atestar, v. t., remplir, bourrer ; témoigner.

atinar, v. i., trouver ; tomber juste, réussir, viser juste.

atónito, a, adj., abasourdi, e ; stupéfait, e.

atornillar, v. t., visser.

atornillador, n. m., tournevis.

atraer, v. t., irr., se conjugue comme **traer,** attirer.

atrás, adv., derrière, en arrière. **Unos días atrás,** quelques jours auparavant.

atrasar, v. t., retarder. **Mi reloj atrasa diez minutos,** ma montre retarde de dix minutes. **Estar atrasado** (en sus estudios), être en retard (dans ses études). **Un pueblo atrasado,** un peuple arriéré.

atraso, n. m., retard.

atravesar [ie], v. t., traverser (cf. **cruzar**) ; percer, franchir.

atreverse, v. pr., oser. **No se atreve a cantar.**

atrevido, a, adj., audacieux, euse ; insolent, e.

atrevimiento, n. m., audace, insolence.

atropellar, v. t., renverser ; **le atropelló un coche,** il fut renversé par une voiture.

aula, n. f., salle de classe.

aumentar, v. t., augmenter.

aumento, n. m., augmentation ; grossissement.

aun, adv., même, cependant. **Aun cuando,** même si.

aún, adv., encore, toujours. **Aún no ha venido,** il n'est toujours pas venu (cf. **todavía**).

aunque, conj., quoique, bien que (cf. **a pesar de que, pese a, si bien),** (gramm. § 51.1 et 2).

ausencia, n. f., absence.

austral, n. m., en Argentine, unité de monnaie ; adj., qui s'applique au pôle sud, à l'hémisphère sud.

ave, n. f., oiseau. **Ave de corral,** volaille. **Ave de rapiña,** oiseau de proie.

avería, n. f., avarie, panne.

averiado, a, adj., en panne.

averiguar, v. t., vérifier, rechercher.

avezar, v. t., habituer, accoutumer.

avisar, v. t., aviser, avertir, prévenir.

aviso, n. m., avis, avertissement.

ayer, adv., hier. **Ayer por la tarde,** hier après-midi.

ayuda, n. f., aide ; secours.

ayunar, v. i., jeûner. **En ayunas,** loc. adv., à jeun. **Desayunar,** prendre le petit déjeuner.

ayuno, n. m., jeûne (cf. **desayuno**).

ayuntamiento, n. m., conseil municipal ; mairie (cf. **alcaldía**).

azar, n. m., hasard.

azotea, n. f., terrasse, toit en terrasse.

azúcar, n. m., sucre.

azul, adj., bleu, e.

azulejo, n. m, carreau de faïence.

B

bachiller, a, n. bachelier, ère.

bachillerato, n. m., baccalauréat.

bailar, v. t./i., danser. **Sacar a bailar,** inviter à danser, faire danser.

baile, n. m., danse, bal, ballet.

bajar, v. i., descendre ; v. t., baisser, **bajó los brazos,** il baissa les bras.

bajo, a, adj., bas, basse ; prép., sous.

balance, n. m., bilan.

balanza, n. f., balance.

baloncesto, n. m., basket-ball.

balonmano, n. m., handball.

banco, n. m., banc ; banque.

banda, n. f., bande ; fanfare.

bandera, n. f., drapeau. **Alzar la bandera,** hisser le drapeau.

bañar, v. t., baigner.

baño, n. m., bain, baignade, baignoire (cf. **bañera**). **El cuarto de baño,** la salle de bains.

barato, a, adj., bon marché.

barba, n. f., barbe ; menton.

barco, n. m., bateau.

barra, n. f., barre, bâton ; comptoir de bar , **una barra de pan,** une baguette de pain.

barrer, v. t., balayer.

barrio, n. m., quartier.

barro, n. m., boue (cf. **lodo**) ; argile. **Un jarro de barro,** un vase en argile.

bastante, adv., assez ; **¡basta!,** interj., assez, cela suffit ; adj., assez de (gramm. § 19.1).

bastar, v. i., suffire.

basura, n. f., ordures.

bautizo, n. m., baptême.

bebida, n. f., boisson.

beca, n. f., bourse d'étude. **Un becario,** un boursier.

beneficio, n. m., bénéfice, avantage. **Sacar un beneficio,** tirer, profit.

besar, v. t., embrasser.

beso, n. m., baiser.

bicho, n. m., animal ; (péj.) bestiole. **Es un mal bicho,** c'est une sale bête.

bien, n. m., bien ; adv., bien, bon ; **oler bien,** sentir bon. **Está bien,** c'est bien.

bigote, n. m., moustache.

billete, n. m., billet, ticket. **Billete de ida y vuelta,** billet aller et retour.

blanco, a, adj./n., blanc, blanche. **El blanco,** le but, la cible. **Dar en el blanco,** faire mouche, donner dans le mille. **Ser el blanco de las miradas,** être le point de mire.

blando, a, adj., mou, molle ; tendre.

bloqueo, n. m., blocus (économique) ; bloquage (des prix).

boca, n. f., bouche. **Caer boca abajo,** tomber sur le ventre, **boca arriba,** sur le dos.

bocadillo, n. m., sandwich ; bulle (de B.D., **globo**).

bodegón, n. m., nature morte.

bolívar, n. m., au Vénézuela, unité de monnaie.

bolsillo, n. m., poche.

bolso, n. m., sac à main.

bombilla, n. f., ampoule (pour éclairer).

bondad, n. f., bonté.

bondadoso, a, adj., bon, bonne.

bonito, a, adj./n.m., joli, e. **El bonito,** le thon.

bordar, v. t., broder.

borracho, a, adj., et n., ivre, soûl, soûle ; ivrogne.

borrar, v. t. effacer.

borrador, n. m., brouillon.

bosque, n. m., bois, forêt.

bostezar, v. i., bâiller.

botella, n. f., bouteille.

botijo, n. m., cruche.

bravo, a, adj., brave ; sauvage. **Un toro bravo,** un taureau sauvage.

brazo, n. m., bras. **A brazo partido,** à bras raccourcis. **Tomados del brazo,** se donnant le bras, bras dessus bras dessous.

breve, adj., bref, brève. **En breve,** bientôt.

brillo, n. m., éclat ; gloire. **Sacar el brillo a,** faire reluire.

brincar, v. i., sauter, bondir.

brindar por, v. i., porter un toast, boire à la santé de.

brindis, n. m., toast. **Echar un brindis,** porter un toast.

broma, n. f., plaisanterie. **Una broma pesada,** une mauvaise plaisanterie. **Tomar a broma,** tourner en dérision.

bromear, v. i., plaisanter.

bruja, n. f., sorcière.

buey, n. m., bœuf.

buque, n. m., bateau, vaisseau, (cf. **nave**).

burguesía, n. f., bourgeoisie.

burla, n. f., moquerie, raillerie, dérision . **Una burla pesada,** une mauvaise plaisanterie.

burlar, v. t., plaisanter, railler ; tromper, abuser. **Burlar a una mujer,** déshonorer une femme, (cf. **don Juan, el burlador de Sevilla,** l'abuseur de Séville).

burlarse, v. pr. i., se moquer.

burro, a, n., âne, ânesse.

buscar, v. t., chercher.

búsqueda, n. f., recherche.

butaca, n. f., fauteuil.

buzón, n. m., boîte aux lettres. **Echar una carta al buzón,** poster une lettre.

C

caballero, n. m., monsieur ; chevalier ; homme ; n. p. c. avec **el jinete.**

caballo, n. m., cheval. **Caballo de carrera,** cheval de course. **A caballo,** à cheval.

cabello, n. m., cheveux, chevelure ; **los cabellos, la cabellera,** la chevelure.

caber, irrég.,v. i., tenir, entrer. **Este libro no cabe en mi cartapacio,** ce livre ne tient pas dans mon cartable. Incomber, **no me cabe decirlo,** ce n'est pas à moi de le dire.

cabeza, n. f., tête ; sommet. **Cabeza de partido,** chef-lieu de canton, d'arrondissement.

cabo, n. m., bout, extrémité ; cap. **Al fin y al cabo,** en fin de compte. **Llevar a cabo,** mener à bien.

cacerola, n. f., casserole, faitout.

cacharro, n. m., pot en terre, ustensile en faïence ; fam., tacot.

cada, adj., chaque. **Cada cual, cada uno, a,** chacun,e.

cadáver, n. m., cadavre.

cadena, n. f., chaîne.

caer, irrég. v. i., tomber. **Caer al suelo,** tomber par terre. **Caerse de sueño,** tomber de sommeil. **¡Ya caigo!,** j'y suis, j'ai compris.

café, n. m., café. **Café solo,** café noir.

caída, n. f., chute, retombée. **Caída del telón,** baisser de rideau.

caja, n. f., caisse, boîte. **Caja de Ahorros,** Caisse d'Épargne. **Caja de marchas o de cambio de velocidades,** boîtes de vitesses.

cajón, n. m., tiroir.

calavera, n. f., tête de mort.

calcetín, n. m., chaussette.

calculadora, n. f., calculatrice.

calentar [ie], v. t., chauffer.

calidad, n. f., qualité.

calor, n. m., chaleur. **Hace calor,** il fait chaud. **Tener calor,** avoir chaud.

calzada, n. f., chaussée, route.

calzado, n. m., chaussure. (cf. **zapato**)

calzar, v. t., chausser. **Calzar el 40,** chausser du 40.

calzoncillos, n.,m. pl., caleçon, sing.

callar, v. i./t., se taire. **Quien calla otorga,** qui ne dit mot consent.

calle, n. f., rue. **Echar a la calle,** mettre dehors.

cama, n. f., lit.

cámara, n. f., chambre, salle ; caméra. **Cámara de Comercio,** Chambre de Commerce.

camarero, a, n., garçon de café, serveuse.

cambiar, v. t., changer ; v. i., faire de la monnaie.

cambio, n. m., change ; monnaie ; changement.

caminar, v. t., marcher.

camino, n. m., chemin ; route. **Abrirse camino,** se frayer un chemin. **Camino de Madrid,** en direction de Madrid.

camisa, n. f., chemise.

campana, n. f., cloche. **Tocar las campanas,** sonner (les cloches).

campeonato, n. m., championnat ; fam., **de campeonato,** formidable. **Se armó una pelea de campeonato,** il y eut une sacrée bagarre.

campesino, a, adj./n., paysan, anne.

campo, n. m., champ ; campagne. **A campo traviesa,** à travers champs.

camposanto, n. m., cimetière (cf. **cementerio**).

canción, n. f., chanson. **Una canción de cuna,** une berceuse.

cándido, a, adj., candide.

cansado, a, adj., fatigué, e.

cansar, v. t., fatiguer ; fig., ennuyer, lasser.

cantante, n., chanteur, euse.

cantar, v. t., chanter, ¡**Ese es otro cantar!,** c'est une autre histoire.

cante (hondo o) jondo, n. m., chant gitan d'Andalousie.

cantidad, n. f., quantité ; somme. **Abonar una cantidad de 1000 pesetas,** payer une somme de 1000 pesetas.

canto, n. m., chant ; angle, coin, **dio con la rodilla en el canto de la piedra,** son genou a heurté le coin de la pierre ; tranche d'un livre.

capaz, adj., capable, habile (cf. **diestro**). **Ser capaz,** être capable, habile.

capítulo, n. m., chapitre.

capricho, n. m., caprice, coup de tête.

cara, n. f., visage, figure. **Dar la cara,** faire face. **Poner cara de,** faire une tête de. **Poner mala cara,** faire grise mine. ¡**Qué cara dura!,** quel toupet !

carácter, n. m., caractère, au pluriel, **caracteres.**

caramelo, n. m., bonbon.

carca, adj./n. fam., carliste, réactionnaire.

carcajada, n. f., éclat de rire. **Reír a carcajadas,** rire aux éclats.

cárcel, n. f., prison.

carecer, v. irr. t., manquer, être dépourvu, être privé de.

cargar, v. t., charger ; fig., mettre sur le dos.

caridad, n. f., charité.

cariño, n. m., affection, tendresse, amour. ¡**Cariño mío!,** mon amour.

carne, n. f., chair, viande.

caro, a, adj., cher, chère.

carpeta, n. f., chemise ; classeur.

carrera, n. f., course ; carrière. **Hacer carrera,** faire carrière.

carrete, n. m., bobine, rouleau de photo.

carretera, n. f. route.

carro, n. m., chariot ; voiture (Mexique).

carrocería, n. f., carrosserie.

carta, n. f., lettre. **Echar una carta,** poster une lettre. **Una carta certificada,** une lettre recommandée.

cartel, n. m., affiche. **Se prohíbe fijar carteles,** défense d'afficher.

cartera, n. f., portefeuille ; cartable, porte-documents.

cartero, n. m., facteur.

casa, n. f., maison. **En casa de,** chez. **Tirar la casa por la ventana,** jeter l'argent par les fenêtres.

casar, v. t., marier.

casco, n. m., casque. **Romperse los cascos,** se casser la tête.

casete, n. m., cassette audio, vidéo.

casi, adv., presque. **Casi casi,** pas loin de.

caso, n. m., cas ; histoire ; affaire. **En el peor de los casos,** en mettant les choses au pire. **No hacerle caso a uno,** ne pas prêter attention à qqn.

castaño, a, adj., marron ; châtain.

castellano, a, adj./n., castillan, e.

castigar, v. t., châtier, punir.

castizo, a, adj., pur, authentique. **Un lenguaje castizo,** une langue pure.

castillo, n. m., château.

casualidad, n. f., hasard. **Por casualidad,** par hasard.

caudal, n. m., fortune, capital ; débit d'un cours d'eau, **un río caudaloso,** un fleuve à grand débit.

cautivar, v. t., capturer ; captiver.

caza, n. f., chasse. **Ir de caza,** aller à la chasse.

celebración, n. f., le déroulement (d'une cérémonie).

celebrar, v. t., vanter, rendre hommage ; se féliciter de. **Lo celebro,** je m'en réjouis.

celebrarse, v. pr., avoir lieu, (cf. **ocurrir, verificarse**).

célebre, adj., célèbre.

celo, n. m., zèle. **Los celos,** la jalousie. **Tener celos,** être jaloux, se.

cena, n. f., dîner.

cenar, v. i., dîner.

ceniza, n. f., cendre.

centenar, n. m., centaine.

cerca, n. f., clôture ; adv., près. **Cerca de,** près de.

cercanía, n. f., proximité. **Las cercanías,** les environs.

cerebro, n. m., cerveau.

cerilla, n. f., allumette.

cerrar [ie], v. t., fermer.

cerro, n. m., échine d'un animal ; colline, butte. **Irse por los cerros de Úbeda,** divaguer.

cerveza, n. f., bière.

chaqueta, n. f., veste, (cf. **americana**).

charlar (con), v. i., bavarder, discuter.

chiflado, a, adj., toqué, e, sonné, e.

chillar, v. i., crier, piailler.

chimenea, n. f., cheminée.

chocolate, n. m., chocolat.

chocho, a, adj., gâteux, se ; radoteur, euse.

chófer, n. m., chauffeur, conducteur.

cholo, a, adj./n., métis, sse d'Européen et d'Indienne.

chopo, n. m., peuplier.

chorro, n. m., jet, flot. **A chorros,** à torrents.

chupar, v. t., sucer. ¡**Chúpate ésa!,** fam., attrape celle-là !

chuleta, n. f., côtelette ; une antisèche (d'étudiant).

ciego, n. m., aveugle. **A ciegas,** à l'aveuglette. **En tierra de ciegos el tuerto es rey,** au royaume des aveugles, le borgne est roi.

cielo, n. m., ciel. ¡**Cielito mío!,** mon ange, mon cœur.

ciencia, n. f., science. **A ciencia cierta,** en connaissance de cause, de bonne source.

científico, n. m., savant.

cierre, n. m., fermeture.

cierto, a, adj., certain, e. **Por cierto,** certes, pour sûr.

cifra, n. f., chiffre, abréviation.

cine, n. m., cinéma. **El encuadre,** le cadrage, l'espace délimité par l'objectif de la caméra. **En off,** off, quand l'origine du son n'est pas visible à l'écran. **Plano general,** plan d'ensemble, montre le lieu où se déroule l'action. Les personnages apparaissent en entier. **Plano americano,** plan américain, les personnages sont coupés à hauteur des genoux. **Plano medio corto,** plan rapproché, on ne voit que le buste. **Primer plano,** gros plan, il montre le visage ou une partie du corps ou un objet de près.

cinta, n. f., ruban. **Cinta magnetofónica,** bande magnétique ; cassette (audio, vidéo).

cinturón, n. m., ceinture. **Apretarse el cinturón,** se serrer la ceinture.

circundante, adj., environnant, e.

cita, n. f., rendez-vous ; citation.

citar, v. t., donner, fixer rendez-vous ; citer.

ciudad, n. f., ville.

claro, a, adj., clair, e ; clairsemé, e.

clase, n. f., cours ; sorte, espèce. **Dar clase,** faire cours. **Ir a clase,** aller en cours.

clavar, v. t., clouer. **Clavar la mirada,** fixer du regard.

clavel, n. m., œillet.

cobarde, adj., et n., lâche, poltron, ne.

cobrar, v. t., être payé ; encaisser.

cocer [ue], v. t./i., cuire (att. **cuezo, cueces,** etc.). **cocina,** n. f., cuisine.

coche, n. m., voiture. **Coche de línea,** autocar.

código, n. m., code.

codicia, n. f., cupidité ; convoitise.

codo, n. m., coude. **Empinar el codo,** fam., lever le coude, boire beaucoup. **Hablar por los codos,** fam., bavarder comme une pie.

cofradía, n. f., confrérie (religieuse).

coger, v. t., prendre, saisir ; cueillir (cf. **recolectar**).

colarse [ue], v. pr., se faufiler, se glisser.

colmena, n. f., ruche.

colgar [ue], v. t., pendre, suspendre. **Colgar de la pared,** suspendre au mur. **Colgar el teléfono,** raccrocher.

colocar, v. t., placer, mettre, poser. **Estar colocado,** avoir une situation.

colorado, a, adj., rouge.

columbrar, v. t., apercevoir.

coma, n. f., virgule.

comarca, n. f., région.

combatir, v. t., combattre.

comedido, a, adj., mesuré, e ; posé, e ; courtois, e.

comedor, n. m., salle à manger ; réfectoire.

comenzar [ie], v. t./i., commencer.

comer, v. t., manger.

cómic, n. m., une bande dessinée (cf. **historieta, tebeo**).

comicidad, n. f., comique (cf. **lo cómico**).

cómico, a, adj./n., comique. **Lo cómico de la situación** ; comédien, ienne.

comida, n. f., nourriture, repas. **Comido y bebido,** nourri.

cómodo, a, adj., confortable. **Estar, ponerse cómodo,** être, se mettre à l'aise.

comoquiera, adv., n'importe comment.

compadecer, v. t., plaindre, avoir pitié.

compañero, a, n., compagnon, compagne.

comparación, n. f., comparaison. **Ni punto de comparación,** aucune comparaison.

comparar con, a, v. t., comparer à.

compartir, v. t., partager.

competencia, n. f., concurrence.

competir [i], v. i., concourir ; rivaliser, concurrencer.

competitivo, a, adj., compétitif, ive.

complejo, n. et adj., **(complejo, a)** complexe.

compra, n. f., achat. **Hacer la compra,** faire le marché. **Ir de compras,** faire les courses.

comprar, v. t., acheter. **Comprar a plazos,** acheter à crédit.

comprobar [ue], v. t., vérifier, constater.

comprometer, v. t., compromettre, engager. **Comprometerse a defender una causa,** s'engager à défendre une cause.

comprometido, a, adj., engagé, e, **un autor comprometido,** un auteur engagé.

computador, a, n., calculateur, ordinateur.

con, prép., avec.

concejal, n. m., conseiller municipal.

concluir, v. t., conclure, terminer. **Sacar una conclusión,** tirer une conclusion.

concurrencia, n. f., assistance, public.

concurrido, a, adj., fréquenté, e.

concha, n. f., coquille ; coquille Saint-Jacques.

condena, n. f., condamnation.

condenado, a, adj./n., condamné, e. **Trabajar como un condenado,** travailler comme un galérien.

conducir, irrég.,v. t., conduire.

confiar, v. t., confier ; v. i., avoir confiance. **Confiar en / de alguien.**

conformarse con, se conformer à, se résigner à.

conforme, adj., conforme. **Estamos conformes,** nous sommes d'accord. ; adv., **conforme vamos avanzando,** à mesure que nous avançons.

confundir, v. t., confondre. **Me he confundido,** je me suis trompé.

congoja, n. f., angoisse.

conjunto, n. m., ensemble.

conmigo, pr. pers., avec moi. **Ven conmigo,** viens avec moi.

conmovedor, a, adj., émouvant, e.

conmover [ue], v. t., émouvoir, toucher.

conocer, v. t., connaître. **Dar a conocer,** faire connaître.

conquistar, v. t., conquérir.

consecuencia, n. f., conséquence.

conseguir [i], v. t., obtenir ; remporter (une victoire). **Conseguir que + subj., conseguí que viniera,** j'ai obtenu qu'il vienne. **Conseguir + inf.,conseguí hacerlo,** j'ai réussi à le faire.

consejo, n. m., conseil.

consentir [ie/i], v. t./i., consentir, tolérer, permettre.

consigo, pr. pers. réfl., avec soi. **Lleva siempre consigo tu retrato.**

consiguiente (por), loc., par conséquent.

consonante, n. f., consonne.

constar, v. i., comporter, comprendre. **El texto consta de dos partes,** le texte se compose de deux parties.

constipado, a, adj./n. m., enrhumé, e ; rhume.

consuelo, n. m., consolation, soulagement.

consumición, n. f., consommation (boisson).

consumidor, a, n., consommateur, trice.

consumo, n. m., consommation, **sociedad de consumo.**

contaminación, n. f., pollution.

contaminar, v. t., polluer.

contar [ue], v. t., compter ; raconter. **Contamos contigo,** nous comptons sur toi.

contener [ie], v. t., contenir ; retenir.

contento, a, adj., content, e.

contestar, v. t., répondre.

contigo, pr. pers., avec toi. **Voy contigo,** je vais avec toi.

continuación, n. f., suite. **A continuación,** plus loin, ensuite.

contrapicado, n. m., contre-plongée (cinéma, photo).

contrario, a, adj., contraire, opposé, e. **Al contrario,** au contraire. **Es lo contrario,** c'est l'inverse.

contratar, v. t., passer un contrat ; engager, embaucher.

convencer, v. t., convaincre.

convertirse [ie/i] en, v. pr., se convertir ; devenir.

convidar, v. t., inviter.

convivencia, n. f., vie en commun, cohabitation, coexistence.

copa, n. f., coupe. **Tomar una copa,** prendre un verre.

copla, n. f., couplet, chanson.

coraje, n. m., courage, (cf. **valor, ánimo**).

corazón, n. m., cœur. **De todo corazón,** de grand cœur. **Partir el corazón,** fendre le cœur.

cordero, n. m., agneau.

cordura, n. f., sagesse, bon sens.

corona, n. f., couronne. **Estar hasta la coronilla,** en avoir par-dessus la tête.

corral, n. m., basse-cour.

correa, n. f., courroie, ceinture.

corredor, n. m., couloir.

correo, n. m., courrier ; **correos,** poste ; bureau de poste.

correr, v. i., courir, couler (eau), passer (temps). **A todo correr,** à toute vitesse. **¡Corre!,** Vite, dépêche-toi.

correrse, v. pr., se pousser, s'écarter.

corresponder, v. i., correspondre, communiquer; incomber. **Te corresponde hacerlo,** c'est à toi de le faire. **Como corresponde,** comme de juste.

corrida, n. f., course de taureaux.

corriente, n. f., courant.

cortés, adj., courtois, e.

cortesía, n. f., courtoisie, politesse.

cortina, n. f., rideau.

corto, a, adj., court, e.

cosa, n. f., chose. **Como si tal cosa,** comme si de rien n'était. **Cosa de,** environ. **Es cosa de ver,** c'est à voir.

cosecha, n. f., récolte, cueillette.

cosechar, v. t., récolter, moissonner.

coser, v. t., coudre.

costa, n. f., côte. **La costa mediterránea. A toda costa,** à tout prix, coûte que coûte. **A costa de,** au prix de ; aux dépens de.

costar [ue], v. i., coûter. **Cuesta mucho trabajo,** cela demande beaucoup de travail.

costumbre, n. f., coutume, habitude, (cf. **soler,** avoir l'habitude de).

cotizar, v. t., coter (en Bourse).

crear, v. t., créer.

crecer, v. i., croître, grandir, se développer.

crédito, n. m., crédit ; garantie ; foi (en qqn).

creencia, n. f., croyance.

creer, v. t., croire. **Ya lo creo,** je pense bien.

cría, n. f., élevage, (cf. **la ganadería**) ; nourrisson; petit.

criar, v. t., élever, éduquer. **Criarse,** v. pr., grandir, se développer.

criatura, n. f., enfant.

criollo, a, adj./n., créole.

cristal, n. m., vitre. **Romper un cristal,** casser une vitre. **Los cristales son de vidrio,** les vitres sont en verre.

cristiano, a, adj./n., chrétien, ienne.

crítica, n. f., critique.

cruce, n. m., carrefour, croisement.

crudo, a, adj., cru, e (aliment).

cruz, n. f., croix. **Cara y cruz,** pile ou face.

cruzar, v. t., traverser. **cruzar la calle.**

cuaderno, n. m., cahier.

cuadrado, a, adj./n., carré. **Estar cuadrado,** être au garde à vous.

cuadro, n. m., tableau, (cf. **lienzo**).

cual, adj./pr. rel., interr., exclam., quel, lequel.

cualidad, n. f., qualité.

cualquier, cualquiera, adj., indéf./pron., n'importe quel, n'importe qui.

cuando, conj./adv., quand. Attention à l'emploi des modes dans les subordonnées de temps, (cf. gramm., § 53.3).

cuantía, n. f., montant.

cuanto, a, adj./pr. ind./adv., généralement corrélatif de **tanto, a,** autant de ; tant ; combien. **Cuanto más,** à plus forte raison. **Cuanto antes,** le plus tôt possible. **En cuanto,** dès que. **En cuanto a,** en ce qui concerne.

cuartel, n. m., caserne.

cuarteta, n. f., estrofa de cuatro versos cortos (por ej. octosílabos).

cuarteto, n. f., estrofa de cuatro versos largos (por ej. endecasílabos).

cuarto, a, adj./n., quatrième ; quart, **son las nueve y cuarto. Un cuarto de siglo,** un quart de siècle. **Una cuarta parte del pastel,** un quart du gâteau.

cuarto, n. m., pièce (d'appartement). **El cuarto de dormir,** la chambre à coucher.

cubrir, v. t., part. pass. irr., **cubierto,** couvrir.

cuchillo, n. m., couteau.

cuello, n. m., cou.

cuenta, n. f., compte, addition. **La cuenta por favor,** l'addition s'il vous plaît. **Darse cuenta de algo,** se rendre compte de qqch.

cuento, n. m., conte, récit, histoire. **No me vengas con cuentos,** ne me raconte pas d'histoires.

cuero, n. m., peau, cuir des animaux.

cuerno, n. m., corne ; cor de chasse.

cuerpo, n. m., corps. **De cuerpo entero,** en pied (se dit d'un portrait, peinture, photo).

cuesta, n. f., côte, pente. **Llevar a cuestas,** porter sur son dos.

cueva, n. m., grotte, caverne. **La cueva de Alí Babá,** la caverne d'Ali Baba.

cuidado, n. m., soin, attention ; interj., Attention ! (cf. **ojo**) **¡Ojo pintura!,** attention à la peinture.

cuidar, v. t., soigner, s'occuper de ; v. i., veiller à. **Cuida de que estén todos,** veille à ce que tous soient présents.

culpa, n. f., faute (morale). **No es culpa mía,** ce n'est pas ma faute ; n. p. c. avec **la falta.**

cultivar, v. t., cultiver.

cultivo, n. m., culture. **El cultivo del arroz,** la culture du riz.

culto, a, adj., cultivé. **Un chico muy culto,** un garçon très cultivé.

cultura, n. f., culture (au sens culturel).

cumbre, n. f., sommet.

cumpleaños, n. m., anniversaire. **¡Feliz cumpleaños!,** joyeux anniversaire !

cumplir, v. t., accomplir ; tenir un engagement. **¿Cuántos años cumples ?,** Quel âge as-tu ? ; v. i., **cumplir con su deber,** faire son devoir.

cuñado, a, n., beau-frère, belle-sœur.

curar, v. i., guérir. **Mi hijo ya se curó,** mon fils est guéri ; v. t., soigner. **Le ha curado el Doctor Fulano,** le Docteur Untel l'a soigné.

cursillo, n. m., stage.

curso, n. m., cours. **La cosa sigue su curso.** Classe, niveau, **¿En qué curso estás? ¿en 2º?** Dans quelle classe es-tu ? En 2de ? Année scolaire, **curso 1991-1992,** n. p. c. **Tener clase a las nueve,** avoir cours à 9 heures.

cuyo, a, pr. rel., dont le, dont la, dont les, (cf., gramm., § 21.5).

D

daño, n. m., mal ; dommage. **Hacerse daño,** se faire mal.

dar, irrég. v. t./i., donner. Utilisé dans de très nombreuses expressions dans lesquelles il n'a pas toujours ce sens. Ex. : **darse por vencido,** s'avouer vaincu. **Dar con,** trouver, rencontrer.

dato, n. m., donnée, renseignement, détail. **Dar sus datos,** donner ses coordonnées.

de, prép., nombreux sens, (cf. gramm., § 27.3).

debajo, adv., dessous, au-dessous. **Debajo de la mesa,** sous la table.

deber, v. t./i., devoir (cf. gramm., § 32.1). **Deber de** marque la probabilité.

débil, adj., faible.

decepcionar, v. t., décevoir.

decidir, v. t., décider. **Decidió irse,** il décida de s'en aller.

decir, irrég. v. t./i. part. pass. irr., **dicho,** dire. **Le dijo que se fuera,** il lui demanda de partir, (cf. gramm., § 54.0 et 55.0).

decorado, n. m., décor (théâtre).

dedicar, v. t., dédier ; consacrer.

deducir, irrég. v. t., déduire.

dedo, n. m., doigt. **Saber al dedillo,** savoir sur le bout des doigts.

defecto, n. m., défaut, imperfection.

defender [ie], v. t., défendre, soutenir (une opinion). Attention ! **prohibir** au sens d'interdire.

defraudar, v. t., décevoir. **Su reacción me defraudó**

mucho, sa réaction m'a beaucoup déçu.

dejar, v. t., laisser, abandonner. **Dejar de hacer algo,** cesser de faire qqch.

delante, adv./loc. prép., devant. **Delante de la tienda,** devant la boutique.

demás, pron. indéf., autre. **Los demás,** les autres. **Por lo demás,** pour le reste, à part cela.

demasiado, a, adj./adv., trop de, trop, (cf. gramm., §19.1 pour l'accord de l'adjectif).

demostrar [ue], v. t., démontrer.

dentista, n. m., dentiste.

dentro, adv., dedans, à l'intérieur. **Dentro de un mes,** dans un mois.

departamento, n. m., département ; compartiment (dans un train).

depender, v. i., dépendre.

dependiente, n. m., vendeur ; employé.

deporte, n. m., sport. **Practicar deporte,** faire du sport.

derecho, a, adj./n., droit, e. **No tienes derecho a hacerlo,** tu n'as pas le droit de le faire. **Ir, seguir derecho,** aller tout droit.

derramar, v. t., répandre, renverser.

derribar, v. t., renverser, démolir, abattre.

derrotar, v. t., mettre en déroute, vaincre.

derrumbar, v. t. ,abattre.

desaparecer, v. i., disparaître.

desarrollar, v. t., développer (une idée) ; v. pr., se situer, se passer, (cf. **suceder, pasar**)

desarrollo, n. m., développement. **En vía de desarrollo** en voie de développement.

desayunar, v. i., déjeuner. **Desayunar con café,** prendre du café au petit-déjeuner.

desayuno, n. m., petit-déjeuner.

descalzar, v. t., déchausser.

descalzo, a, adj., nu-pieds.

descansar, v. i., se reposer. **Que en paz descanse,** qu'il repose en paix ; **descansar en,** s'appuyer sur.

desconocer, v. t., ignorer ; ne pas reconnaître.

describir, v. t. part. pass. irr., **descrito**, décrire.

descripción, n. f., description.

descubrimiento, n. m., découverte.

descubrir, v. t. part. pass. irr., **descubierto**, découvrir ; déceler.

descuento, n. m., remise, rabais ; escompte.

desdén, n. m., dédain (despreciar).

desdeñar, v. t., dédaigner (despreciar).

desde, prép., dès, depuis. **Desde hace dos años,** depuis deux ans, (cf. gramm., § 29.0). **Desde luego,** évidemment. **Desde que,** depuis que.

desear, v. t., désirer, souhaiter. **Le deseo un feliz Año Nuevo,** je vous souhaite une Bonne Année.

desembarcar, v. t./i., débarquer.

desempeñar, v. t., jouer un rôle, **desempeñar un papel,** (cf. **hacer de**)

desenlace, n. m., dénouement.

deseo, n. m., désir.

desglose, n. m., découpage (cinéma).

desgracia, n. f., malchance, malheur.

deshacer, v. t., défaire. **Deshacerse de algo o de alguien,** se débarrasser de quelque chose ou de quelqu'un. **Estar deshecho,** être fourbu.

desigualdad, n. f., inégalité.

deslumbrar, v. t., éblouir.

desnudez, n. f., nudité.

desnudo, a, adj., nu, e.

despacio, adv., lentement, doucement.

despachar, v. t., expédier ; conclure une affaire, s'occuper de quelqu'un, servir un client.

despacho, n. m., comptoir ; bureau (cabinet de travail).

despedir [i], irrég. v. t., renvoyer, licencier ; v. pr., **despedirse de alguien,** prendre congé de qqn.

despertar [ie], v. t., éveiller, réveiller.

desplegar [ie], v. t., déplier. **Desplegar astucia o talento,** faire preuve d'astuce ou de talent.

despojar, v. t., dépouiller.

desprecio, n. m., mépris (**desdén**).

desprender, v. t., détacher, défaire.

desprenderse, v. pr., se dégager, ressortir ; découler.

después, adv., puis, ensuite. **Después de comer,** après avoir mangé.

destacar, v. t., faire ressortir, souligner.

detenidamente, adv., avec soin, avec attention.

desterrar [ie], v. t., exiler, bannir.

destino, n. m., destin ; destination. **Con destino a Madrid,** à destination de Madrid. Lieu d'affectation d'un fonctionnaire.

destrozar, v. t., briser, mettre en pièces ; abîmer.

destruir, v. t. irrég., détruire, dévaster.

detalle, n. m., détail. **Tener detalles con alguien,** avoir des attentions envers qqn.

detener [ie], irrég.,v. t., arrêter.

determinar, v. t., déterminer, prendre une résolution.

detrás, adv., derrière. **Detrás de la puerta,** derrière la porte.

deuda, n. f., dette.

devolver [ue], v. t., part. pass. irrég., **devuelto,** rendre, rembourser.

día, n. m., jour, journée. **Hoy en día,** de nos jours. **Al día siguiente, a la mañana siguiente,** le lendemain.

diario, n. m., journal, quotidien. **A diario,** tous les jours.

dibujar, v. t., dessiner.

diciembre, n. m., décembre.

dicha, n. f., bonheur, chance.

dicho, part. pass. irr., de decir. Lo dicho, dicho, ce qui est dit est dit.

dichoso, a, adj., heureux, euse.

diente, n. m., dent (**la muela**).

diestro, a, adj., habile.

diferencia, n. f., différence.

diferente, adj., différent, e.

dificultad, n. f., difficulté.

difícil, adj., difficile.

diga, interj., Allô !, au téléphone, quand on reçoit la communication, (cf. **oiga,** lorsqu'on appelle qqn.).

dinero, n. m., argent. **Tener dinero,** avoir de l'argent.

dios, n. m., dieu. **A la buena de Dios,** au petit bonheur. **Como Dios manda,** comme il convient, comme il faut.

diplomático, n. m./adj., diplomate.

diputado, n. m.,député.

dirección, n. f., direction ; adresse, (cf. **señas**) ; mise en scène.

director, a, n., directeur, trice ; metteur en scène.

dirigir, v. t., diriger, guider ; v. pr., **dirigirse a alguien,** s'adresser à qqn.

disculparse, v. pr., s'excuser.

discurso, n. m., discours.

disfrutar, v. t./i., jouir de, profiter.

disgusto, n. m., contrariété, chagrin ; ennui.

disparar, v. t., tirer un coup de feu ; décocher (une flèche) ; claquer (une porte). **Los precios se disparan,** les prix montent en flèche.

dispensar, v. t., excuser. **Dispense usted,** excusez-moi.

disponer, irrég.,v. t., part. pass. irrég., **dispuesto,** disposer.

distinguir, v. t., distinguer.

distinto, a, adj., différent, e.

diverso, a, adj., varié, e ; divers, se ; différent, e.

divertirse [ie/i], v. pr. irrég., se distraire, s'amuser.

dividir, v. t., diviser, partager.

divisar, v. t., apercevoir.

doble, adj., double.

doblegar, v. t., plier, soumettre.

doctor, a, n., docteur, doctoresse; (cf. **médico**)

documentación, n. f., documentation ; papiers d'identité.

doler [ue], v. i., avoir mal. **Me duelen las muelas,** j'ai mal aux dents.

domingo, n. m., dimanche.

dominio, n. m., domination. **Bajo el dominio,** sous la domination, l'emprise ; maîtrise, **el dominio del español.**

don, doña, n., anciennement réservé aux nobles, aujour-

d'hui marque de respect. S'emploie devant un prénom. **Don Eduardo, Doña Sofía.**

donde, adv. rel., où. **Dónde,** adv. interrog., où.

dormir [ue/u], v. t./i., dormir, endormir.

drama, n. m., drame.

duda, n. f., doute, hésitation. **Me entran dudas,** j'ai des doutes.

dudar, v. i., douter, hésiter.

dueño, a, n., maître, maîtresse ; propriétaire, **el dueño de la pensión,** (cf. **amo, a**)

dulce, n. m., gourmandise ; pl. bonbons, sucreries.

dulce, adj., doux (au goût) ; (cf. **suave,** au toucher).

dulzura, n. f., douceur.

duración, n. f., durée. **Una película de dos horas de duración,** un film qui dure deux heures.

durante, prép., pendant. **Durante la guerra** (cf. **cuando la guerra**) pendant la guerre.

durar, v. i., durer.

duro, n. m., pièce de monnaie de cinq pesetas.

duro, a, adj., dur, e. Souvent valeur adverbiale. **Pegar duro,** frapper fort.

E

echar, v. t., jeter, lancer, expulser. **Te echo de menos,** je m'ennuie de toi. **Echar una mano,** donner un coup de main.

echarse, a, v. pr., se mettre à. **Se echó a correr,** il se mit à courir.

edad, n. f., âge ; temps, époque. **La Edad Media,** le Moyen Age.

edificio, n. m., édifice, construction.

efecto, n. m., effet. **En efecto,** en effet.

eficacia, n. f., efficacité.

eficaz, adj., efficace.

egoísta, n. m. adj., égoïste.

ejecutar, v. i., exécuter.

ejecutivo, n. m., cadre d'entreprise.

ejemplar, adj., exemplaire.

ejemplo, n. m., exemple. **Poner un ejemplo,** donner un exemple.

ejercer, v. t., exercer.

ejército, n. m., armée.

elección, n. f., élection. **Ganar las elecciones,** gagner les élections. **Una elección difícil,** un choix difficile.

electricidad, n. f., électricité, (cf. **luz**).

elegante, adj., élégant, e.

elegir [i], v. t., élire ; choisir, (cf. **escoger**).

elemental, adj., élémentaire.

elogio, n. m., éloge.

embargo (sin embargo), loc. adv., cependant, toutefois.

embarque, n. m., embarquement.

embustero, a, adj., trompeur, euse, menteur, euse.

empeño, n. m., obstination, persévérance.

empeñarse (en algo), v. pr., s'entêter, s'obstiner.

empezar, [ie], v. t., commencer. **Empezar de nuevo,** recommencer.

emplear, v. t., employer.

emprender, v. t., entreprendre.

empresa, n. f., entreprise.

empujar, v. t., pousser. **Empujar la puerta.**

en, prép., nombreux emplois, (cf. gramm., § 27.2).

enamorado, adj., amoureux, se.

encaminarse, a, v. pr., se diriger vers.

encantado, a, adj., enchanté, e ; très heureux (en saluant qqn).

encantar, v. t., enchanter, ravir. **Me encanta leer,** j'adore lire.

encanto, n. m., charme.

encarcelar, v. t., emprisonner, incarcérer.

encargar, v. t., faire une commande; confier qqch. à qqn ; recommander à qqn. de faire qqch.

encender [ie], v. t., allumer.

encerrar [ie], v. t., enfermer.

encima, adv., au-dessus, en haut. **Encima de la mesa,** sur la table.

encogerse, v. pr., rétrécir, **la ropa se encoge. Encogerse de hombros,** hausser les épaules.

encontrar [ue], v. t., trouver. **Encontrarse con alguien,** rencontrer qqn.

encuentro, n. m., rencontre ; découverte.

enchufar, v. t., brancher, **enchufar la tele** ; fam. pistonner (qqn).

enemigo, a, adj. /n., ennemi, e.

enero, n. m., janvier.

enfadar, v. t., fâcher, ennuyer.

enfermedad, n. f., maladie.

enfermo, a, adj./n., malade.

enfocar, v. t., mettre au point (photo, ciné) ; envisager (une question).

enfoque, n. m., mise au point ; point de vue.

enfrentar, v. t., affronter, braver. **Enfrentarse con alguien.**

enfrente, adv., en face. **La casa de enfrente.**

engañar, v. t., tromper (au sens moral), n. p. c. avec **equivocarse,** faire une erreur.**engordar,** v. t., grossir ; engraisser (un animal). **Las pastas engordan,** les pâtes font grossir.

enhorabuena, n. f., félicitation. **Dar la enhorabuena,** faire (présenter) ses compliments ; adv., à la bonne heure.

enlace, n. m., liaison ; correspondance (trains) ; bretelle (autoroute).

enlazar, v. t., enlacer, lier ; relier (deux villes entre elles).

enredar, v. t., prendre au filet, embrouiller, emmêler, enchevêtrer ; mettre la discorde.

enredo, n. m., enchevêtrement, confusion ; mensonge ; intrigue.

ensalada, n. f., salade (hors-d'œuvre), (cf. **lechuga**).

ensanchar, v. t., élargir, agrandir.

enseguida, adv., immédiatement (peut s'écrire en deux mots).

enseñanza, n. f., enseignement. **Enseñanza media,** enseignement secondaire.

enseñar, v. t.enseigner, apprendre (qqch. à qqn) ; montrer. **¿Qué nos enseña el texto acerca de, respecto de...?,** que nous apprend le texte sur, au sujet de... ?

ensuciar, v. t., salir.

entablar, v. t., engager, entamer (débat, discussion).

entender [ie], comprendre (différent de **oír,** entendre). **Entender de matemáticas,** avoir des connaissances en mathématiques. **Dar a entender,** laisser entendre. **Me dio a entender que no vendría,** il me laissa entendre qu'il ne viendrait pas. **Los entendidos,** les connaisseurs.

enterarse (de algo) v. pr., apprendre qqch. **Enterarse de la noticia,** apprendre la nouvelle.

entonces, adv., alors, dans ces conditions.

entorno, n. m., environnement.

entrada, n. f., entrée. **Prohibida la entrada,** entrée interdite. **Sacar entradas,** prendre des billets (spectacle).

entraña, n. f., fond, essence d'une chose ; f. pl., entrailles.

entre, prép., entre ; parmi. **Entre mí,** en moi-même.

envidioso, a, adj., envieux, se ; jaloux, se.

entregar, v. t., livrer, remettre.

entresacar, v. t., choisir, extraire (une idée d'un texte par ex.). **Entresaque usted del texto...**

entretanto, adv., en attendant, pendant ce temps.

entretener [ie], irrég.,v. t., amuser, distraire ; faire prendre patience ; occuper, passer le temps.

entretenerse [ie], irrég.,v. pr., s'attarder, se distraire.

entrevista, n. f., entrevue, interview.

envejecer, irrég., v. i., vieillir.

envolver, [ue], v. t., part. pass. irr., **envuelto,** envelopper.

equipaje, n. m., les bagages.

equipo, n. m., équipe (sport) ; équipement.

equivocación, n. f., erreur ; quiproquo (théâtre).

equivocarse, v. pr., se tromper, faire une erreur.

esbozar, v. t., ébaucher, esquisser.

escama, n. f., écaille.

escapar, v. i., échapper. **Escapar de un peligro,** échap-

per au danger.

escapatoria, n. f., fuite ; moyen d'échapper ; échappatoire.

escaso, a, adj., rare, peu abondant.

escena, n. f., scène.

escenario, n. m., scène (de théâtre). **En el escenario,** sur scène.

escoger, v. t., choisir, (cf. **elegir**).

esconder, v. t., cacher, dissimuler.

escribir, v. t., part. pass. irr., **escrito,** écrire.

escuchar, v. t., écouter, **escuchar música.**

escuela, n. f., école.

escueto, a, adj., dégagé, ée, débarrassé, ée, net, nette ; sec, sèche ; strict, e.

escultor, n. m., sculpteur.

escurrir, v. t./i., égoutter ; couler goutte à goutte.

escurrirse, v. pr., s'échapper, s'éclipser, disparaître.

esfuerzo, n. m., effort.

eslogan, n. m., slogan.

espacio, n. m., espace. **Ocupar espacio,** prendre de la place. **Por espacio de una hora,** en l'espace d'une heure.

espalda, n. f., dos. **A espaldas,** par derrière, traîtreusement. **De espaldas,** de dos.

espantar, v. t., faire peur, effrayer.

espantoso, a, adj., épouvantable, effrayant, e.

especial, adj., spécial, e.

espectáculo, n. m., spectacle.

espejo, n. m., miroir.

espera, n. f., attente. **Sala de espera,** salle d'attente. **En espera de,** dans l'attente de.

esperanza, n. f., espoir.

esperar, v. t., attendre.

espeso, a, adj., épais, sse.

espíritu, n. m., esprit.

espléndido, a, adj., splendide, magnifique.

esposo, a, n. époux, se.

espuma, n. f., écume ; mousse.

esquiar, v. i., skier.

esquina, n. f., coin (d'une maison, d'une rue). **Doblar la esquina,** tourner le coin de la rue.

establecer, v. t., établir, fonder.

estación, n. f., saison ; gare.

estado, n. m., état. **Estar en mal estado,** être en mauvais état. **Jefe de Estado,** chef d'État.

estancia, n. f., séjour (qqpart) ; mais **sala de estar, salón,** salle de séjour.

estanco, n. m., bureau de tabac.

estaño, n. m., étain.

estar, irrég., v. i. (gramm., § 33.0 pour les principaux emplois). **Estar para salir,** être sur le point de sortir. **No estar para bromas,** ne pas avoir envie de plaisanter. **Estar por hacer,** être encore à faire.

estatuto, n. m., statut.

estilo, n. m., style.

estorbar, v. t. gêner, empêcher.

estrecho, a, adj. étroit, e.

estremecer, v. t., faire trembler, faire frémir.

estrella, n. f., étoile ; star (cinéma).

estrellarse (contra, en) v. pr., s'écraser. **El huevo se estrelló en el suelo y la tomate contra la pared,** l'œuf s'écrasa sur le sol et la tomate contre le mur.

estribillo, n. m., refrain ; fam. rengaine.

estribar (en), v. i., s'appuyer sur, reposer sur.

estrofa, n. f., strophe.

estropear, v. t., abîmer, détériorer.

estudiar, v. t., étudier.

Europa, n. f., Europe.

europeo, a, adj., européen, enne. **Somos europeos,** nous sommes européens. **La Comunidad Europea,** la Communauté Européenne.

exagerar, v. t., exagérer.

examen, n. m., examen.

examinarse, v. pr., passer un examen.

exigir, v. t., exiger.

existir, v. i., exister.

éxito, n. m., succès. **Una película de mucho éxito,** un film à succès.

expediente, n. m., dossier. **Abrir, instruir, tramitar un expediente,** ouvrir, instruire, gérer un dossier.

explicar, v. t., expliquer

explotar, v. t., exploiter.

explotación, n. f., exploitation.

exponer [ue], v. t. part. pass. irr., **expuesto,** exposer.

expresar, v. t., exprimer une idée, n. p. c. avec **exprimir.**

expresión, n. f., expression.

exprimir, v. t., presser (un fruit), n. p. c. avec **expresar.**

extensión, n. f., extension ; étendue (espace, temps).

exterior, adj./n. extérieur, e.

extinguirse, v. pr., s'éteindre, disparaître.

extranjero, a, adj./n. étranger, ère (à un pays), n. p. c. avec **extraño.**

extrañar, v. t., étonner, surprendre. **Me extraña verte aquí,** cela me surprend de te voir ici ; regretter (**echar de menos**) ; envier.

extraño, a, adj., étrange, surprenant, e.

extraviar, v. t., égarer.

F

fábrica, n. f., usine.

fácil, adj., facile. **Fácil de comprender,** facile à comprendre.

faena, n. f., travail. **Las faenas del campo,** les travaux des champs.

falda, n. f., jupe.

falso, a, adj., faux, fausse.

falta, n. f., manque ; faute (n. p. c. avec **culpa**). **Hacer falta,** falloir ; être nécessaire, (cf. gramm., § 32.0).

faltar, v. i., manquer, faire défaut. **No faltaba más,** il ne manquait plus que cela. **Falta un mes para Navidad,** il reste un mois avant Noël.

fama, n. f., renommée, réputation.

familia, n. f., famille.

famoso, a, adj., célèbre, renommé, e.

farmacia, n. f., pharmacie.

fastidiar, v. t., ennuyer ; embêter.

favor, n. m., faveur. **Hacer el favor de,** avoir l'obligeance de. **Por favor,** s'il vous plaît.

favorecer, irrég.,v. t., favoriser, avantager.

fe, n. f., foi ; promesse, serment.

febrero, n. m., février.

fecha, n. f., date. **Hasta la fecha,** jusqu'à ce jour.

felicidad, n. f., bonheur ; pl., **¡Felicidades!,** Meilleurs Vœux ! (Bonne Année, heureux événement).

feliz, adj., heureux, se (généralement employé avec le verbe **ser**).

feo, a, adj., laid, de ; désagréable.

feria, n. f., foire ; fête foraine. **Una feria de muestras,** une foire-exposition.

ferrocarril, n. m., chemin de fer (**RENFE**, Red Nacional de los Ferrocarriles Españoles).

ficticio, a, adj., fictif, ve.

fiel, adj., fidèle, loyal, e.

fiera, n. f., fauve, bête féroce.

fiesta, n. f., fête, réjouissance. **Día festivo,** jour férié.

fijar, v. t., fixer. **Fijar la atención.**

fijarse, v. pr., remarquer, considérer. **Fijarse en un detalle.**

fila, n. f., file, rangée, rang. **Una obra de segunda fila,** une œuvre médiocre.

filete, n. m., filet (boucherie) ; escalope ou bifteck.

fin, n. m., fin, **fin de semana. A fines del mes,** à la fin du mois. **Por fin,** enfin. **Al fin y al cabo,** au bout du compte. But, pl., **los fines. Lograr sus fines,** arriver à ses fins.

final, n. m., fin **Quedarse hasta el final,** rester jusqu'à la fin. **A finales de junio,** à la fin juin.

finca, n. f., propriété (en général à la campagne).

fingir, v. t., feindre.

firmar, v. t., signer.

flaco, a, adj., maigre, mince.

flor, n. f., fleur.

fluir, irr. v. i., couler, s'écouler ; passer.

fomentar, v. t., favoriser, encourager ; développer.

fonda, n. f., auberge ; buffet (de la gare).

fondo, n. m., fond. **En el fondo,** au fond.

forastero, a, adj./n., étranger, ère (d'une ville à l'autre).

fósforo, n. m., allumette (cf. **cerilla,** n. f.).

fotografía, n. f., photographie.

fotógrafo, n. m., photographe.

fracasar, v. i. échouer.

fraile, n. m., moine, frère.

franco, a, adj., franc, che.

franquear, v. t., affranchir ; franchir.

frecuente, adj., fréquent, te.

freno, n. m., frein.

frente, n. f., front (visage).

frente, n. m., front (combat, guerre).

frente a, prép., face à.

fresa, n. f., o **fresón,** n. m., fraise.

frijol, n. m., haricot rouge.

frío, a, adj./n. froid, e.

fruta, n. f., fruit. **La naranja es una fruta,** l'orange est un fruit.

fruto, n. m., fruit, **el fruto del trabajo.**

fuego, n. m., feu.

fuente, n. f., source, fontaine ; plat (pour y déposer des aliments).

fuera, adv., dehors. **Fuera de peligro,** hors de danger. **Fuera de aquí,** hors d'ici. **Estar fuera de sí,** être hors de soi.

fuerte, adj., fort, e.

fuerza, n. f., force ; violence.

fugarse, v. pr., s'enfuir.

función, n. f., fonction ; spectacle.

fundar, v. t., fonder. **Fundarse en,** s'appuyer sur.

G

gafas, n. f., pl., lunettes.

galleta, n. f., biscuit.

gallina, n. f., poule.

gallo, n. m., coq.

gana, n. f., envie. **Me entran ganas de bañarme,** j'ai envie de me baigner. **No me da la gana,** je n'ai pas envie. **De buena gana, de mala gana,** de bon gré, de mauvais gré.

ganado, n. m., bétail.

ganancia, n. f., gain ; bénéfice.

ganar, v. t., gagner. **Ganarse la vida escribiendo,** gagner sa vie en écrivant.

garganta, n. f., gorge.

gastar, v. t., dépenser ; user.

gasto, n. m., dépense, pl., **gastos,** frais. **Gastos de viaje,** frais de voyage.

gasolina, n. f., essence.

gato, n. m., chat ; cric (pour lever une voiture).

gavilán, n. m., épervier.

generar, v. t., produire, engendrer, générer. **Las industrias generan residuos,** les industries produisent des déchets.

género, n. m., genre, sorte ; marchandise (dans un magasin).

genio, n. m., génie ; caractère. **Tener buen o mal genio,** avoir bon ou mauvais caractère.

gente, n. f., les gens. **Lo cuenta la gente de aquí,** c'est ce que racontent les gens d'ici.

gimnasia, n. f., gymnastique.

girar, v. t., tourner.

giro, n. m., tournure (idiomatique) ; virement, **un giro postal.**

globo, n. m., ballon ; bulle (de B.D.).

gloria, n. f., gloire ; ciel, paradis. **Estar en la gloria,** être aux anges. **Saber a gloria,** avoir un goût exquis.

gobernar [ie], v. t., gouverner.

gobierno, n. m., gouvernement.

golosina, n. f., gourmandise.

golpe, n. m., coup ; putsch. **De golpe,** soudain, tout à coup.

golpear, v. t., frapper, donner des coups.

gordo, a, adj./n. n. m., gros, grosse. **Me tocó el gordo,** j'ai touché le gros lot.

gota, n. f., goutte.

gótico, a, adv., gothique.

gozar, v. t./i., jouir de, posséder.

grabar, v. t., enregistrer. **Grabar un programa,** enregistrer une émission.

gracia, n. f., grâce. **Tener gracia,** être drôle, charmant.

gracias, n. f., pl., merci.

gracioso, a, adj., divertissant, e, amusant, e.

gradación, n. f., gradation, progression.

grado, n. m., degré. **Cinco grados bajo cero,** cinq degrés en dessous de zéro. **De buen o de mal grado,** bon gré, mal gré.

grande, adj., grand, e. S'apocope en **gran,** (cf. gramm. § 8.3).

granizo, n. m., grêle.

granja, n. f., ferme.

grano, n. m., grain, graine ; bouton (sur la peau). **Ir al grano,** aller droit au but.

grato, a, adj., agréable, aimable.

gringo, n. m., péj., yankee (nord-américain).

grito, n. m., cri.

gritar, v. t., crier.

guapo, a, adj., beau, belle ; élégant, e ; bien mis, e.

guaraní, n. m./adj., au Paraguay, unité de monnaie ; important groupe ethnique indien qui s'étend de l'Orénoque au Río de la Plata.

guarda, n. m., garde, vigile ; f., **el Ángel de la Guarda,** l'ange gardien.

guardar, v. t., garder ; ranger (dans un meuble).

guardería, n. f., crèche.

guardia, n. m., garde, agent de police. **La guardia civil,** la gendarmerie ; n. f., garde (armée).

guardián, ana, n., gardien, ne.

guía, n. m., guide (d'un musée) ; n. f., guide, indicateur, plan d'une ville par exemple. **La guía telefónica,** l'annuaire téléphonique.

guisar, v. t., cuisiner, préparer un plat.

gustar, v. t./i., goûter, plaire. **Me gusta el chocolate,** j'aime le chocolat (gramm. § 15.0).

gusto, n. m., goût. **Estar a gusto,** être à l'aise. **Dar gusto,** faire plaisir.

H

haber, irrég., auxiliaire, (gramm. § 34.0).

hábil, adj., habile. **Día hábil,** jour ouvrable.

habitación, n. f., pièce (d'appartement).

hablar, v. t., parler. **¡Ni hablar!,** pas question !

hacer, irrég., v. t. part. pass. irr., **hecho,** faire ; v. impers., **hace un mes,** il y a un mois.

hacerse, irrég., v. pr., devenir, **el niño se hizo mozo. Hacerse el sordo,** faire le sourd.

hacia, prép. vers., en direction de, n. p. c. avec **hasta.**

hacienda, n. f., ferme, propriété ; fortune. **Ministerio de Hacienda,** ministère des Finances.

hallar, v. t., trouver, rencontrer (par hasard ou non).

hambre, n. f., faim ; famine.

harina, n. f., farine.

hasta, prép., jusqu'à, n. p. c. avec **hacia; même,** y compris (incluso). **Hasta los humanos...,** même les humains...

hay que, oblig. imp., il faut (gramm. § 32.2).

hazaña, n. f., exploit.

hecho, n. m., fait. **De hecho,** en fait. **El que, el hecho de que** (généralement suivi du subjonctif), le fait que.

helado, n. m., glace (à manger). **Un helado de vainilla.**

helar [ie], v. t., glacer, geler.

hembra, n. f., femelle.

heredar, v. t./i., hériter, **heredar una casa.**

herencia, n. f., héritage ; hérédité.

herida, n. f., blessure.

herir [ie/i], v. t., blesser.

hermano, a, n. frère, sœur.

hermoso, a, adj., beau, belle

hermosura, n. f., beauté.

herramienta, n. f., outil ; pl., outillage.

hervir [ie/i], v. i./t., bouillir. **Está hirviendo el agua,** l'eau bout ; grouiller, **la calle hierve de gente,** la rue grouille de monde. Faire bouillir.

hielo, n. m., glace, glaçon.

hierro, n. m., fer.

hijo, fils ; enfant. **Una familia de tres hijos,** une famille de trois enfants.

hilar, v. t., filer. **Hilar la lana,** filer la laine.

hilo, n. m., fil ; filet (pour un liquide). **Un hilo de agua,** un filet d'eau.

hincapié, n. m., **hacer hincapié en,** insister sur.

hinchar, v. t., gonfler, enfler.

Hispanoamérica, n. f., Amérique de langue espagnole.

hispanoamericano, a, adj., hispano-américain, caine.

historieta, n. f., une bande dessinée.(cf. **cómic, tebeo)**

hogar, n. m., foyer.

hoja, n. f., feuille ; lame (d'un couteau).

hola, interj., manière courante et familière de saluer qqn., salut !

hombre, n. m., homme ; interj., tiens, allons-donc... voyons...

hombro, n. m., épaule. **Llevar a hombros,** porter sur les épaules.

hondo, a, adj., profond, de.

honra, n. f., honneur.

hora, n. f., heure. **Son las tres,** il est trois heures.

horno, n. m., four.

hortaliza, n. f., légume, (cf. **verdura)**.

hoy, adv., aujourd'hui. **Hoy en día,** de nos jours. **Desde hoy en adelante,** à partir d'aujourd'hui.

hueco, a, adj./n., creux, euse. Creux, vide, cavité; ouverture, **el hueco de la ventana,** l'ouverture de la fenêtre.

huelga, n. f., grève. **Estar en huelga.**

huerta, n. f., plaine fertile irriguée. **La huerta de Valencia.**

huerto, n. m., jardin potager.

hueso, n. m., os ; noyau (d'un fruit).

huésped, da, n. m../f., hôte, esse ; invité, e.

huevo, n. m., œuf. **Poner un huevo,** pondre un œuf.

huir, irrég.,v. i., fuir. **Huir del peligro,** fuir le danger.

humear, v. i., fumer. **El hogar donde la leña humea,** le foyer où fume le bois ; exhaler une vapeur.

húmedo, a, adj., humide.

humilde, adj., humble.

humo, n. m., fumée.

hundir, v. t., enfoncer ; pr., s'affaisser, couler (un navire).

Iberoamérica, n.f., Amérique de langue espagnole et portugaise.

I

ida, n. f., aller. **Ida y vuelta,** aller et retour.

idea, n. f., idée ; intention. **Llevar idea de,** avoir l'intention de.

idioma, n. m., langue (parlée ou non).

iglesia, n. f., église.

igual, adj., égal, e ; identique. **Me da igual,** ça m'est égal.

imagen, n. f., image ; statue (religieuse).

imaginar, v. t., imaginer.

impedir[i], irrég., v. t., empêcher.

ímpetu, n. m., impétuosité, élan.

imponer, irrég. v. t. part. pass. irr., **impuesto,** imposer.

importar, v. i., importer. **Ne me importa,** peu m'importe, ça m'est égal.

impreso, n. m., imprimé.

imprescindible, adj., indispensable.

improviso (de), loc. adv., à l'improviste ; inopinément. **Llegar de improviso,** arriver à l'improviste.

impulso, n. m., impulsion, élan.

incluir, v. t., inclure.

incluso, a, adj./adv., inclus, e ; y compris, même (**hasta**).

incomunicado, a, adj., privé de communications, isolé, e (aislado).

incorporarse, v. pr., se redresser, s'asseoir ; rejoindre, **incorporarse a su regimiento.**

indiano, a, n., qui revient, souvent riche, d'Amérique.

indicar, v. t., indiquer.

índice, n. m., index.

individuo, n. m., individu.

individuo, a, adj., individuel, elle.

industria, n. f., industrie.

industrial, adj., industriel, elle.

inesperado, a, adj., inespéré, ée.

infeliz, adj., malheureux, euse.

inferior, ora, adj./n., inférieur, eure.

infiel, adj./n., infidèle.

infierno, n. m., enfer.

inflación, n. f., inflation ; gonflement.

influencia, n. f., influence.

influir (en), irrég.,v. i., influencer.

información, n. f., information.

informar, v. t., informer.

informe, n. m., renseignement, information ; rapport.

ingeniero, n. m., ingénieur.

ingenio, n. m., génie ; esprit ; sucrerie (plantation et raffinerie).

ingenuidad, n. f., ingénuité, naïveté ; sincérité.

ingenuo, a, adj., ingénu, e, naïf, ive ; sincère.

ingresar, v. t./i., entrer, rentrer (en parlant des choses et surtout de l'argent), **ingresar dinero en un banco** ; gagner, **ingresar diez mil ptas al mes;** entrer (dans une école, un régiment).

ingreso, n. m., entrée ; rentrée de fonds.

inicial, adj., initial, e.

iniciar, v. t., commencer ; initier.

injusticia, n. f., injustice.

injusto, a, adj., injuste.

inmenso, a, adj., immense.

inmigración, n. f., immigration.

inmigrante, n./adj., immigrant, e.

innumerable, adj., innombrable.

inocencia, n. f., innocence.

inocente, n./adj., innocent, e ; ignorant, e ; naïf, ve.

inquietar, v. t., inquiéter.

inquisición, n. f., enquête, recherche ; **la Inquisición,** le tribunal de l'Inquisition.

inscribir, v. t., part. pass. irr., **inscrito,** inscrire.

inscripción, n. f., inscription.

insecto, n. f., insecte.

inservible, adj., inutilisable.

insignificante, adj., insignifiant.

insistencia, n. f., insistance.

insistir, v. i., insister.

instante, n. m., instant.

instinto, n. m., instinct.

instituto, n. m., lycée.

insulto, n. m., insulte.

insuperable, adj., qu'on ne peut surpasser ; incomparable.

insurrección, n. f., insurrection.

inteligencia, n. f., intelligence.

inteligente, adj., intelligent.

intención, n. f., intention.

intensidad, n. f., intensité.

intenso, a, adj., intense.

intentar, v. t., tenter, essayer, (cf. **tratar de**). **Intentar hacer algo.**

intercambio, n. m., échange mutuel.

interés, n. m., intérêt.

interesante, adj., intéressant, e.

interesar, v. t., intéresser. **Interesarse por,** v. pr., s'intéresser à.

interior, n./adj., intérieur, eure.

intermedio, a, adj., intermédiaire.

interpretar, v. t., interpréter.

interrumpir, v. t., interrompre.

inti, n. m., au Pérou unité de monnaie ; nom que les Incas donnaient au Soleil.

intranquilo, a, adj., inquiet, ète.

intrincado, a, adj., enchevêtré, e, embrouillé, e.

introducción, n. f., introduction.

intuir, irrég., v. t., connaître par intuition ; pressentir.

inútil, adj., inutile.

invadir, v. t., envahir.

invasor, ora, n. adj., envahisseur, euse.

inventar, v. t., inventer.

invernadero, n. m., serre ; résidence d'hiver.

inverosímil, adj., invraisemblable.

inversión, n. f., inversion ; investissement.

invertir [ie/i], v. t., inverser ; investir.

investigación, n. f., investigation, enquête, recherche.

invierno, n. m., hiver.

ir, irrég.,v. i., aller. **Ir a España,** aller en Espagne. **Ir por agua,** aller chercher de l'eau. **Irse de viaje,** partir en voyage. Etre, **el reloj va atrasado,** l'horloge retarde (**Estar,** gramm. § 49.2).

ira, n. f., colère, courroux.

ironía, n. f., ironie.

irónico, a, adj., ironique.

irreal, adj., irréel, elle.

irregular, adj., irrégulier, ère.

irrisión, n. f., dérision.

irrisorio, a, adj., dérisoire.

isla, n. f., île.

izquierda, n. f., gauche. **A la izquierda,** à gauche.

J

jabón, n. m., savon.

jactarse (de), v. pr., se vanter, se targuer.

jadeante, adj., haletant, e.

jaleo, n. m., tapage, raffut.

jamás, adj., jamais, (cf. **nunca**)

jamón, n. m., jambon. **Un bocadillo de jamón,** un sandwich au jambon.

jarra, n. f., pichet.

jarro, n. m., broc ; pot.

jaula, n. f., cage.

jazmín, n. m., jasmin.

jefe, n. m., chef.

jerarquía, n. f., hiérarchie.

jinete, n. m., cavalier.

jocoso, a, adj., plaisant ; bouffon.

jornada, n. f., distance parcourue en une journée; voyage ; acte (théâtre).

jornal, n. m., travail d'un jour ; salaire journalier.

joroba, n. f., bosse.

jota, n. f., nom de la lettre **j** ; danse régionale.

joven, n./adj., jeune homme, jeune fille ; jeune.

joya, n. f., bijou, joyau.

jubilado, a, n./adj., retraité, e.

jubilarse, v. pr., prendre sa retraite.

judío, a, n./adj., juif, ve.

juego, n. m., jeu.

jueves, n. m., jeudi.

juez, n. m., juge ; arbitre.

jugar [ue], v. i., jouer ; fonctionner.

jugo, n. m., jus ; suc.

juicio, n. m., jugement ; raison ; avis, opinion ; bon sens. **A mi juicio,** à mon avis.

juguete, n. m., jouet, joujou.

julio, n. m., juillet.

junio, n. m., juin.

junta, n. f., assemblée, conseil ; réunion ; junte.

juntar, v. t., joindre, unir, assembler. **Juntarse con,** v. pr., rejoindre (quelqu'un).

junto, a, adv., près de.

justicia, n. f., justice.

justificar, v. t., justifier.

justo, a, adj., juste.

juventud, n. f., jeunesse.

juzgar, v. t., juger.

K

kilómetro, n. m., kilomètre.

L

labio, n. m., lèvre. **La barra de labios,** le rouge à lèvres.

labor, n. f., travail, labeur ; labour ; ouvrage.

laboral, adj., relatif au travail. **Un conflicto laboral.**

labrador, a, n./adj., cultivateur, trice ; paysan, anne ; laboureur.

labrar, v. t., travailler (la pierre etc.) ; labourer ; faire des ouvrages.

ladera, n. f., pente ; versant.

lado, n. m., côté. **Al lado de,** à côté de.

ladrar, v. i., aboyer.

ladrillo, n. m., brique.

ladrón, ona, n./adj., voleur, euse.

lágrima, n. f., larme. **Llorar a lágrima viva,** pleurer à chaudes larmes.

lamentar, v. t., regretter ; déplorer.

lámpara, n. f., lampe.

lana, n. f., laine.

lance, n. m., incident ; situation critique ; coup de théâtre.

lápiz, n. m., crayon.

largo, a, adj., long, longue ; généreux, euse. **Tres metros de largo,** trois mètres de long. **A lo largo de,** tout au long de.

lástima, n. f., pitié, compassion. **Dar lástima,** faire pitié ; plainte ; dommage. **Es una lástima que** + subj., il est dommage que.

lastimar, v. t., blesser, faire du mal.

lata, n. f., boîte de conserve ; fer blanc. **Dar la lata,** ennuyer, raser (fam.).

latido, n. m., battement du cœur.

latifundio, n. m., vaste propriété rurale.

latifundista, n. m., grand propriétaire terrien.

látigo, n. m., fouet.

latinoamericano, adj., latino-américain, e.

latir, v. i., battre (cœurs, artères…).

lavar, v. t., laver. **Lavarse las manos,** se laver les mains.

lazo, n. m., nœud ; lien.

lección, n. f., leçon.

lectura, n. f., lecture.

leche, n. f., lait.

lechuga, n. f., laitue ; salade verte.

leer, v. t., lire.

legendario, a, adj., légendaire.

legible, adj., lisible.

legislativo, a, adj., législatif, ve.

legítimo, a, adj., légitime.

legumbre, n. f., légume.

lejanía, n. f., lointain.

lejano, a, adj., lointain, e.

lejos, adv., loin. **A lo lejos,** au loin.

lema, n. m., devise.

lengua, n. f., langue (organe) ; langue, idiome (**idioma**) langage.

lentitud, n. f., lenteur.

lento, a, adj., lent, e.

leña, n. f., bois de chauffage.

leñador, ora, n., bûcheron, onne.

león, n. m., lion.

letra, n. f., lettre ; écriture. **La letra de una canción,** les paroles d'une chanson.

letrero, n. m., écriteau, pancarte.
levantamiento, n. m., levée ; élévation ; soulèvement.
levantar, v. t., lever, élever ; soulever. Levantarse, v. pr., se lever, se soulever, (cf. rebelarse).
levante, n. m., levant, orient ; vent d'est ; Levante (région d'Espagne).
leve, adj., léger, ère.
ley, n. m., loi ; titre d'un alliage. Oro de ley, or contrôlé.
leyenda, n. f., légende.
liar, v. t., lier, attacher. Liar un cigarrillo, rouler une cigarette.
libertad, n. f., liberté.
libertar, v. t., délivrer ; mettre en liberté.
libre, adj., libre. Libre de tasas, exempt de taxes.
librero, a, n., libraire.
libro, n. m., livre.
licencia, n. f., permission ; licence (liberté abusive).
lienzo, n. m., tableau, toile.
ligereza, n. f., légèreté.
ligero, a, adj., léger, ère.
límite, n. m., limite.
limosna, n. f., aumône. Dar o pedir limosna, faire ou demander l'aumône.
limpiabotas, n. m., cireur de chaussures.
limpiar, v. t., nettoyer.
limpieza, n. f., propreté ; nettoyage. Hacer la limpieza, faire le ménage.
limpio, a, adj., propre ; net, ette ; nettoyé, e.
lindo, a, adj., joli, e ; gentil, ille ; gracieux, euse.
línea, n. f., ligne.
lío, n. m., paquet ; imbroglio ; situation inextricable. Estar en un lío, être dans de beaux draps.
lírico, a, adj., lyrique.
lirismo, n. m., lyrisme.
lisonja, n. f., flatterie.
lisonjear, v. t., flatter.
listo, a, adj., ser listo, a, être intelligent, e. Estar listo a, être prêt, e.

LL, voir entre l et m.

localizar, v. t., situer ; (part ext.), trouver.
loco, a, adj., fou, folle.
locura, n. f., folie.
lodo, n. m., boue.
lógico, a, adj., logique.
lograr, v. t., réussir, lograr hacer, réussir à faire ; obtenir, lograr un premio, obtenir un prix (cf. conseguir).
loro, n. m., perroquet.
lotería, n. f., loterie.
lozano, a, adj., vigoureux, euse ; luxuriant, e.
lucidez, n. f., lucidité.
lúcido, a, adj., lucide ; brillant, e.
lucir, v. i., briller ; lucirse, v. p., se distinguer.
lucha, n. f., lutte.
luchar (con, contra, por), v. i., lutte (avec, contre, pour).
luego, adv., immédiatement ; ensuite. Desde luego, évidemment.
lugar, n. m., lieu ; village (cf. pueblo), place (occupée par qqch. ou qqn). En lugar de, au lieu de.
lujo, n. m., luxe.
lumbre, n. f., feu, éclat, lumière.
luna, n. f., lune ; miroir, glace. Armario de luna, armoire à glace.
lunes, n. m., lundi.
luto, n. m., deuil ; douleur. Estar de luto, être en deuil.
luz, n. m., lumière ; électricité. Cortar la luz, couper le courant.
llama, n. f., flamme ; n. m., ou f., lama.
llamada, n. f., appel.
llamar, v. t., appeler ; nommer ; invoquer.
llano, a, adj., plat, e ; simple ; naturel ; n. m., plaine.
llanto, n. m., pleurs, larmes ; chant funèbre, complainte.
llanura, n. f., plaine.

llave, n. f., clé ; robinet.
llegada, n. f., arrivée.
llegar, v. i., arriver ; parvenir ; atteindre.
llenar, v. t., emplir, remplir.
lleno, a, adj., plein, e ; rempli, e.
llevar, v. t., porter ; emporter. Llevar al cine, emmener au cinéma. Llevarse bien o mal, bien ou mal s'entendre. Llevar la contraria, contredire. Etre depuis, faire, lleva tres horas trabajando, ça fait trois heures qu'il travaille (gramm. § 49.4).
llorar, v. t./i., pleurer.
llover [ue], v. imp., pleuvoir.
lluvia, n. f., pluie.

M

macho, n. m., mâle.
madera, n. f., bois (matière). Tener madera de, avoir l'étoffe de.
madre, n. f., mère.
madrileño, a, adj., madrilène.
madrugada, n. f., aube, point du jour. De madrugada, de bon matin.
madrugar, v. t., se lever tôt.
maduro, a, adj., mûr, e, à point. Estar maduro.
madurar, v. t./i. mûrir ; faire mûrir.
maestro, a, n., maître, maîtresse.
magia, n. f., magie.
mágico, a, adj., magique.
magnífico, a, adj., magnifique.
mago, n. m., mage.
maíz, n. m., maïs.
mal, n. m., mal. El bien y el mal, le bien et le mal.
mal, adv., mal. No está mal, ce n'est pas mal.
maldad, n. f., méchanceté ; mauvaise action.
maldición, n. f., malédiction.
maleta, n. f., valise.
malgastar, v. t., gaspiller, dissiper.
malo, a, adj., mauvais, e ; malade. Ser malo, être méchant. Estar malo, être malade.
manantial, n. m., source.
mancha, n. f., tache ; déshonneur.
manchar, v. t., tacher, salir.
mandar, v. t., ordonner ; commander ; envoyer. Mandar hacer, faire faire..
manejar, v. t., manier.
manera, n. f., manière, façon.
manifestar [ie], v. t., manifester ; déclarer.
manifiesto, a, adj., manifeste, évident, e. Poner de manifiesto, mettre en évidence.
mano, n. m., main. Mano de obra, main d'œuvre.
mansedumbre, n. f., mansuétude.
manta, n. f., couverture .
mantel, n. m., nappe.
mantener [ie], irrég., v. t., maintenir ; subvenir aux besoins ; nourrir.
mantequilla, n. f., beurre.
manzana, n. f., pomme.
mañana, n. f., matin. De mañana, très tôt. Por la mañana, au cours de la matinée. A la mañana siguiente, al día siguiente, le lendemain.
mañana, n. m., avenir, futur.
mañana, adv., demain. Mañana por la mañana, demain matin. Hasta mañana, à demain. Pasado mañana, après demain.
mapa, n. m., carte géographique.
máquina, n. f., machine.
mar, n. m./f., mer. La mar de, beaucoup de.
maravilla, n. f. merveille ; émerveillement.
maravillar, v. t., émerveiller ; étonner.
maravilloso, a, adj., merveilleux, euse.
marcar, v. t., marquer. Marcar un número, composer un numéro pour téléphoner.
marcha, n. f., marche; allure.
marcha(s), n. t. pl., vitesse(s) d'une voiture. Primera, se-

gunda, tercera, cuarta, quinta marcha ; marcha atrás. Cambiar de marcha.
marchitar, v. t., flétrir, faner.
marco, n. m., cadre.
marear, v. t./i., faire tourner la tête, donner mal au cœur. Marearse, v. pr., avoir le mal de mer, le vertige, mal au cœur.
mareo, n. m., mal de mer ; étourdissement, vertige.
margen, n. m., ou f., bord, rive ; marge. Al margen de, en marge de.
marido, n. m., mari, époux.
marinero, n. m., marin ; matelot.
mariposa, n. f., papillon.
marisco, n. m., fruit de mer.
mármol, n. m., marbre.
martes, n. m., mardi.
martillo, n. m., marteau. Un martillazo, un coup de marteau.
marzo, n. m., mars.
mas, conj., mais, (cf. pero).
más, adv., plus, davantage.
masa, n. f., masse ; pâte. En masa, en masse.
máscara, n. f., masque.
matanza, n. f., meurtre ; tuerie ; abattage.
matar, v. t., tuer ; abattre.
materia, n. f., matière. Materia prima, matière première.
matiz, n. m., nuance ; pl., matices.
matrícula, n. f., inscription. Pagar la matrícula, payer son inscription. Immatriculation (d'un véhicule), plaque, numéro d'immatriculation. Un coche con matrícula extranjera, une voiture immatriculée à l'étranger.
matricularse, v. pr., s'inscrire (au collège, lycée, université).
matrimonio, n. m., couple ; mariage.
mayo, n. m., mai.
mayor, adj., plus grand, plus âgé ; majeur, important. Mi hermana mayor, ma sœur aînée. Mayor de edad, majeur, e (âge).
mayoría, n. f., majorité. Mayoría de edad, majorité (âge).
mecánico, n. m., mécanicien.
mecer, v. t., bercer ; balancer.
mechero, n. m., briquet.
media, n. f., bas de femme. Las medias de seda, les bas de soie ; moyenne. La media horaria.
mediados (a), adv., a mediados de Julio, à la mi-juillet.
mediano, a, moyen, enne ; médiocre.
mediante, prép., moyennant, au moyen de.
medicina, n. f., médecine.
médico, n. m., médecin.
medida, n. f., mesure. A medida que, au fur et à mesure que.
medio, adj., demi, e. Media hora, demi-heure ; moyen, enne. La clase media, la classe moyenne. A medias, à moitié.
medio, n. m., milieu ; moyen ; compromis ; adv., à demi. Medio muerto, à demi-mort.
mediodía, n. m., midi.
medir [i], v. t., mesurer.
mediterráneo, a, adj., méditerranéen, enne. El Mediterráneo, la Méditerranée.
mejilla, n. f., joue.
mejor, adj., meilleur, e ; plus beau, belle ; de plus de valeur. Es mejor que sigamos, il vaut mieux que nous continuions. A lo mejor, peut-être ; adv., mieux ; plutôt ; tant mieux.
mejorar, v. t., améliorer ; rendre meilleur. Mejorarse, se rétablir.
mejora, n. f., amélioration.
memoria, n. f., mémoire. De memoria, par cœur.
mencionar, v. t., mentionner.
menester, n. m., besoin ; nécessité. Es menester, il faut, (cf. es necesario, hace falta, gramm. § 32.0).
menor, adj., plus petit, e ; moindre ; plus jeune. Mi hermana menor, ma petite sœur. Menor de edad, mineur, e (âge).

menos, adv., moins. **Menos libros**, moins de livres. **Menos que tú**, moins que toi. **Mucho menos**, bien moins. **Al menos, por lo menos**, au moins. **Menos mal**, heureusement ; prép. ; sauf, excepté. **Todo menos eso**, tout sauf ça.

mente, n. f., esprit ; entendement.

mentir [ie/i], v. i., mentir.

mentira, n. f., mensonge. **Parece mentira**, c'est incroyable.

menudo, a, adj., menu, petit. **¡Menuda paliza me dio!**, quelle raclée il m'a donnée ! (fam.) **A menudo**, souvent.

mercado, n. m., marché.

mercancía, n. f., marchandise.

merecer, v. t., mériter.

merendar [ie], v. i., prendre son goûter.

merienda, n. f., goûter (le repas).

mes, n. m., mois.

mesa, n. f., table ; bureau.

mestizo, a, n./adj., métis, isse.

meta, n. f., but, objectif, fin (cf. **el fin**)

metáfora, n. f., métaphore.

meter, v. t., introduire ; enfoncer ; mêler. **Meterse en los asuntos ajenos**, se mêler des affaires des autres.

método, n. m., méthode.

mezcla, n. f., mélange.

mezclar, n. f., mélanger, mêler.

miedo, n. m., peur, crainte. **Dar miedo**, faire peur.

mientras, conj., pendant que ; tant que

mientras que, conj., alors que

miércoles, n. m., mercredi.

milagro, n. m., miracle.

militar, n./adj., militaire.

mimar, v. t., gâter ; câliner, choyer. **Un niño mimado**, un enfant gâté.

minero, n. m., mineur.

minifundio, n. m., petite propriété rurale.

minifundista, n., propriétaire d'un minifundio

minoría, n. f., minorité. **Minoría de edad**, minorité (âge).

minuto, n. m., minute.

mirada, n. f., regard.

mirar, v. t., regarder.

misa, n. f., messe. **Ir a misa**, aller à la messe.

mismo, adj./pr. ind., même ; pareil, semblable. **El mismo rey, el proprio rey**, le roi lui-même.

misterio, n. m., mystère.

mitad, n. f., moitié.

mito, n. m., mythe.

mitología, n. f., mythologie.

mocedad, n. f., jeunesse, adolescence.

moda, n. f., mode. **Estar de moda**, être à la mode

modales, n. m., pl., manières. **Tener buenos modales**, avoir de bonnes manières.

modo, n. m., mode ; manière, façon. **De ningún modo**, absolument pas. **De modo que**, de sorte que

mojar, n. f., mouiller.

moler [ue], v. t., moudre, broyer ; éreinter, fatiguer.

molestar, v. t., molester, gêner, ennuyer. **No molestar**, ne pas déranger.

molestia, n. f., ennui, tracas ; gêne, malaise. **Tomarse la molestia de**, se donner la peine de.

molesto, a, adj., gênant, e. **Estar molesto**, être mal à l'aise.

molino, n. m., moulin. **Molino de viento**, moulin à vent.

momento, n. m., moment. **De momento**, pour le moment

monarca, n. m., monarque.

monarquía, n. f., monarchie.

moneda, n. f., pièce de monnaie ; monnaie.

monja, n. f., religieuse, nonne.

monje, n. m., moine. **El hábito no hace al monje**, l'habit ne fait pas le moine.

mono, a, adj., joli, e ; mignon, onne (fam.).

mono, n. m., singe ; bleu de travail.

monstruo, n. m., monstre.

montar, v. t., montar a caballo, montar en bicicleta, monter à cheval, à bicyclette.

monte, n. m., mont, montagne ; forêt, bois.

montón, n. m., tas, amas. **A montones**, à foison.

morada, n. f., maison, demeure.

moreno, a, adj., brun, e. **Ser moreno**, être brun. **Estar moreno**, être bronzé.

morir, morirse [ue/u], v. t./p. part. pass. irr., **muerto**, mourir. **Morirse de risa**, mourir de rire.

moro, a, adj./n., maure, arabe.

mosca, n. f., mouche.

mostrador, n. m., comptoir.

mostrar [ue], v. t., montrer.

motivación, n. f., raison, motif.

motivo, n. m., motif, cause.

mover [ue], v. t., mouvoir, remuer (qqch., qqn). **Mover a risa**, faire rire. **Moverse**, bouger, se mouvoir.

movimiento, n. m., mouvement.

mozárabe, n./adj., mozarabe (chrétien soumis à la domination musulmane).

mozo, a, n./adj., jeune homme ; jeune fille, jeune.

muchacho, a, n./adj., enfant ; petit garçon ; petite fille.

muchedumbre, n. f., foule, multitude.

mucho, adv., beaucoup. **Mucho, a**, adj., nombreux, beaucoup (gramm. § 19.0).

mudanza, n. f., changement ; déménagement.

mudar, v. t./i., changer ; déménager.

mudéjar, n./adj., mudéjar (musulman soumis à la domination chrétienne).

mudo, a, n./adj., muet, ette.

mueble, n. m., meuble.

muelle, n. m., quai d'un port ; ressort.

muerte, n. f., mort (la).

muerto, a, n./adj., mort, e.

muestra, n. f., échantillon, modèle, exemple.

mujer, n. f., femme.

mulato, a, n./adj., mulâtre, esse.

muleta, n. f., béquille (pour marcher) ; tauromachie : morceau d'étoffe écarlate dont se sert le matador pour achever de fatiguer le taureau avant de lui donner l'estocade.

multa, n. f., amende.

mundo, n. m., monde, terre. **Dar la vuelta al mundo**, faire le tour du monde.

muñeca, n. f., poignet, poupée.

municipio, n. m., commune, municipalité.

música, n. f., musique.

músico, a, n./adj., musicien, enne.

mutuo, a, adj., mutuel, elle.

muy, adv., très. **Muy Señor mío**, cher Monsieur.

N

nacer, v. i., naître. **Un recién nacido**, un nouveau-né. **Dar a luz**, mettre au monde.

nacimiento, n. m., naissance ; nativité ; crèche. **La fecha de nacimiento**, la date de naissance.

nada, n. f., néant ; pron. indéf., rien (gramm. § 26.2) ; adv., pas du tout. **No es nada fácil**, ce n'est pas facile du tout.

nadie, pron. indéf., personne (gramm. § 26.2)

naranja, n. f., orange.

naranjal, n. m., orangeraie.

naranjo, n. m., oranger.

nariz, n. f., nez.

narración, n. f., narration, (cf. **relato**)

narrador, ora, n., narrateur, trice.

nativo, adj./n., **los nativos de Madrid**, les Madrilènes de naissance.

naturaleza, n. f., nature.

navaja, n. f., couteau, canif.

nave, n. f., navire, vaisseau, (cf. **buque**)

navegante, n. m., navigateur.

navegar, v. t., naviguer.

navidad, n. f., Nativité, Noël.

necesario, a, adj., nécessaire.

necesidad, n. f., nécessité ; besoin.

necesitar, v. t., avoir besoin de. **Te necesito**, j'ai besoin de toi.

necio, a, adj., sot, sotte ; ignorant, e

negar [ie], v. t./i., nier ; refuser. **Negarse a**, se refuser à

negocio, n. m., négoce, commerce

negro, a, n. adj., noir, e.

nene, n. m., bébé.

nervioso, a, adj., nerveux, euse. **Ponerse nervioso**, s'énerver.

nevar [ie], v. imp., neiger. **Nieva**, il neige

nicho, n. m., niche en particulier funéraire. **Los nichos del cementerio**.

niebla, n. f., brume, brouillard.

nieto, a, n., petit-fils, petite-fille.

nieve, n. f., neige.

ninguno, a, adj., pron. indéf., aucun, une. **No tengo ningún libro, no tengo ninguno**, je n'ai aucun livre, je n'en ai aucun (cf. gramm. § 18.1)

niñez, n. f., enfance.

niño, a, n., enfant.

nivel, n. m., niveau. **El nivel de vida**, le niveau de vie

nobleza, n. f., noblesse.

noche, n. f., nuit. **Es de noche**, il fait nuit.

nombre, n. m., nom ; prénom. Attention ! le nom de famille, **el apellido** ; le nombre, **el número**.

norte, n. m., nord.

norteamericano, a, adj./n., habitant, e des États-Unis **(Estados Unidos)**

notable, adj., notable ; remarquable ; considérable

notar, v. t., noter ; remarquer, (cf. **advertir**)

noticia, n. f., nouvelle (actualité). Attention ! une nouvelle (littéraire), **una novela corta**. Nouveau, nouvelle, **nuevo, a** (adj...). **Una novela**, un roman.

novedad, n. f., nouveauté.

novela, n. f., roman. **Una novela corta**, une nouvelle.

novelista, n., romancier, ère.

noviembre, n. m., novembre

novio, a, n., fiancé, ée.

nube, n. f., nuage. **Estar en las nubes**, être dans la lune.

nuevo, a, adj., nouveau, elle ; neuf, ve. **De nuevo, otra vez**, à nouveau

número, n. m., nombre

numeroso, a, adj., nombreux, euse

nunca, adv., jamais, (cf. **jamás**, gramm. § 18.1 et 26.2)

ñandú, n. m., nandou (autruche d'Amérique)

ñoño, a, adj., niais, se ; mièvre ; radoteur, euse

O

o, conj., ou. Devient **u** devant un mot commençant par o ou ho. **Septiembre u Octubre**. Porte un accent placé entre deux chiffres : **20 ó 30**.

obedecer, v. t., obéir. **Obedecer una orden**, obéir à un ordre.

obediencia, n. f., obéissance.

obediente, adj., obéissant, e

objetivo, a, adj./n., objectif, ve ; impartial, e. Objectif

objeto, n. m., objet.

obligar, v. t., obliger.

obra, n. f., œuvre ; ouvrage ; travail. **Las obras públicas**, les travaux publics. **Mano de obra**, main d'œuvre. **Obra de arte**, œuvre d'art.

obrero, a, n., ouvrier, ère.

observar, v. t., observer.

obsesionar, v. t., obséder.

obstáculo, n. m., obstacle.

obstante (no obstante), . adv., cependant, néanmoins (cf. **sin embargo**), malgré.

obtener [ie], irrég. v. t., obtenir, (cf. **conseguir, lograr**).

ocasión, n. f., occasion. **En ocasiones**, parfois. **En cierta ocasión**, une fois, un jour.

ocasionar, v. t., causer, provoquer.

ocaso, n. m., couchant, crépuscule.

ocio, n. m., loisir. Souvent au pluriel. **Los ocios**. Attention !

La ociosidad, l'oisiveté. **El ocio**, les loisirs (cf. **tiempo libre**).

octubre, n. m., octobre.

ocultar, v. t., cacher.

ocurrencia, n. f., idée. **¡Vaya ocurrencia!**, quelle idée !

ocurrir, v. i., se produire, survenir, avoir lieu, (cf. **acontecer, pasar, verificarse**). **Ocurrírsele a uno**, venir à l'esprit (de qqn). **Se me ocurre una cosa**, j'ai une idée.

odiar, v. t., haïr.

odio, n. m., haine.

ofender, v. t., offenser ; vexer ; choquer.

oferta, n. f., offre. **La oferta y la demanda**, l'offre et la demande.

oficina, n. f., bureau (à l'extérieur de chez soi). **Ir a la oficina**, aller au bureau, n. p. c. avec **despacho.**

oficio, n. m., métier, profession ; emploi.

ofrecer, v. t., offrir.

oído, n. m., ouïe ; oreille. **Decir al oído**, dire à l'oreille. **De, por oídos**, par ouï-dire.

oír, irrég. v. t., entendre. Attention ! **entender**, comprendre.

ojal, n. m., boutonnière.

ojo, n. m., œil. **¡Ojo!**, attention !, (cf. **¡cuidado!**)

ola, n. f., vague. **Ola inflacionista**, poussée inflationniste.

oler [ue], v. t./i., sentir ; flairer. **Huele a rosa**, ça sent la rose. **Huele bien, mal**, ça sent bon, mauvais.

olivar, n. m., champ d'oliviers, oliveraie.

olla, n. f., marmite.

olor, n. m., odeur. **Un olor a gasolina**, une odeur d'essence.

olvidar, olvidarse de, v. t./ pr., oublier. **He olvidado hacerlo**, j'ai oublié de le faire ; **se ha olvidado de nosotros**, il nous a oubliés.

olvido, n. m., oubli.

opinar, v. t., opiner, penser ; juger.

opinión, n. f., opinion.

oponer, irrég., v. t. part. pass. irr., **opuesto**, opposer.

oportunidad, n. f., opportunité, occasion.

oprimir, v. t., opprimer.

oración, n. f., prière ; phrase.

orden, n. f., ordre, commandement. **Dar una orden.**

ordenador, n. m., ordinateur.

ordenar, v. t., ordonner ; mettre en ordre.

organizar, v. t., organiser.

orgullo, n. m., orgueil ; fierté.

orgulloso, a, adj., orgueilleux, euse ; fier, ère.

origen, n. m., origine.

original, adj., original, e.

originar, v. t., être la cause, donner lieu à. **Originarse (en)**, v. pr. tirer son origine de.

orilla, n. f., bord, lisière, limite. **A orillas del mar**, au bord de la mer.

oro, n. m., or.

orquesta, n. f., orchestre.

ortografía, n. f., orthographe.

oscurecer, v. i., obscurcir.

oscuro, a, adj., obscur, e.

otoño, n. m., automne.

otro, a, adj. pron. indéf., autre. Il n'est jamais précédé de l'article indéfini. **Canta otra canción**, il chante une autre chanson.

P

paciencia, n. f., patience.

paciente, n./adj., patient, e.

padecer, v. t./i., souffrir, endurer.

padre, n. m., père. **Los padres**, les parents (père et mère). Attention ! les parents (la famille), **los parientes, los allegados.**

pagar, v. t., payer. Se faire payer, **cobrar.**

página, n. f., page.

pago, n. m., paiement ; récompense.

país, n. m., pays.

paisaje, n. m., paysage.

paja, n. f., paille.

pájaro, n. m., oiseau, (cf. **ave**, n. f.).

palabra, n. f., parole ; mot. Les paroles d'une chanson, **la letra de una canción.**

palacio, n. m., palais.

pálido, a, adj., pâle. **Ponerse muy pálido.**

palillo, n. m., cure-dent.

palma, n. f., palmier (arbre) ; palme (feuille) ; paume (de la main). **Llevarse la palma**, remporter la palme. **Dar o batir palmas**, applaudir.

palmera, n. f., palmier (arbre) ; palme (feuille). **Palmera datilera**, palmier dattier.

palo, n. m., bâton ; bois. **Moler a palos**, rouer de coups.

palmada, n. f., claque, tape ; pl., **dar palmadas**, applaudir.

paloma, n. f., colombe.

pan, n. m., pain. **Quiero pan**, je veux du pain.

pantalla, n. f., écran.

pañuelo, n. m., foulard ; mouchoir.

papa, n. m., **el Papa**, le Pape.

papá, n. m., papa.

papel, n. m., papier ; rôle. **Desempeñar un papel**, jouer un rôle.

par, adj., égal, e, identique ; pair, e.

par, n. m., paire. **Un par de huevos fritos**, deux œufs sur le plat. **Cruzar de par en par**, traverser entièrement.

para, prép., (cf. gramm. § 27.4).

parada, n. f., arrêt d'autobus ; station de métro.

paradoja, n. f., paradoxe.

paradójico, a, adj., paradoxal, e.

paraguas, n. m., inv., parapluie.

paraíso, n. m., paradis.

paralelo, a, adj., parallèle ; n. m., parallélisme. **Establecer un paralelo entre dos nociones, dos sucesos, etc**, établir un parallélisme entre deux notions, deux évènements, etc.

parar, v. t., arrêter.

parcial, adj., partiel, elle ; partial, e.

parecer, v. i., apparaître, paraître ; sembler. **Parece que**, il semble que. **¿Qué le parece?**, Qu'en pensez-vous ? ; n. m., avis, opinion (**opinión**) ; physionomie, apparence. **A mi parecer**, à mon avis.

parecerse, v. pr., ressembler ; se ressembler. **Las dos niñas se parecen mucho**, les deux fillettes se ressemblent beaucoup.

parecido, n. m., ressemblance.

pared, n. f., mur.

pareja, n. f., couple.

paréntesis, n. m., parenthèse. **Entre paréntesis**, entre parenthèses.

parir, v. t./i., accoucher ; mettre bas.

paro, n. m., chômage ; arrêt de travail.

párpado, n. m., paupière.

parque, n. m., parc.

párrafo, n. m., paragraphe. **Echar un párrafo**, tailler une bavette, bavarder.

parte, n. f., partie ; part. **De treinta años a esta parte**, depuis trente ans. **De parte de**, de la part de. Attention, **dáselo de mi (tu, su) parte**, donne-le-lui de ma (ta, sa) part. Mais **Por mi parte no hay inconveniente**, en ce qui me concerne je n'y vois pas d'inconvénient. **Por parte del autor**, du point de vue de l'auteur, de la part de l'auteur.

participar, v. t./i. faire part, notifier. **Te participo mi decisión**, je te fais part de ma décision. **Participar en**, prendre part, participer à.

partidario, a, n. adj., partisan, e.

partido, n. m., parti, coalition ; parti, profit. **Sacar partido**, tirer profit.

partir, v. t./i., partager ; rompre, briser ; séparer ; partir, s'en aller.

pasado, n. m., passé.

pasar, v. t., passer ; dépasser. **Pasar de la raya**, dépasser les bornes ; supporter, éprouver. **Pasar hambre, frío**, avoir faim, froid ; se produire. **¿Qué pasa?**, que se passe-t-il ? **Pasarlo bien**, prendre du bon temps. **Pasarse el tiempo** + gérondif (**leyendo, comiendo,** etc.), passer son temps à + infinitif (lire, manger, etc.) **Pasar de**, se ficher de.

pasear, pasearse, v. t./i./pr., promener, se promener

paseo, n. m., promenade, **Dar un paseo**, faire une promenade.

pasillo, n. m., couloir.

paso, n. m., pas, marche ; passage ; procession.

pasota, n./adj., je-m'en-foutiste.

pastel, n. m., gâteau.

pastelería, n. f., pâtisserie.

pastor, n. m., berger ; pasteur.

pata, n. f., patte. **Meter la pata** (fam..), faire une bêtise, mettre les pieds dans le plat.

patio, n. m., cour.

patria, n. f., patrie.

paz, n. f., paix.

peatón, n. m., piéton.

pecho, n. m., poitrine, sein ; courage. **Tomar a pecho**, prendre à cœur.

pedazo, n. m., morceau, (cf. **trozo**).

pedir [i], v. t., demander (qqch). Attention ! n. p. c. avec **preguntar**. **Te pido me prestes tu coche**, je te demande de me prêter ta voiture. **Te pregunto qué hora es**, je te demande quelle heure il est.

pegar, v. t., coller ; joindre ; battre ; mettre. **Pegar fuego**, mettre le feu. **Pegar un sello**, coller un timbre. **Pegar un botón**, coudre un bouton.

peinar, v. t., peigner.

pelea, n. f., combat.

pelear, v. i., combattre, lutter. Se disputer.

película, n. f., film.

peligro, n. m., danger.

pelo, n. m., poil ; cheveux.

peluquería, n. f., salon de coiffure, boutique du coiffeur.

peluquero, a, n. m., coiffeur.

pena, n. f., peine. **Me da pena**, cela me fait de la peine.

penoso, a, adj., pénible.

pensamiento, n. m., pensée.

pensar [ie], v. t./i., penser, réfléchir. **Pienso en ti**, je pense à toi.

pensativo, a, adj., pensif, ve.

pensión, n. f., pension.

peón, n. m., manœuvre (ouvrier).

peor, adj., plus mauvais, e, pire ; adv., pis, plus mal.

pequeño, a, adj., petit, e.

percatarse, v. pr., s'apercevoir, se rendre compte. **Percatarse de algo**, se rendre compte de qqch (cf. **darse cuenta de**).

pérdida, n. f., perte.

perder [ie], v. t., perdre ; manquer. **Perder el tren**, manquer le train.

perdón, n. m., pardon. **Con perdón**, avec votre permission, sauf votre respect.

perdonar, v. t., pardonner.

perdurar, v. i., durer, demeurer.

perecer, v. i., périr.

peregrinación, n. f., pèlerinage. **La peregrinación a Santiago de Compostela.**

peregrino, a, n. adj., pèlerin, e, ; exotique, étrange.

perezoso, a, adj., paresseux, euse.

perfecto, a, adj., parfait, e.

perfume, n. m., parfum.

periódico, a, adj., journal, quotidien, (cf. **diario**).

periodista, n. m., journaliste.

período, período, n. m., période.

perjudicar, v. t., nuire, porter préjudice.

permanecer, v. i., rester, demeurer.

permiso, n. m., permission. **Pedir permiso para**, demander la permission de.

permitir, v. t., permettre, autoriser ; concéder.

pero, conj., mais.

perro, n. m. chien.

personaje, n. m., personnage.

personificar, v. t., personnifier.

perspicacia, n. f., perspicacité.

pertenecer, irrég., v. i., appartenir (cf. **ser de**).

peruano, a, adj./n., péruvien, ne.

pesadilla, n. f., cauchemar.

pesado, a, adj., lourd, e ; ennuyeux, euse.

pesar, n. m., chagrin ; souci. **A pesar de,** malgré.

pesca, n. f., pêche. **Ir de pesca,** aller à la pêche.

pescador, n. m., pêcheur.

pescar, v. t., pêcher.

pescuezo, n. m., cou.

pese a, loc., adv., malgré (cf. **a pesar de**).

peseta, n. f., unité de la monnaie espagnole. 1 pta, 6 centimes.

peso, n. m., poids, pesanteur ; balance ; importance ; unité monétaire américaine.

petición, n. f., demande ; pétition (**solicitud**). **A petición de,** à la demande de.

pez, n. m., poisson, n. p. c. **comer pescado,** manger du poisson.

picado, n. m., plongée (cinéma, photo).

pícaro, adj./n., vaurien, fripon ; gueux.

pie, n. m., pied. **Estar de pie,** être debout.

piedad, n. f., piété ; dévotion ; pitié, compassion, (cf. **lástima**).

piedra, n. f., pierre.

piel, n. f., peau ; cuir. **Artículos de piel,** articles en cuir.

pierna, n. f., jambe.

píldora, n. f., pilule, peine.

pinchar, v. t., piquer ; v. i., crever un pneu.

pintar, v. t., peindre. **Pintarse,** se maquiller.

piropo, n. m., compliment galant adressé à une femme.

pisar, v. t., marché sur ; fouler aux pieds, écraser.

piso, n. m., sol, plancher ; étage ; appartement.

pistola, n. f., pistolet ; révolver.

pizarra, n. f., ardoise ; tableau (pour écrire).

plan, n. m., plan, ; dessein ; plan (d'un livre, etc.). **Lo digo en plan de risa,** je le dis pour rire ; n. p. c. avec **plano, el plano de la ciudad,** le plan de la ville**.**

plancha, n. f., fer à repasser ; gril. **Gambas a la plancha,** crevettes grillées.

planta, n. f., plante ; étage. **La planta baja,** le rez-de-chaussée.

plantear, v. t., poser. **Plantear un problema**.

plasmar, v. t., concrétiser.

plata, n. f., argent (métal).

plátano, n. m., platane ; banane ; bananier.

plato, n. m., plat, assiette.

playa, n. f., plage.

plaza, n. f., place (à un village, p. ex.) ; marché. **La plaza mayor,** la grand-place.

plazo, n. m., délai ; échéance ; terme. **Comprar a plazos,** acheter à crédit.

población, n. f. peuplement ; population ; ville.

pobre, n./ adj., pauvre.

pobreza, n. f., pauvreté ; bassesse, mesquinerie.

poco, a, adj., indéf., peu de + nom. **Pocos hombres. Pocas chicas** (gramm. § 19.1)**.**

poco, n. m., **un poco de,** un peu de. **Un poco de leche,** un peu de lait.

poco, adv., peu. **Poco a poco,** peu à peu. **Poco más o menos,** à peu près. **Por poco caigo,** j'ai failli tomber.

poder [ue], irrég., v. t., pouvoir.

poder, n. m., pouvoir, puissance ; possession.

poderoso, a, adj., puissant, e.

poema, n. m., poème.

poesía, n. f., poésie.

poeta, n. m., poète. **La poetisa,** la poétesse.

policía, n. f., police ; ordre public.

policía, n. m., policier.

política, n. f., politique.

político, a, n./adj., homme politique, politique.

polvo, n. m., poussière.

pollo, n. m., poulet. **Pollo asado,** poulet rôti.

ponderar, v. t., vanter ; faire l'éloge ; donner du poids (à un argument).

poner, irrég. part. pass. irr. v. t., **puesto,** mettre, poser ; faire devenir, rendre. **La lluvia me pone triste,** la pluie me rend triste. **Poner de relieve, de realce, de manifiesto,** mettre en valeur, en évidence, faire apparaître, montrer.

ponerse, v. pr., devenir ; **ponerse alegre,** devenir joyeux. **Se pone el sol,** le soleil se couche.

por, prép., (cf. gramm. § 27.5). **Por entre,** parmi, à travers, au milieu. **Por supuesto,** bien sûr, naturellement, évidemment.

pormenorizado, a, adj., détaillé, e.

porque, conj., parce que. Attention ! **¿Por qué?** Pourquoi ?, **El porqué,** le pourquoi, la cause.

portada, n. f., frontispice, couverture d'un livre ou d'une revue.

portarse, v. pr., se comporter, se conduire.

portero, a, n. gardien, enne, concierge.

poseer, v. t., posséder.

posesionarse, v. pr., s'emparer.

postal, adj./n., postal, e ; carte postale.

postigo, n. m., volet ; porte dérobée.

postre, n. m., dessert.

potencia, n. f., puissance.

pozo, n. m., puits.

practicar, v. t., pratiquer.

prado, n. m., pré.

precio, n. m., prix ; valeur ; estime, n. p. c. avec **premio.**

precioso, a, adj., excellent, e ; précieux, euse ; très beau, belle.

precisar, v. t., préciser ; obliger ; avoir besoin de (cf. **necesitar**). **Preciso tu ayuda,** j'ai besoin de ton aide.

preciso, a, adj., précis, e ; nécessaire. **Es preciso que vengas,** il faut que tu viennes (gramm. § 32.0).

preferir [ie/i], v. t., préférer ; surpasser.

pregunta, n. f., demande ; question. **Hacer una pregunta,** poser une question.

preguntar, v. i./t., interroger, questionner. Attention ! n. p. c. avec **pedir.**

prejuicio, n. m., préjugé. Attention ! **Un perjuicio,** un préjudice.

premio, n. m., récompense, prix. **El premio Nobel. El premio gordo,** le gros lot.

prender, v. t., saisir, prendre ; arrêter (un délinquant) ; fixer ; allumer. **Prender fuego, un cigarrillo,** allumer du feu, une cigarette.

prensa, n. f., presse. **La libertad de prensa.**

preocuparse (por), v. t., se préoccuper. **No te preocupes por mí,** ne t'en fais pas pour moi.

presa, n. f., prise ; proie ; butin ; barrage.

prescindir de, v. i., faire abstraction ; se passer de. **No podía prescindir de su nene,** elle ne pouvait se passer de son bébé.

presenciar, v. t., assister à. **Presenciar la escena,** assister à la scène.

presente, adj., présent, e. **Tener presente,** avoir à l'esprit.

preso, a, n., prisonnier, ère ; détenu, e.

préstamo, n. m. emprunt ; prêt.

presumir, v. t./i., présumer ; se targuer ; avoir une haute opinion de soi. **Presume de rico,** il se targue d'être riche. **Presume mucho,** il est infatué de lui-même.

presupuesto, n. m., budget.

pretender, v. t., solliciter ; briguer ; rechercher ; essayer de.

previo, a, adj., préalable. **Previa autorización de los padres,** après autorisation des parents.

primavera, n. f., printemps. **Primaveral,** printanier, ère.

primero, a, adj., premier, ère ; excellent.

primero, adv., d'abord.

primo, a, n. cousin, e.

principal, adj., principal ; illustre, noble.

principio, n. m., commencement, début. **Al principio, a principios de,** au début.

prisa, n. f., hâte. **Darse prisa,** se presser. **De prisa,** à la hâte, rapidement.

prisionero, a, adj./n., prisonnier, ère, (cf. **preso**).

probar [ue], v. t., éprouver, prouver, mettre à l'épreuve ; essayer ; goûter.

problema, n. m., problème.

proceder, v. i., avancer ; procéder, provenir (de) ; procéder (a) ; se conduire.

procedimiento, n. m., procédé (de narration, stylistique ou autres).

proceso, n. m., procès ; processus, procédé.

procurar, v. t., essayer de. **Procurar hacer,** essayer de faire ; fournir (**suministrar**) ; v. pr., se procurer.

producción, n. f., production.

producir, v. t., produire.

producto, n. m., produit.

profundizar, v. t., approfondir.

programa, n. m., programme.

prohibir, v. t., interdire. **Prohibido fijar carteles,** affichage interdit.

promesa, n. f., promesse.

prometer, v. t./i., promettre.

promover [ue], v. t., promouvoir.

pronto, adv., vite, rapidement. **De pronto,** soudain. **Hasta pronto,** à bientôt. **Tan pronto,** aussitôt. **Tan pronto como,** dès que, (cf. **en cuanto,** gramm. § 53.3).

propina, n. f., pourboire.

propiedad, n. f., propriété.

propio, a, adj., propre, caractéristique ; même, lui-même, **el propio rey. Propio de,** propre à.

proponer, irrég., v. t. part. pass. irr., **propuesto,** proposer.

propósito, n. m., intention. **A propósito de,** à propos de.

propuesta, n. f., proposition.

protagonista, n. héros, protagoniste.

proteger, v. t., protéger.

protesta, n. f., **protestación,** n. f., protestation.

provecho, n. m., profit. **¡Buen provecho!,** bon appétit. **Sacar provecho de, aprovechar,** tirer profit de.

proveer, irrég., v. t., pourvoir, approvisionner. **Provisto, a,** adj., pourvu, e. **Un animal provisto de cuernos,** un animal pourvu de cornes.

provisional, adj., provisoire.

próximo, a, adj., proche, prochain, e. **Próximo a,** proche de.

proyectar, v. t., projeter, envisager.

prueba, n. f., preuve, épreuve, essai.

publicar, v. t., publier.

pueblo, n. m., village ; peuple.

puente, n. m., pont.

puerta, n. f., porte.

puerto, n. m., port ; col.

pues, conj., car ; eh bien ; donc.

puesto, n. m., étal (au marché), voir **tienda** ; poste, situation. **Un puesto de trabajo,** un poste de travail. **Tiene un buen puesto,** il a une bonne situation.

pulsera ; n. f., bracelet. **Un reloj de pulsera,** une montre-bracelet.

pulso, n. m., pouls. **Tomar el pulso,** prendre le pouls. **A pulso,** à bouts de bras, à force du poignet.

punta, n. f., pointe, bout. **Horas punta,** heures de pointe.

punto, n. m., point. **Desde este punto de vista,** à ce point de vue. **Estar a punto de,** être sur le point de. **Son las tres en punto,** il est trois heures juste.

puñado, n. m., poignée. n. p. c. **Apretón de manos,** poignée de main.

puño, n. m., poing ; poignet. **Escribir algo de puño y letra,** écrire qqch. de sa propre main.

puro, a, adj., pur, e. **De puro,** à force de, tant. **De puro cansado,** tant qu'il est fatigué. **De puro gritar,** à force de crier.

Q

quebrar [ie], v. t., casser, briser ; v. i., faire faillite.

quedar, v. i., rester, demeurer ; être. **Quedar en,** convenir de. **Quedar con,** avoir rendez-vous avec.

queja, n. f., plainte.

quejarse, v. pr., se plaindre.

quemar, v. t., brûler.

querer [ie], irrég., v. t., vouloir ; aimer.

queso, n. m., fromage.

quetzal, n. m., oiseau d'Amérique tropicale au plumage d'un vert métallique ; unité de monnaie au Guatémala.

quiebra, n. f., faillite.

quien, pr. rel., qui, que (personne), (cf. gramm., § 21.0).
El hombre a **quien veo**, l'homme que je vois ; celui qui, celle que. **Quien venga verá**, celui (celle) qui viendra verra.

quieto, a, adj., tranquille.

quitar, v. t., enlever, ôter. **Quitarse el jersey**, ôter son pull.

quizás, adv., peut-être (gramm § 51.3).

R

rabiar, v. i., enrager, être en colère.

racimo, n. m., grappe. **Un racimo de uvas**, une grappe de raisins.

raíz, n. f., racine. **A raíz de**, à l'origine de.

rama, n. f., branche.

ramo, n. m., bouquet, gerbe ; rameau ; branche, secteur d'activités.

rapidez, n. f., rapidité.

raro, a, rare ; étrange.

rasgo, n. m., trait. **A grandes rasgos**, à grands traits.

rata, n. f., rat.

rato, n. m., instant. **A ratos**, par moments. **Al (poco) rato**, peu de temps après. **De rato en rato**, de temps en temps. **Hace mucho rato que**, il y a longtemps que.

ratón, n. m., souris, y compris en informatique.

rayo, n. m., rayon (de soleil), foudre. **¡Que le parta un rayo!**, Que le diable l'emporte !

razón, n. f., raison.

reaccionar, v. i., réagir.

real, adj., réel, elle ; royal, e.

realce, n. m., relief. **Poner de realce. Poner de relieve**, subrayar, destacar, recalcar, souligner.

realidad, n. f., réalité.

realista, adj., réaliste.

realizar, v. t., réaliser.

rebaja,, n. f., rabais, solde. **Hacer una rebaja**, faire un rabais.

rebelarse, v. pr., se rebeller (cf. **levantarse, alzarse**)

rebelde, adj./n., rebelle.

rebeldía, n. f., rébellion.

recalcar, v. t./i., mettre en relief, appuyer sur.

recetar, v. t., ordonner, prescrire.

recibir, v. t./i., recevoir.

reciente, adj., récent, e. **Recién**, adv., récemment (gramm. § 8.4)

recoger, v. t., reprendre, recueillir, ramasser.

reconquista, n. f., reconquête.

recordar [ue], v. t., se souvenir de, rappeler. Attention ! **Recordar algo, acordarse de algo.**

recorrer, v. t., parcourir.

recreo, n. m., récréation, divertissement.

recto, a, adj., droit, e ; adv., tout droit (cf. **todo seguido**)

recuerdo, n. m., souvenir.

recurrir, v. i., recourir à, avoir recours.

recurso, n. m., recours ; moyen ; ressource.

rechazar, v. t., repousser, refuser.

red, n. f., filet ; réseau.

redactar, v. t., rédiger.

redondo, a, adj., rond, e.

reducido, a, adj., réduit, e ; petit, e.

referir [ie/i], v. t., rapporter ; v. pr., **referirse a**, se rapporter à, avoir trait.

reflejar, v. t., refléter, traduire une pensée, un sentiment.

reflexionar, v. i., réfléchir, penser.

reforzar [ue], renforcer.

refrán, n. m., proverbe. Attention ! refrain, **estribillo**.

refrescar, v. t./i., rafraîchir. **El tiempo refresca**, le temps se rafraîchit.

refrescarse, v. pr., se rafraîchir.

refresco, n. m., rafraîchissement (boisson).

regalar, v. t., offrir.

regalo, n. m., cadeau.

regar [ie], v. t., arroser, irriguer.

régimen, n. m., régime ; pl., **regímenes.**

registrar, v. t., fouiller. **Registrar los bolsillos**, fouiller les poches ; enregistrer, immatriculer.

registro, n. m., registre ; enregistrement ; fouille (douane). **Registro civil**, état civil. **Registro de antecedentes penales**, casier judiciaire.

regocijo, n. m., allégresse ; réjouissance.

regresar, v. i., revenir, rentrer.

regreso, n. m., retour.

regular, adj., régulier, ère ; moyen, enne, médiocre. **Por lo regular**, en général ; v. t., régler, contrôler.

reinado, n. m., règne.

reinar, v. i., régner.

reino, n. m., royaume.

reja, n. f., grille.

relación, n. f., relation ; liste. **Con relación a**, par rapport à. **En relación con**, en rapport avec.

relacionarse (con), v. i., se rattacher à, avoir un rapport avec.

relámpago, n. m., éclair.

relato, n. m., récit.

relativo a (en lo), en ce qui concerne (cf. **con respecto a**).

reloj, n. m., horloge ; montre.

remediar, v. t., remédier. **Remediar algo, solucionar algo**, arranger quelque chose.

remedio, n. m., remède. **No hay remedio**, il n'y a rien à faire.

remitir, v. t., envoyer, renvoyer.

remoto, a, adj., lointain, e, reculé ée (dans le temps et l'espace)

renta, n. f., rente, revenu. **La renta per cápita**, le revenu par habitant.

repartir, v. t., répartir, distribuer.

repasar, v. t., réviser, revoir.

repaso, n. m., révision.

repente (de), n. m., tout à coup, soudain.

repetir [i], v. t., répéter, recommencer.

resfriado, n. m., refroidissement, rhume.

resistir, v. t./i., résister, supporter. **Resistir una presión**, résister à une pression ; v. pr., se refuser à. **Me resisto a creerlo**, je me refuse à le croire.

resolver [ue], v. t., part. pass. irr., **resuelto**, résoudre.

respecto a, de, con respecto a, loc. adv., en ce qui concerne ; quant à.

respeto, n. m., respect.

resplandor, n. m., éclat, brillant, lustre ; lueur.

responder, v. t./i., répondre.

respuesta, n. f., réponse.

restar, v. t./i., soustraire.

restorán, restaurante, n. m., restaurant.

resultar, v. i., résulter ; être.

retiro, n. m., retraite. (**retirarse, jubilarse**).

retraso, n. m., retard.

retrato, n. m., portrait.

retroceder, v. i., reculer.

reventar [ie], v. t./i., crever ; éclater, faire éclater.

revés, n. m., envers. **Al revés**, à l'envers ; à l'inverse.

revisar, v. t., réviser ; contrôler.

revisor, n. m., contrôleur.

revista, n. f., revue. **Pasar revista a**, passer en revue.

revolver [ue], v. t., part. pass. irrég. **revuelto**, remuer, agiter ; bouleverser, mettre en désordre ; v. i., revenir au point de départ.

rey, n. m., roi ; **reina**, n. f., reine.

rezar, v. t., réciter ; v. i., prier.

rezo, n. m., prière. (cf. **oración**).

rico, a, adj., riche ; délicieux, euse.

ridiculizar, v. t., ridiculiser, (cf. **poner en ridículo**)

riego, n. m., irrigation. **Tierra de regadío**, terre irriguée.

riesgo, n. m., risque.

rincón, n. m., coin, angle intérieur ; recoin ; lopin.

riñón, n. m., rein.

río, n. m., fleuve, rivière.

riqueza, n. f., richesse.

robar, v. t., voler.

robo, n. m., vol.

robot, n. m., robot ; pl., **robots.**

rodar [ue], v. t. rouler ; tourner. **Rodar una película**, tourner un film.

rodear, v. t., entourer.

rodilla, n. f., genou. **De rodillas**, à genoux.

rogar [ue], v. t., prier, supplier. **Rogar que** + subj (gramm. § 53.2)

rojo, a, adj., rouge.

romance, n. m., poème écrit en octosyllabes.

románico, a, adj., roman, e.

romano, a, adj., romain, e.

romanticismo, n. m., romantisme.

romper, v. t./i., part. pass. irr., **roto**, casser, briser.

ronco, a, adj., rauque ; enroué, e.

ropa, n. f., vêtements.

rostro, n. m., visage.

rotundo, a, adj., catégorique, éclatant. **Un éxito rotundo**, un succès retentissant.

rozar, v. t., frôler, effleurer ; friser, raser.

rubio, a, adj., blond, e.

rueda, n. f., roue.

ruido, n. m., bruit.

ruidoso, a, adj., bruyant, e.

rumbo, n. m., direction. **Rumbo a, hacia**, vers.

S

sábado, n. m., samedi.

sábana, n. f., drap (de lit).

saber, irrég., v. t./i., savoir. **Saber a**, avoir le goût de ; n. m., savoir.

sabio, a, adj., savant, e ; sage.

sabiduría, n. f., savoir, sagesse.

sabor, n. m., saveur, goût ; goût, manière. **De sabor clásico**, dans le goût classique. **A sabor**, au gré.

sabroso, a, adj., savoureux, euse.

sacar, v. t., tirer, ôter.

sacerdote, n. m., prêtre.

sacudir, v. t., secouer.

sal, n. f., sel ; fig., sel, piquant. **Tener sal, tener gracia**, avoir du piquant, du charme.

salado, a, adj., salé, e ; spirituel, elle.

salida, n. f., sortie ; départ.

salir, irrég., v. i., sortir. **salir a la calle**, partir, el tren sale a las dos ; paraître, esta revista sale los lunes, cette revue paraît le lundi.

salitre, n. m., nitre, salpêtre (nitrate de potassium).

saltar, v. i., sauter.

salud, n. f., santé.

saludo, n. m., salut. **Con los atentos saludos de**, avec les compliments de.

salvar, v. t., sauver ; contourner ; éviter. **Salvar un obstáculo**, éviter un obstacle.

salvo, adv., sauf. **Poner a salvo**, mettre en lieu sûr.

sanar, v. t./i., guérir.

sangre, n. f., sang.

sangriento, a, adj., sanglant, e.

sanidad, n. f., service sanitaire. **Medidas de sanidad**, mesures d'hygiène. **Ministerio de Sanidad**, ministère de la Santé.

santo, a, adj., saint, e ; n. m., fête. **Hoy es mi santo**, aujourd'hui c'est ma fête.

satisfacer, irrég., v. t., part. pass. irr., **satisfecho**, satisfaire.

seco, a, adj., sec, sèche. **A secas**, tout court. **Tierra de secano**, terre sèche, non irriguée.

sed, n. f., soif.

sediento, a, adj., assoiffé, e.

seguir[i], v. t./i., suivre ; continuer. **Sigue leyendo**, il continue à lire (gramm. § 49.3). **En seguida**, tout de suite. **Todo seguido**, tout droit.

según, prép., selon. **Según él**, à son avis. **Según vamos avanzando**, au fur et à mesure que nous avançons, (cf. **a medida que**).

segundo, a, adj., second, e ; n. m., seconde.

seguro, a, adj., sûr, e ; n. m., assurance. **Un seguro de vida**, une assurance-vie. **Estar seguro**, être sûr, convaincu.

sello, n. m., timbre. **Pegar un sello en el sobre**, coller un timbre sur l'enveloppe ; sceau, cachet ; empreinte.

sembrar [ie], v. t. semer.

semejante, adj., semblable.

sencillez, n. f., simplicité.

sencillo, a, adj., simple, facile.

sentar [ie], v. t., asseoir ; v. i., **este vestido te sienta bien**, ce vêtement te va bien.

sentido, n. m., sens. **Buen sentido**, bon sens.

sentir [ie/i], v. t., ressentir. **Sentir pena** ; entendre, (cf. **oír**) regretter. **Lo siento**, je suis désolé.

seña, n. f., signe. **Hablar por señas**, parler par signes ; pl., adresse. **Mis señas son calle...**, mon adresse est rue...

señal, n. f., signe, signal, marque ; trace.

señalar, v. t., marquer ; montrer. **Señalar con el dedo**, montrer du doigt.

septiembre, n. m., septembre.

sequía, n. f., sécheresse.

ser, irrég., v. i., être, (gramm. § 33.0, pour les principaux emplois) ; n. m., être.

serio, a, adj., sérieux, euse. **Tomar en serio**, prendre au sérieux.

servicio, n. m., service ; pl., toilettes.

servir [i], v. t./i., servir. **¿Para qué sirve esto?**, à quoi cela sert-il ?

sesión, n. f., séance. **Abrir, levantar la sesión**, ouvrir, lever la séance.

seso, n. m., cerveau ; au pl., cervelle.

si bien, conj., bien que, (cf., **aunque, a pesar de que**, gramm. § 54.1).

siempre, adv., toujours.

sierra, n. f., montagne ; scie.

siglo, n. m., siècle. **En el siglo veinte**, au vingtième siècle.

significado, n. m., sens.

significar, v. t., signifier.

signo, n. m., signe. **Signo de admiración, de interrogación**, point d'exclamation, d'interrogation.

siguiente, adj., suivant, e. **Al día siguiente**, le lendemain.

silbar, v. i., siffler ; v. t., siffler, huer.

silla, n. f., chaise ; **sillón** [n. m.], fauteuil.

símbolo, n. m., symbole.

simple, adj., simple, naïf, naïve.

simpleza, n. f., sottise.

simplicidad, n. f., simplicité.

sin, prép., sans. **Zona sin edificar**, zone non bâtie. **Sin embargo**, cependant.

sindicato, n. m., syndicat.

síntesis, n. f., synthèse. **Hacer una o la síntesis**, faire une ou la synthèse.

siquiera, adv., au moins. **Dame siquiera tu número de teléfono**, donne-moi au moins ton numéro de téléphone. **Ni siquiera**, pas même (gramm. § 26.6).

sistema, n. m., système.

sitio, n. m., place. **Hay sitio**, il y a de la place. **Un sitio tranquilo**, un endroit tranquille.

soberano, n. m./adj., souverain.

soberbio, a, adj., orgueilleux, se.

sobrar, v. i., rester, être de trop. **Me sobra tiempo**, j'ai largement le temps.

sobre, prép., sur, au-dessus de ; vers. **Sobre las seis**, vers six heures. **Sobre todo**, surtout.

sobre, n. m., enveloppe.

sobremanera, adv., particulièrement.

sobresaltarse, v. pr., sursauter, s'effrayer.

sobresalto, n. m., sursaut. **De sobresalto**, soudain, à l'improviste.

sobrevivir, v. i., survivre.

sobrino, a, n., neveu, nièce.

socorro, n. m., secours. **¡Socorro!**, au secours !

sol, n. m., soleil.

solapa, n. f., revers (de la veste).

solapadamente, sournoisement.

solar, n. m., terrain à bâtir ; adj., solaire, **la energía solar**.

soledad, n. f., solitude.

solemne, adj., solennel, elle.

soler [ue], v. i., avoir l'habitude. **Suelo dormir la siesta**, j'ai l'habitude de faire la sieste (gramm. § 31.2).

solicitud, n. f., demande. **Dirigir una solicitud**, adresser une demande.

solo, a, adj., seul, e. **A solas**, tout seul.

sólo, adv., seulement. **Con sólo pensarlo**, rien que d'y penser (gramm. § 26.5).

soltar [ue], v. t., détacher, délier ; relaxer ; lâcher.

soltero, a, adj./n., célibataire.

soltura, n. f., aisance.

solucionar, v. t., résoudre.

sombra, n. f., ombre. **Dar sombra**, faire de l'ombre.

sombrero, n. m., chapeau.

someter, v. t., soumettre.

sondeo, n. m., sondage.

sonido, n. m., son.

sonreír, [i], v. i./pr., sourire. **Sonriente**, souriant, e.

sonrisa, n. f., sourire.

soñar [ue] (con), v. t./i., rêver de.

soplar, v. t., souffler ; fig., **soplar la lección**, souffler la leçon. **Soplar o ir con el soplo**, fig., moucharder, cafarder ; fig., faucher. **Le soplaron la cartera**, on lui a fauché son portefeuille.

sordo, a, adj., sourd, e ; **sordomudo, a**, sourd, e-muet, ette.

sorprender, v. t., surprendre.

sorpresa, n. f., surprise. **Dar una sorpresa**, faire une surprise.

sorteo, n. m., tirage au sort.

sosegar [ie], v. t., poucher, apaiser, calmer ; tranquilliser (tranquilizar).

sosiego, n. m., calme, sérénité.

sospecha, n. f., soupçon, suspicion.

sospechar, v. t./i., soupçonner.

suave, adj., doux, ce.

subdesarrollo, n. m., sous-développement.

subir, v. i., monter. **Subir al tren**, monter dans le train.

subrayar, v. t., souligner.

suceder, v. i., avoir lieu, arriver (ocurrir, pasar).

suceso, n. m., événement ; fait divers.

suciedad, n. f., saleté.

sucio, a, adj., sale.

sucre, n. m., en Équateur unité de monnaie ; **Antonio José de Sucre** (1795-1830) général vénézuélien, principal lieutenant de Bolívar, libéra l'Équateur et le Pérou en 1821.

sudor, n. m., sueur.

sueldo, n. m., salaire.

suelo, n. m., sol. **Caer al suelo**, tomber par terre.

sueño, n. m., rêve ; sommeil.

suerte, n. f., sort ; chance. **Probar [ue] suerte**, tenter sa chance.

suficiente, adj., suffisant, e ; assez.

sufrido, a, adj., endurant, e ; patient, e.

sufrimiento, n. m., souffrance.

sufrir, v. t./i., souffrir de, avoir. **Sufrir un accidente, hambre**, avoir un accident, faim.

sugerir [ie/i], v. t., suggérer.

sumar, v. t., additionner.

suministrar, v. t., fournir.

sumo, a, adj., extrême, suprême. **Con sumo cuidado**, avec le plus grand soin.

superar, v. t., dépasser ; surmonter. **Superar una dificultad.**

superficie, n. f., surface, superficie.

superior, adj., supérieur, e.

suponer, irrég., v. t. part. pass. irrég., **supuesto**, supposer.

supuesto, a, adj., supposé, e ; p. p., de **suponer**. **Lo he supuesto**, je l'ai supposé. **Dar algo por supuesto**, considérer quelque chose comme acquis. **Por supuesto**, bien sûr, naturellement.

surtir, v. t./i., produire (un effet) ; jaillir.

sustentar, v. t., nourrir ; entretenir, pourvoir à la subsistance. (cf. **mantener**) ; soutenir.

susto, n. m., peur. **Llevarse un buen susto**, avoir une belle peur.

sustituir, irrég., v. t., remplacer. **Sustituir a alguien**, remplacer quelqu'un.

sutileza, n. f., subtilité, finesse, légèreté.

T

tachar, v. t., biffer, barrer ; accuser. **Tachar a alguien de cobarde**, reprocher à quelqu'un d'être lâche.

tajante, adj., catégorique. **Tajantemente prohibido**, formellement interdit.

tal, adj., tel, telle (gramm. § 11.3). **Con tal que**, pourvu que.

taller, n. m., atelier.

tamaño, n. m., taille, grandeur, dimension.

también, adv., aussi.

tampoco, adv., non plus. (gramm. § 26.2).

tanto, a, adj./adv., tan, adv., aussi, autant, tant de, (gramm. § 19.0 et § 20.2).

tapa, n. f., amuse-gueule, en général au pl. (ex. olives, moules, escargots «calamares», «gambas», etc). **Ir de tapas**, manger des «tapas» et boire dans les bars. **Las tapas de un libro**, la couverture cartonnée.

tapar, v. t., boucher, fermer ; obturer ; couvrir, abriter.

tardar, v. i., tarder, mettre. **Tardé diez minutos en llegar**, j'ai mis dix minutes pour arriver.

tarde, adv., tard. **Tarde o temprano**, tôt ou tard ; n. f., après-midi. **por la tarde**, l'après-midi.

tarea, n. f., tâche, travail.

tarima, n. f., estrade, plancher, scène (théâtre).

tarjeta, n. f., carte. **Tarjeta postal**, carte postale.

tasa, n. f., taux, taxe. **Tasa de mortalidad.**

taza, n. f., tasse ; vasque (d'une fontaine).

tecla, n. f., touche.

teclado, n. m., clavier.

técnico, n. m., technicien.

techo, n. m., plafond.

tejado, n. m., toit.

tejer, v. t., tisser ; tresser, entrelacer.

telediario, n. m., journal télévisé.

teléfono, n. m., téléphone. **Llamar por teléfono, telefonear**, téléphoner.

televisor, n. m., téléviseur.

telón, n. m., rideau (théâtre).

tema, n. m., thème, sujet. **El tema de la novela**, le sujet du roman.

temblar [ie], v. i., trembler.

temer, v. t., craindre.

temor, n. m., crainte.

temporada, n. f., saison. **Temporada teatral.**

temprano, adv., tôt. **Ven temprano**, arrive tôt ; adj., précoce, hâtif, ive, (plantes) **Frutas o verduras tempranas**, primeurs.

tender [ie], v. t., étendre ; déployer ; tendre, v. i., tendre. **Tenderse**, s'allonger, se coucher.

tener [ie], irrég., v. t., avoir. **Tener que**, devoir, falloir (gramm. § 32.0).

teñir [i], v. t., teindre. **Teñir de verde**, teindre en vert.

terciopelo, n. m., velours.

término, n. m., terme, fin. **Poner término a**, mettre fin à. **En primer término**, au premier plan.

ternura, n. f., tendresse.

tertulia, n. f., réunion de personnes qui se rassemblent pour causer.

terrateniente, n. m., propriétaire foncier.

terremoto, n. m., tremblement de terre.

testigo, n. m., témoin.

testimonio, n. m., témoignage.

tienda, n. f., boutique, magasin.

tierno, a, adj., tendre.

tierra, n. f., terre ; pays.

tijera(s), n. f., ciseaux.

timbre, n. m., sonnette. **Tocar el timbre,** sonner.

tinta, n. f., encre.

tinto, part. pass. de **teñir** ; n. m., vin rouge.

tío, n. m., oncle ; type. **Un tío raro,** un drôle de type. **El tío Paco,** fam., le père François.

tira, n. f., bande (série de vignettes de B.D.).

tirar, v. t., jeter. **Tirar al suelo,** jeter par terre ; v. i., **ir tirando,** aller comme ci, comme ça, se débrouiller.

tiritar, v. i., grelotter ; trembler.

título, n. m., diplôme ; titre. **El texto se titula,** le texte a pour titre.

tocadiscos, n. m., tourne-disques.

tocar, v. t., toucher, toucher à ; sonner. **Tocan las campanas,** les cloches sonnent. **Tocar el piano,** jouer du piano. **Me tocó el gordo,** j'ai gagné le gros lot. **A mí me toca,** c'est mon tour.

todavía, adv., encore. **Todavía no ha llegado,** il n'est pas encore arrivé, (cf. **aún**).

todo, a, adj./pron., indéf./adv., tout, e ; entièrement. **Con todo,** malgré tout. **Sobre todo,** surtout. **Del todo,** tout à fait, totalement.

tolerancia, n. f., tolérance.

tomar, v. t./i., prendre. **¡Toma!,** Prends ! **Tomar tapas,** manger des amuse-gueules. **Tomar el sol,** prendre le soleil, bronzer.

tonelada, n. f., tonne.

tontería, n. f., bêtise.

tonto, a, adj., sot, sotte.

topar, v. i., rencontrer. **Topar con algo o con alguien,** rencontrer qqchose ou quelqu'un.

tópico, n. m., lieu commun.

torpe, adj., maladroit, e.

torpeza, n. f., maladresse.

torre, n. f., tour.

tortilla, n. f., omelette ; (Amér.) galette de maïs.

tos, n. f., toux.

tosco, a, adj., grossier, ère ; rustre.

trabajo, n. m., travail. **Me cuesta trabajo creerlo,** j'ai peine à le croire.

traducir, v. t., traduire. **Traducir al español.**

traer, irrég., v. t./i., apporter, amener.

tráfico, n. m., trafic, circulation. **El tráfico rodado,** la circulation routière.

tragar, v. t., avaler ; manger gloutonnement. **Tragarse,** gober, croire facilement.

trago, n. m., gorgée, coup. **De un (solo) trago,** d'un (seul) coup ; fam., **tragón, ona,** glouton, ne.

traicionar, v. t., trahir.

traidor, n. m., traître.

traje, n. m., costume ; robe. **Traje de baño,** maillot de bain.

tramitar, v. t., faire les démarches, gérer. **Mi expediente lo tramita el colegio,** mon dossier est géré par mon école.

trámite, n. m., formalité. **Los trámites para obtener un pasaporte,** les démarches pour obtenir un passeport. **Hacer los trámites,** faire les démarches.

trampa, n. f., piège.

transcurrir, v. i., s'écouler. **Transcurre el tiempo,** le temps passe.

trance, n. m., moment critique et décisif ; crise, pas ; transe. **En trance de,** en danger de. **A todo trance,** coûte que coûte.

trapo, n. m., chiffon.

tras, adv., derrière. **Correr tras la fortuna,** courir après la fortune ; après. **Tras varios años.**

trasladar, v. t., transférer, déplacer.

traslucirse, v. pr., apparaître, transparaître.

tratar, v. t., traiter. **El texto trata de,** le texte parle de ; **tratar de,** essayer, (cf. **intentar**) ; v. pr., s'agir, être question. **En este texto, se trata de,** dans ce texte, il s'agit de.

tren, n. m., train.

trepar, v. t./i., grimper ; monter, escalader.

trigo, n. m., blé.

tropezar [ie], v. i., buter, trébucher. **Tropezar con una dificultad,** se heurter à une difficulté.

trueno, n. m., tonnerre ; coup de tonnerre ; détonation.

tumbar, v. t., renverser, faire tomber ; v. i., tomber à terre. **Tumbarse,** s'allonger.

U

ubicación, n. f., position, situation, emplacement.

ubicado, a, p. p., de **ubicar,** situé, ée. **Una ciudad ubicada en España,** une ville située en Espagne.

último, a, adj., dernier, ère.

único, a, adj., unique. **Lo único,** la seule chose.

uno, a, pr., un des équivalents de «on», (gramm., § 17.4) **uno (o una) no sabe qué hacer,** on (je) ne sait pas quoi faire. **Esto, uno (o una) no lo puede tolerar,** c'est une chose qu'on (je) ne peut tolérer.

urbanización, n. f., lotissement, cité, grand ensemble, ZUP.

usar, v. t., utiliser ; v. i., faire usage de. **Usar de su derecho,** user de son droit.

uso, n. m., usage. **Fuera de uso,** hors d'usage.

uva, n. f., raisin. **Un racimo de uva,** une grappe de raisin.

V

vaca, n. f., vache.

vacaciones, n. f., pl., vacances. **Irse de vacaciones,** partir en vacances.

vacilar, v. i., vaciller, chanceler ; **vacilar (en),** hésiter à.

vacío, a, adj., vide.

vaho, n. m., buée ; souffle ; exhalaison.

valer, irrég., v. t., valoir, coûter. **¿Cuánto vale?,** combien cela coûte-t-il ? **Valerse de,** se servir de.

valiente, adj., courageux, euse.

valioso, a, adj., précieux, euse ; valable.

valor, n. m., valeur ; courage.

valle, n. f., vallée.

vario, a, adj., divers, différent ; pl. **varios,** plusieurs.

varón, n. m., homme ; garçon (enfant du sexe masculin) ; homme respectable.

vaso, n. m., verre ; gobelet.

vecino, a, adj./ n., voisin, e ; habitant. **Los vecinos de Valladolid,** les habitants de Valladoid.

vega, n. f., plaine cultivée. **La Vega de Granada.**

vejez, n. f., vieillesse.

velar, v. t./i., veiller ; surveiller, voiler.

velocidad, n. f., vitesse ; n. p. c. les vitesses d'une voiture, **las marchas de un coche.**

venado, n. m., gibier ; cerf.

veneno, n. m., poison, venin.

vencer, v. t., vaincre.

venidero [ie], a, adj., à venir, futur, e.

venir [ie], irrég. v. i., venir. Ne l'employez pas à la place de **ir, ahora voy,** je viens tout de suite ; être. **Viene cansado,** il est fatigué (gramm. § 49.2).

ventaja, n. f., avantage.

ventana, n. f., fenêtre ; vitre (voiture).

ventanilla, n. f., guichet.

ventura, n. f., bonheur ; hasard.

ver, irrég., v. t., voir ; part. pas. irr., **visto, ¡A ver!** Voyons !

veraneante, n. m., estivant.

veranear, v. i., passer ses vacances.

verano, n. m., été.

verdad, n. f., vérité. **¿Verdad?,** n'est-ce pas ?

verdadero, a, adj., vrai, e.

verde, adj., vert, e ; grivois. **Poner verde a alguien,** traiter quelqu'un de tous les noms.

verdura, n. f., légume vert, (cf. **hortaliza**).

vergüenza, n. f., honte. **Me da vergüenza decirlo,** j'ai honte de le dire.

verosímil, adj., vraisemblable.

verosimilitud, n. f., vraisemblance.

verter [ie], v. t., verser ; répandre.

vestido, n. m., vêtement ; robe.

vestir [i], v. t., habiller, porter. **Viste de azul,** elle s'habille en bleu.

vez, n. f., fois. **Una vez al año,** une fois par an. **A veces,** parfois. **De vez en cuando,** de temps en temps. **Muchas veces,** souvent. **Cada vez más,** de plus en plus. **Tal vez,** peut-être. **En vez de,** au lieu de **Otra vez,** encore une fois. **Por primera vez,** pour la première fois. **Alguna que otra vez,** de temps à autre.

vía, n. f., voie. **Estar en vías de,** être en voie de. **Gran vía,** grande avenue, artère principale d'une ville.

viajar, v. i., voyager.

viaje, n. m., voyage. **Ir de viaje,** partir en voyage. **Estar de viaje,** être en voyage.

viajero, n. m., voyageur.

vídeo, n. m., magnétoscope.

vidrio, n. m., verre (matière). **Un cristal de vidrio,** une vitre en verre.

viejo, a, adj., vieux, vieille.

viernes, n. m., vendredi.

vigencia, n. f., vigueur ; actualité.

vigente, adj., en vigueur.

vigilar, v. t., surveiller.

vínculo, n. m., lien.

vino, n. m., vin. **Tinto, blanco, clarete,** rouge, blanc, rosé.

virgen, adj., vierge. **Aceite virgen,** huile vierge.

virtud, n. f., vertu.

visita, n. f., visite. **Estar de visita,** être en visite. **Visitar a alguien,** rendre visite à quelqu'un.

vislumbrar, v. t., entrevoir, apercevoir.

vista, n. f., vue ; regard. **Echar un vistazo,** jeter un coup d'œil.

viudo, a, adj., veuf, ve.

vivienda, n. f., logement.

vivo, a, adj., vivant, e. **Estar vivo.**

volver [ue], v. t./i., part. pass. irrég., **vuelto,** tourner ; revenir, retourner. **Volverse,** devenir. **Volverse + adj.,** un des équivalents de «devenir», (gramm., § 30.0), **Se ha vuelto muy formal,** il est devenu très sérieux. **Volver a,** indique la réitération. **Ha vuelto a trabajar,** il retravaille, il travaille à nouveau, (gramm., § 31.0).

voz, n. f., voix ; bruit ; cri ; mot, terme.

vuelo, n. m., vol ; volée, envolée.

vuelta, n. f., tour. **Dar una vuelta,** faire un tour. **Estar de vuelta,** être de retour.

Y

y, conj., et. Devient **e** devant un nom commençant par **i** ou **hi. Padre e hijo.**

ya, adv., déjà. **Llegó ya,** il est déjà arrivé. **Ya lo creo,** je pense bien ; conj., **ya que,** puisque. **Ya... ya,** soit... soit. **Ya no,** ne... plus. **Ya no se cae,** il/elle ne tombe plus.

yanqui, adj./n., yankee, Américain du Nord (péj.).

yerto, a, adj., inerte.

Z

zapato, n. m., chaussure, (cf. **calzado**)

zorro, n. m., renard.

zumo, n. m., jus.

Í N D I C E

T *texto* **▮** *iconografía* **V** *vídeo* **( )** *grabación*

Avant-propos **2**

C O M U N I C A R S E

Niños

▮ *Padre e hijo* -publicidad- **6**

( ) **T** Retratos, Adolfo Bioy Casares, *La aventura de un fotógrafo en La Plata*, 1985 /
Mario Vargas Llosa, *Historia de Mayta*, 1984 8

V   Reportaje: Niños de América latina y de España 9

Ellas

T Ascensor, Joan Barril, *El País*, 1991 .... **10**

▮ *Potentes, prepotentes e impotentes*, Quino, 1989 12

( ) **T** La mujer trabajadora, Carmen Rico-Godoy, *Cambio 16*, 1991 14

▮ *Retrato de una joven artista* 15

Imágenes y palabras

▮ *¿Te arriesgas con la moda "Casi Nada"?* -publicidad- **16**

T La publicidad: ¡palabras, palabras, palabras!, Alejo Carpentier, *La Consagración de la primavera*, 1978 ...18

▮ *Este anuncio podría vender naranjas de la China, pero no tabaco* -publicidad- 19

▮ *Nada te hará sombra* -publicidad- 20

▮ *Quico quiere ser feliz*, José Luis Martín, 1987 21

T Televisión, Juan José Millás, *El País*, 1990 22

▮ *Lleno absoluto* -publicidad- 23

V   Campaña: Lleno absoluto (Televisión en la calle) 23

T Ya es primavera en El Corte Inglés, *Cambio 16*, 1991 24

De viaje

T La viajera inmóvil, Carmen Martín Gaite, *Desde la ventana*, 1987 .... **26**

▮ RENFE: *Historias del tren* -publicidad- 27

T▮ El AVE en cifras 28

Este loco mundo

T Bienvenido al Mambo taxi, Pedro Almodóvar, *Mujeres al borde de un ataque de nervios*, 1988 .... **30**

V   Película: *Mujeres al borde de un ataque de nervios* de Pedro Almodóvar 30

( ) **T** El bar, la casa de todos, *Cambio 16*, 1991 32

Don dinero

( ) **T** Me sentaré en tu sillón, Juan José Millás, *El desorden de tu nombre*, 1988 .... **34**

V   Anuncio publicitario: La gallina y el zorro 34

▮ *El decenio prodigioso*, Santiago Cueto, 1987 35

▮ *Potentes, prepotentes e impotentes*, Quino, 1989 36

▮ *Cristo Pantocrátor*, Maestro de Tahull, 1123 37

▮ *Adoración de los Reyes Magos*, Juan Bautista Maino, 1613 37

Amar y soñar

T La postal del lago, Carlos Saura, *Cría cuervos*, 1975 .... **38**

V   Película: *Cría cuervos* de Carlos Saura 38

( ) **T** Le sobraba tanto amor, Gabriel García Márquez, *El amor en los tiempos del cólera*, 1985 40

( ) **T** Más allá de las apariencias, Bernardo Atxaga, *Obabakoak*, 1989 42

E S P A Ñ A

Panorama económico 46

En torno a Madrid

( ) **T** La sortija, Rosa Montero, *El País*, 1991 ....**48**
   I *El elefante espacial*, 1961 / *El ojo del tiempo*, 1949, Salvador Dalí 49
   I *España. Todo nuevo bajo el sol* (Puerta de Alcalá) -publicidad- 50
   I *Adán y Eva desterrados del Paraíso*, Juan Ballesta, 1991 51
( ) **T** Dichoso verano, Carmen Rico-Godoy, *Cambio 16*, 1991 52
   V   Reportaje: Incendios forestales 53
( ) **T** Pueblos de Castilla en fase terminal, Miguel Delibes, *Pegar la hebra*, 1990 ...54
   V   Anuncio publicitario: El queso todo un arte 54
   I *Latifundio extremeño*, Bruno Barbey, 1991 55

Cataluña y Levante

( ) **T** El hijo natural de Pablo Casals, Juan Marsé, *El amante bilingüe*, 1990 ....**56**
   I *Catalunya, venga al paraíso terrenal* -publicidad- 57
   T Un ser raro, Eduardo Mendoza, *La ciudad de los prodigios*, 1989 58
   I *Barcelona. Exposición Internacional* -cartel- 59
( ) **T** Un africano en Cataluña, Javier Martín, *El País*, 1991 60
   I *España. Todo nuevo bajo el sol* (Casa Museo Sorolla) -publicidad- 62
( ) **T** Los ojos del pintor, Aurora Saura, *De qué árbol*, 1991 63

Andalucía

( ) **T** El tópico andaluz, Antonio Muñoz Molina, *El País*, 1990 64
   I *La Andalucía del progreso*, Pablo Juliá, 1990 65
( ) **T** Boabdil el chico (se va al Norte), Miguel Ríos, 1987 66
   T La Alhambra es vida, Antonio Gala, *El manuscrito carmesí*, 1990 67
( ) **T** ¡Me volvería loca de alegría!, Federico García Lorca, *La zapatera prodigiosa*, 1930 ...68

Tierras del Norte

( ) **T** El soneto a Rosalía, Gonzalo Torrente Ballester, *Filomeno a mi pesar*, 1988 ...72
( ) **T** Canto a los míos, Gabriel Celaya, *Rapsodia euskara*, 1961 74
   V   Anuncio publicitario: Ven a Aragón. Aragón por todos los caminos 74
   I *El deporte vasco* -cartel- 75
( ) **T** El Camino de Santiago, Alejo Carpentier, *Guerra del tiempo* 76

Siglo XX

   T Una larga dictadura, Manuel Vázquez Montalbán, *Los alegres muchachos de Atzavara*, 1988 ...**78**
   I *Quico quiere ser feliz*, José Luis Martín, 1987 79
   T El vampiro del cine Delicias, Juan Marsé, *Colección particular*, 1989 80
   I *Retrato de una familia bajo el franquismo*, Rafael Roa, 1991 81

Siglo XIX

   I *¡Qué sacrificio!* (Los Caprichos), Francisco de Goya, 1799 ....**82**
( ) **T** Un novio para la niña, Leopoldo Alas "Clarín", *La Regenta*, 1884 83
   I *El dos de mayo de 1808*, Francisco de Goya, 1814 85

Luces y tinieblas (siglo XIX)

   T La batalla de los Arapiles, Benito Pérez Galdós, 1876 ....**86**
   I *El tres de mayo de 1808*, Francisco de Goya, 1814 87
   T No le va a resultar fácil a Napoleón, Arturo Uslar Pietri, *La isla de Róbinson*, 1981 ...88

Pícaros (siglo XIX)

( ) **T** La Menegilda, Federico Chueca, *La Gran Vía*, 1886 ....**90**

Pícaros (siglo de Oro)

▌ *Dos mujeres a la ventana*, Bartolomé Esteban Murillo, 1655 ....**92**
( ) **T** *Romance de la Filomena*, anónimo, siglo XVI 93

Don Juan (siglo de Oro)

( ) **T** *El burlador de Sevilla*, Tirso de Molina, 1630 ....**94**
▌ *Latin Lover*, Equipo Crónica, 1966 95

Vanidades (siglo de Oro)

▌ *Alegoría de la caducidad*, Antonio de Pereda, 1640 ....**96**
( ) **T** *Ándeme yo caliente...*, Luis de Góngora, *Letrillas* 97

Siglo de Oro

▌ *El entierro del Conde de Orgaz*, El Greco, 1586 ....**98**
T Dulcinea, Miguel de Cervantes, *Don Quijote de la Mancha*, 1605 100
▌ *El triunfo de Baco o Los borrachos*, Diego de Velázquez, 1628 102
▌ *Bodegón (Velázquez)*, Herman Braun-Vega, 1993 103

Moros y cristianos

Moros y cristianos (arte y cronología) **104**
T Confidencias de Boabdil, 1492, Antonio Gala, *El manuscrito carmesí*, 1990 106
( ) **T** *El día de los torneos*, romance anónimo, siglo XVI 108
T ¿Dónde estará Don Rodrigo?, Francisco García Pavón, *Cuentos de mamá*, 1972 110

Romanos y godos

( ) **T** Pasan los pueblos como las nubes, Juan Eslava Galán, *Guadalquivir*, 1990 ....**112**

H I S P A N O A M É R I C A

De la colonia a la independencia

( ) **T** La historia interminable, Mario Vargas Llosa, *El País*, 1991 ....**116**
▌ *Retrato de la familia Jara Vidalón*, Martín Chambi, 1923 117
T ¿Éstos, no son hombres? Bartolomé de las Casas, *Historia general de las Indias*, 1556 118
▌ *El ingenio*, Diego Rivera, 1929 119
T Las Misiones jesuíticas de los Guaraníes, Caroline Haardt, *El correo de la Unesco*, 1991 120
V Serie: *La otra mirada de Latinoamérica*, «Cartagena de Indias, ciudad colonial» 120
T Visita a la misión San Miguel, Roland Joffé, *La Misión*, 1986 121
( ) **T** Tupac Amaru, Pablo Neruda, *Canto general*, 1950 124
▌ *Tupac Amaru precursor de la Independencia*, Augusto Díaz Mori, 1971 125
( ) **T** Cimarrón y Perro, Alejo Carpentier, *Los fugitivos*, 1956 126
▌ *Mercado de esclavos en Haití*, Freddy Chérasard 127
( ) **T** Balear a la Virgen de Guadalupe, Carlos Fuentes, *La Campana*, 1990 128
( ) **T** La trata de los negros, Cirilo Villaverde, *Cecilia Valdés o La loma del Ángel*, 1882 130
▌ *Avisos de prensa*, La Habana, 1839 131
( ) **T** Un canto para Bolívar, Pablo Neruda 132
▌ *Bolívar en Cuzco en 1825*, Herman Braun-Vega, 1983 133
T Plutarco debe de ser un negro, Álvaro de Laiglesia, *Sólo se mueren los tontos*, 1955 134

Hispanos en EE.UU.

T «Hasta la vista, "Baby"», Emmanuela Roig, *El País Internacional*, 1993 ....**136**

México y Centroamérica

▌ *Es mágico. Es México* -publicidad- **138**
( ) **T** Contra la kodak, José Emilio Pacheco, *Alta traición*, 1969-1972 139
( ) **T** Un santo, Juan Rulfo, *Anacleto Morones*, 1953 140
▌ *Fiesta de la Virgen de Guadalupe*, Mireille Vautier, 1991 141
T Indocumentados, Carlos Fuentes, *Cristóbal Nonato*, 1991 142

T Mercados guatemaltecos, Pablo Neruda, *Oda a Guatemala*, 1954..144
V   Serie: *Otros pueblos*, «Indios de Guatemala: vida cotidiana y tradiciones» 145
I *Mujeres mayas en el mercado de Patzun*, Mireille Vautier 145
( ) **T** ¡La anexión es un hecho!, Miguel Ángel Asturias, *El Papa verde*, 1954 146
V   Serie: *La otra mirada de Latinoamérica*, «Costa Rica, Golfito, se fue la multinacional»................146
I *Standard Fruit Company*, Mireille Vautier 147

Por tierras del Caribe

( ) **T** El zombi se lo llevó, Rubén Darío Vallejo, *El Caribe*, 1991.....................................**148**
( ) **T** Y usted agita la cucharilla en el vaso, Reinaldo Arenas, *El central*, 1970.................150
( ) **T** Se lo debe sólo a la Revolución, Alfonso Grosso, *Inés just coming*, 1968..................152
V   Serie: *Equinoccio*, «Obras de restauración en La Habana colonial».........................153
T Petróleodestino, Arturo Uslar Pietri, *Estación de máscaras*, 1964.................................154
V   Reportaje: La cosecha del café 154
( ) **T** Una canción en el Magdalena, Nicolás Guillén, *El son entero*, 1946.........................156
V   Reportaje: La legenda del fuego entre los indios yanomamos...............................156
I *Orilla del río Magdalena*, Bareant, 1868 157

Países andinos

( ) **T** *Noticia de un secuestro*, Gabriel García Márquez, 1996...**158**
( ) **T** El mercado del lugar común, Alfredo Bryce Echenique, *A vuelo de buen cubero y otras crónicas*, 1977.......160
I *Ciudad de los Reyes*, Juan Acevedo, 1979 161
( ) **T** Informalidades de Lima, José Comas, *El País*, 1991...162
V   Serie: *Equinoccio*, «Las casas flotantes de Iquitos» / Anuncio publicitario: UNICEF,
              campaña Pro Andes 163
T La misión del profesor, Manuel Scorza, *La Tumba del relámpago*, 1978 164
I *Sayariychis (Levantémonos)*, Florentino Laime Mantilla, 1988 165

Cono Sur

( ) **T** Oda a Valparaíso, Pablo Neruda, *Odas Elementales*, 1954 ....**166**
T Clandestino en Chile, Gabriel García Márquez, *La aventura de Miguel Littín, clandestino en Chile*, 1986.....168
I *Potentes, prepotentes e impotentes*, Quino, 1989 169
( ) **T** La que vende palabras, Isabel Allende, *Cuentos de Eva Luna*, 1990............................170
I *Ciudad de los Reyes*, Juan Acevedo, 1979 171
( ) **T** Oda a la pereza, Pablo Neruda, *Odas Elementales*, 1954...172
( ) **T** La carta que no llegó, Eduardo Galeano, *La canción de nosotros*, 1975....................174
( ) **T** Volver, Alfredo Le Pera, música de Carlos Gardel...176
I *El último vuelo del «China Clipper»*, Abel Quezada, 1981 177
( ) **T** Buenos Aires, la cabeza de Goliat, Marcos-Ricardo Barnatán, *América 92*, 1991..............178
V   Reportaje: *Equinoccio*, «Buenos Aires, crecimiento vertical» 178
( ) **T** La vía de la unidad, Emilio Tiedra, *América 92*, 1991..180

Grammaire **183**
Lexique **217**

Table de références des textes et crédits photographiques

p. 6 : Lorente y Mussons - p. 9 : Círculo de Bellas Artes, Madrid - p. 11 : J. Donoso/Sygma - p. 12 : Éd. Glénat - p. 15 : DR - p. 16 : Lorente y Mussons - p. 18 : Centro de Promoción Cultural Alejo Carpentier - p. 19 : DR - p. 21 : Ediciones B - p. 23 : RTVE / Contrapunto - p. 26 : Espasa-Calpe - p. 27 : RENFE - p. 28 : M. Nieto/Cover ; Graffito - pp. 30-31 : El Deseo - p. 32 : J. M. Charles/Sygma - p.34 : Juan José Millás, 1988 - p. 35 : DR - p. 36 : Éd Glénat - p. 37 : J. Calveras/J. Sagristà ; Oronoz - p. 38 : Elías Querejeta - p. 40 : Gabriel García Márquez, 1985 ; M. Vautier - p. 41 : M. Vautier - p. 42 : Ediciones B - p. 43 : P. Fourneret - pp. 46-47 : Galicia : A.G.E. Fotostock ; C. Pillitz/Net Work ; Asturias : J. Bastart/A.G.E. Fotostock ; A.G.E. Fotostock ; Castilla y León : B. Decoux/REA ; A.G.E. Fotostock ; Extremadura : R. Gutierrez/El País ; Andalucía : J. Guillard/Scope ; C. Pérez Siquier ; S. Egan/Fotogram-Stone ; País Vasco : A.G.E. Fotostock ; Cataluña : H. Donnezan/Rapho ; La Rioja : A.G.E. Fotostock ; Aragón : G. Bullón ; A.G.E. Fotostock ; Castilla-La Mancha : A. Puente Briales ; Murcia : P. Lissorgues ; Paisajes Españoles ; Comunidad Valenciana : Ford España ; H. Donnezan/Rapho ; Madrid : J. Hicks/Pix - p. 49 : photo DESCHARNES and DESCHARNES/ADAGP, Paris 1997 - p. 50 : Cees Van Gelderen/Turespaña - p. 51 : Cambio 16 - p. 54 : Ediciones Destino - p. 55 : Bruno Barbey/Magnum - p. 56 : Juan Marsé, 1990 - p. 57 : Consorcio de Promoción Turística de Cataluña - p. 58 : Eduardo Mendoza, 1986 - p. 59 : A.G.E. Fotostock - p. 61 : Estudio Mariscal ; Initial Groupe - p. 62 : Cees Van Gelderen/Turespaña - p. 63 : Publicaciones de la Universidad de Murcia ; Museo Sorolla, Madrid - p. 64 : Antonio Muñoz Molina, 1990 - p. 65 : Pablo Julià/El País - p. 66 : DR ; P. Fourneret - p. 67 : Ed. Planeta ; P. Fourneret ; J. A. Fernández/Incafo - p. 68 : Charles Camberoque ; Herederos de F. García Lorca - p. 71 : Guy Hervais/Cosmos - p. 72 : Ediciones Destino - p. 74 : DR ; Fernando Munoz - p. 75 : Mikel Urmeneta © Kukuxumusu - p. 76 : Centro de Promoción Cultural Alejo Carpentier - p. 77 : Artephot/Oronoz ; Xunta de Galicia - pp. 76-77 : Marina García Gortari - p. 78 : Manuel Vázquez Montalbán, 1987 - p. 79 : Ediciones B - p. 80 : Juan Marsé, 1989 - p. 81 : Rafael Roa - p. 82 : Oronoz - p. 85 : Oronoz - p. 87 : Oronoz - p. 88 : Arturo Uslar Pietri, 1981 - pp. 89, 91 : M. Gounot © DR - p. 92 : Oronoz - p. 94 : Musée de la Ville de Strasbourg - p. 96 : DR - p. 98 : Giraudon - p. 99 : Bertrand Remy - p. 100 : DR - p. 101 : P. Fourneret - p. 102 : Oronoz - pp. 104-105 : Zamora, Burgos, Salamanca, Córdoba, Sevilla : Artephot/Oronoz ; León : L. Dávila/Cover ; Granada : G. Dagli Orti - p. 106 : Susan Sanford and Beth Collins/© National Geographic Society ; Ed. Planeta - p. 107 : Bruno Barbey/Magnum - p. 110 : DR - p. 112 : David Ball/Diaf ; Ed. Planeta ; Geopress/Explorer - p. 113 : De la Puente/Photo Tourisme Espagnol ; Ediciones Encuentro - p. 116 : Mario Vargas Llosa, 1991 - p. 117 : Círculo de Bellas Artes, Madrid - p. 119 : Col. Palacio Nacional de México, DR - p. 120 : DR ; E. Brissaud/Gamma - p. 121 : DR ; Col. Cristophe L. - p. 123 : Col. Cristophe L. - p. 124 : Pablo Neruda, y herederos de Pablo Neruda - p. 125 : M. Vautier - p. 126 : Centro de Promoción Cultural Alejo Carpentier - p. 127 : DR - p. 128 : Carlos Fuentes, 1990 - p. 129 : Ediciones Encuentro - p. 130 : Ediciones Cátedra, 1992 - p. 132 : Herman Braun Vega ; Pablo Neruda, y herederos de Pablo Neruda - p. 134 : DR - p. 135 : Edimedia - p. 136 : S. Mac Curry/Magnum - p. 138 : Esser Otranto - p. 139 : Alianza Editorial - p. 140 : DR - p. 141 : M. Vautier - p. 142 : Carlos Fuentes, 1987 - p. 144 : Pablo Neruda, y herederos de Pablo Neruda ; M. Vautier - p. 145 : M. Vautier - p. 146 : Ed. Losada, Buenos Aires - p. 147 : M. Vautier - p. 148 : Museo de Guanabacoa, Cuba, DR - p. 149 : M. Vergnole/Procontact - p. 150 : DR - p. 151 : Luis Magán/El País - p. 152 : DR - p. 153 : R. Van der Hilst - p. 154 : Arturo Uslar Pietri, 1964 - p. 155 : M. Vautier - p. 156 : DR - p. 157 : Bibliothèque Nationale - p. 158 : Gabriel García Márquez, 1996 ; G. Sánchez/Cover - p. 160 : DR ; M. Vautier - p. 161 : Juan Acevedo - p. 163 : M. Vautier - p. 164 : DR - p. 166 : Pablo Neruda, y herederos de Pablo Neruda - p. 167 : Koene Maja/Explorer - p. 168 : Gabriel García Márquez, 1986 - p. 169 : Éd. Glénat - p. 170 : Isabel Allende, 1990 - p. 171 : Juan Acevedo - p. 172 : Pablo Neruda, y herederos de Pablo Neruda - p. 174 : Ed. Edhasa - p. 175 : Comité de défense des prisonniers politiques au Chili - p. 176 : DR ; Bruno Pueyo/Fovéa - p. 177 : DR - p. 179 : Peter Lang/Fovéa ; Eric Sander/Gamma - p. 181 : Enzo Pifferi.

Nous avons recherché en vain les éditeurs ou les ayants droits de certains textes ou illustrations reproduits dans ce livre. Leurs droits sont réservés aux Éditions Didier.

Couverture : CAYENNE.
Conception graphique : QUO MEDIA ET L. Durandau.
Réalisation P.A.O. et Photogravure : QUO MEDIA.
Cartographie : GRAFFITO (pages 2 et 3 de couverture) et QUO MEDIA.

Imprimé en France en Juillet 1999
par CLERC S.A. - 18200 Saint-Amand-Montrond